bien lu partout

Ne tirez pas sur le dentiste

David Rogers

est présenté au cinéma par Warner Bros.
et met en vedette
Peter Falk et Alan Arkin

David Rogers

Ne tirez pas sur le dentiste

David Rogers

Ne tirez pas sur le dentiste

David Rogers

traduit de l'américain
par Jean-Michel Wyl

Beauchemin

TITRE ORIGINAL: The In-Laws

© 1979 Warner Bros. Inc.
  All rights reserved

Published by Fawcett Gold Medal Books, a unit of CBS Publications, the Consumer Publishing Division of CBS Inc.

ISBN: 0-449-1452-3

Édition française: Ne tirez pas sur le dentiste

© traduction française — Librairie Beauchemin Limitée

ISBN: 2-7616-0037-1

Consultante à l'édition: Diane Karneyeff-Bisson
Maquette de la couverture: Jacques Robert

1

— S'il te plaît?

— Non!

— Pourquoi non?

— Je ne pense pas que nous devions.

— C'est parce que tu ne le veux pas?

Oui, je le veux. Tu sais combien je le veux!

— Alors, pourquoi pas?

— Parce que je pense que nous ne pouvons pas.

Le jeune homme expira avec force, autant pour faire savoir à la fille qu'il était frustré et ennuyé que pour expulser l'air de ses poumons. Il la lâcha et revint sur le siège avant de la Coupé de Ville de son père. Il remit de l'ordre dans ses sous-vêtements et regarda, sans grande conviction, à travers le pare-brise, la rue sombre de cette ville de banlieue, Teaneck, au New Jersey. Il avait pris la Coupé de Ville à la place de sa propre Volkswagen parce que son père était parti et que, de toute manière, il avait pensé qu'il y serait plus à l'aise.

— Tommy, dit-elle en séparant bien les deux syllabes du nom, ne sois pas en colère et comprends mes sentiments; je t'aime.

C'était ce qu'elle pensait. Tommy entendit plutôt derrière ce chuchotement: «Persuade-moi».

Il retourna sur le siège arrière, l'enlaça à nouveau, murmura doucement: «Barbara» juste avant de l'embrasser. Il pensa dire: «Je comprends tes sentiments et m'y conformerai aussi longtemps que tu te laisseras faire, dans une demi-heure ou n'importe quand.» Mais Barbara comprit: «Je ne suis pas en colère. J'attendrai. Je t'aime.» Ce fut un long baiser. Nullement surpassé, de son côté à lui, par certains plaisirs à venir; et dans quelques jours, la cérémonie, les hors-d'oeuvre, le bon vin . . . de son côté à elle.

À la fin, Tommy décolla ses lèvres de celles de Barbara et butinant ici et là sur ses joues, il murmura:

— S'il te plaît.

— Non, répondit-elle.

14

— Pourquoi non?

Et lorsque toute la première tirade fut à nouveau répétée, il l'abandonna, revint sur le siège avant et posa ses mains sur le volant.

— Ce n'est tout de même pas comme si nous ne l'avions jamais fait, dit-il, boudeur.

— Oui, mais c'était avant que nous soyons fiancés.

— Je ne comprends pas ton raisonnement.

— D'accord, fit-elle, sachant bien que sa position était ridicule et pensant qu'au fond, il pourrait faire un certain effort pour la comprendre. Le mariage était prévu pour dimanche.

— Mais on est mercredi soir! évalua-t-il avec une certaine urgence qui éveilla une douleur au plus profond de lui.

— Si on attend, ce sera tellement plus merveilleux dimanche.

— Ce sera juste aussi merveilleux maintenant! Et alors?

— Nous devons attendre notre nuit de noces . . . à la Plaza, dit-elle, suggérant les délices d'un hôtel de première classe, assortis de l'honorable satisfaction d'une sexualité licite.

— Et de toute façon, ajouta-t-elle, nous ne pouvons pas aller chez toi, pas plus que chez moi, et je déteste cette scène de motel.

Tommy préféra garder le silence, plutôt que de se justifier, en se disant que ça semblerait plus romantique, plus nouveau quand elle

15

serait sa femme; puis, tandis qu'il pensait à l'expression «sa femme», elle ajouta un argument bien conjugal:

— Après tout, dimanche n'est pas si loin que ça et un motel serait un gaspillage d'argent.

— Je me fiche de l'argent, maugréa-t-il.

Alors là, Barbara fut assaillie par une crainte. Tommy était-il extravagant? Son père à elle était dentiste. Il gagnait bien sa vie, mais elle avait été élevée dans le respect de l'argent, économe en prévision des mauvais jours. Devrait-elle, dans ses vieux jours, en cas de déluge, avoir à ses côtés un mari plein de largesses mais sans parapluie?

«Pourquoi pense-t-elle à l'argent dans un moment pareil?» se demanda Tommy. «Est-elle radine? Allaient-ils toujours s'engueuler au sujet du fric? Considérant le prix de la nourriture, servirait-elle, tous les soirs, du pâté à la viande?» Assis dans le silence de la voiture, chacun réalisait, comme en un éclair, combien pour celui qui aime, le mariage est bourré de problèmes...

— Veux-tu que je te raccompagne chez toi? demanda-t-il.

— Non, pas vraiment.

— Nous avons déjà mangé, lui rappela-t-il.

— C'est bon. Allons-y, répondit-elle, déçue, tandis qu'il démarrait.

En douceur, il quitta le stationnement, et

descendit cette rue sombre éclairée seulement par des lampadaires qui suspendaient des auréoles de lumière dans les arbres aux lourdes frondaisons.

— Ton père... commença Barbara.

— Oui?

— Il est toujours d'accord pour le dîner de demain?

— Il le sait. Il sera de retour à temps, affirma Tommy avec assurance, bien qu'il n'en fût pas aussi certain.

Son père courait toujours par quatre chemins. Et même si ses intentions étaient bonnes, Tommy pensait bien qu'avec les aléas de son mystérieux boulot, ses plans les meilleurs pouvaient tomber à l'eau.

— Ma famille a hâte de le rencontrer, dit Barbara. Cela fait si longtemps... Et le mariage est dimanche. Ils ont tellement hâte...

— Il le sait, répéta Tommy. Même si c'est pour lui une saison fort occupée, lui aussi a hâte de les rencontrer.

Elle acquiesça, sachant que tous deux, au même instant, imaginaient la tension prénuptiale de leurs parents respectifs.

Il s'engagea dans la rue de Barbara, réalisant qu'après dimanche, il s'agirait de la rue des parents de Barbara, de la rue de ses beaux-parents et que celle de Barbara serait une autre rue. C'est-à-dire sa rue à lui. Avec la voiture, il entra dans l'allée de la maison de Barbara.

Elle se pencha et l'embrassa.

— Je ne peux pas attendre jusqu'à dimanche, dit-elle.

— Oui, tu peux, répliqua-t-il avec peut-être un peu plus d'acidité qu'il n'aurait voulu.

Alors, il l'embrassa avec un peu plus d'ardeur, ne la lâchant que lorsqu'il vit une fenêtre s'allumer à un étage de sa... de la maison de son père.

— À demain soir, dit-elle en se glissant hors de la voiture.

— Sept heures, lui rappela-t-il, en envoyant des baisers du bout des doigts. Il la regarda s'éloigner puis entrer dans la maison tout en pensant: «Demain à sept heures... dimanche... et (avec un étrange sentiment au creux de l'estomac) pour le reste de ma vie.»

2

Un jeudi sans soleil et humide teintait de
gris la capitale du plus grand pays du monde
occidental. La plupart des citoyens s'occupaient des affaires de cette ville qui ressemblait, en effet, à une seule gigantesque entre-
prise. Les juges de la Cour Suprême suivaient
un procès tellement important, qu'à part une
dizaine d'avocats, aucun des deux cents millions d'habitants ne pouvait le comprendre ou
en tirer profit. Au Capitole, les membres du
Congrès allaient voter un paquet de lois com-
pliquées, vitales, mais ressemblant étrange-
ment à celles votées la semaine dernière avant
même que le Président eût exercé son droit de

veto. Dans tous les ministères, des sténographes prenaient des notes, polycopiaient des dossiers, et accordaient à leurs patrons quelques tâtonnements en vitesse dans un débarras. Au Pentagone, les sergents préparaient du café pour les colonels, tandis que les sous-fifres de la CIA mettaient fébrilement la dernière main à des bouquins qu'ils publieraient aussitôt qu'ils seraient congédiés.

Dans un quartier beaucoup moins huppé de la ville, encombré d'entrepôts à la fois occupés et abandonnés, un quartier d'appartements en ruines et de cours de triage, deux hommes en uniforme s'occupaient, eux aussi, des affaires de leur gouvernement. Ils conduisaient lentement une bagnole blindée sur laquelle on pouvait lire «Département du Trésor, Hôtel de la Monnaie des États-Unis». Ils roulaient à quinze milles à l'heure dans une rue défoncée et pleine de cassis. Dans cette voiture fermée à clef, le chauffeur se payait le concert d'une mélodie style «western» que braillait sa radio.

— Si on appelait la Base? suggéra l'autre garde avec calme, juste pour la forme, parce qu'il avait davantage envie de rêver à sa retraite qui lui trottait toujours derrière la tête.

Le chauffeur acquiesça et sans un mot, diminua le volume de la radio. Le garde attrapa son micro et poussa le bouton. «Allo,» dit-il, «ici Alpha et Bêta. À vous?» Ce qui ne les empêchait pas de s'appeler Fred et Harold mais si dans la vie vous jouez à quelque chose, vous jouez jusqu'au bout.

— Je vous entends, Alpha...Bêta...Où êtes-vous? crachota une voix dans un haut-parleur.

— On roule près de South Factory, répondit le garde. Il regarda sa montre. On devrait y être dans à peu près neuf minutes. À vous!

— On vous attend, les potes, répondit l'autre avant de lâcher un «Dix Quatre» et de s'évaporer dans l'atmosphère.

D'un coup de poignet, le chauffeur prit un virage et enfila une rue étroite, tandis que de l'autre main, il tournait le bouton du poste de radio, se branchant à nouveau sur la musique «western». Même si personne ne les suivait, il mit son clignotant à gauche, et tourna encore dans un chemin pris en sandwich entre des voies de chemin de fer et une palissade étouffant un chantier de construction. Au bout de ce chemin, il y avait une énorme grue masquant à demi un train qui arrivait.

— Fais gaffe au train! avertit le garde.

— Je l'ai vu, répondit le chauffeur qui freina avant la barrière.

En attendant que le train passe, chacun était perdu dans ses pensées, isolé de l'autre par la radio qui vomissait sa musique à tue-tête. Ils n'avaient pas fait attention à la grue qui évoluait près d'eux. Ils ne la remarquèrent que lorsque ses griffes puissantes se placèrent de part et d'autre de la cabine et qu'au même instant, ils virent le sol s'éloigner d'eux. C'est à ce moment-là qu'ils prirent peur.

— Nom de Dieu que se passe-t-il? hurla le chauffeur qui regardait avec des yeux agrandis sa voiture s'élever en l'air comme un hélicoptère.

Abandonnant ses rêves, le gars, qui se vantait pourtant de son sang-froid, sauta sur le micro et hurla: «Base! Ici Alpha-Bêta. Venez vite! Venez vite! Base!»

Il hurlait dans son micro comme un forcené tandis que le camion surplombait la palissade et le terrain de construction, et se mettait à décrire un cercle avant de commencer à descendre vers la terre. Pendant que la voiture blindée s'approchait du sol, les deux hommes remarquèrent que des types au visage masqué, transportant des torches à acétylène, se précipitaient vers le véhicule.

«Sacré nom de Dieu!» s'exclama le chauffeur pendant que son compagnon, totalement déchaîné, hurlait dans son micro: «Base! Base! Urgence! Urgence! Venez s'il vous plaît. Venez!»

Le camion fit un atterrissage parfait sur quatre roues dans le chantier de construction pendant que ses passagers étaient trop effrayés pour remarquer — et apprécier — toute la science et l'adresse du conducteur de la grue. Dès que le véhicule toucha le sol, les deux hommes armés de torches à acétylène soudèrent les portes du camion.

Les deux gars du Département du Trésor tapaient des poings, mais sans succès, contre les vitres blindées de la bagnole, trop occupés pour remarquer le minutage parfait avec lequel les deux bandits travaillaient. D'ailleurs, ces derniers, armés de perceuses, trouaient la porte arrière du camion blindé. Pendant ce temps, le grutier masqué, à l'aide d'un bâton comme s'il était un chef d'orchestre, aboyait des ordres à ses deux compagnons qui, pour le moment, attachaient un câble à la porte arrière. Le câble était relié à un treuil à moteur qui, d'une formidable traction, arracha la porte comme s'il pelait un fruit.

Maintenant qu'il comprenait la situation, le chauffeur regarda son compagnon, et dit: «Tu peux les embrasser et leur dire merci pour ta promotion qui vient de foutre le camp.» Il hocha salement la tête pendant que les deux hommes masqués grimpaient dans le fourgon.

Travaillant rapidement dans cet espace confiné, les hommes masqués débarquèrent les premiers sacs d'argent, semant des billets de banque aux quatre vents, si bien que le chantier prenait des allures de parquet de Bourse. D'ailleurs, assez bizarrement, ils ne semblaient pas intéressés par l'argent et traitaient même ces piles de billets de banque comme s'il s'agissait de vieux journaux et de magazines entassés dans quelque sous-sol blindé.

À leur manière d'agir, on aurait dit qu'ils cherchaient un trésor enfoui sous ces dizaines de sacs.

Enfin, jetant au loin contre une des cloisons du camion un sac qu'ils avaient extrait, un des hommes eut un cri de joie et sa face s'illumina sous son masque.

Essuyant d'une main leste les billets de banque qui recouvraient ce sac, comme s'il balayait des pétales de fleur, l'un d'eux le prit et l'ouvrit. Le serrant contre sa poitrine, et plongeant sa main à l'intérieur, il contrôla rapidement le contenu du sac puis le tendit vers son compagnon qui approuva, écarquillant les yeux devant la découverte. Des plaques, un lot de plaques destinées à imprimer des billets de diverses dénominations, mais surtout de cinquante, cent et cinq cents dollars.

Pendant que son compagnon lâchait un léger sifflement d'admiration, l'homme referma le sac et dit: «C'est ça! Fichons le camp!» Il sortit du camion et s'éloigna rapidement mais calmement tandis que son copain rejoignait le reste de la bande.

Celui qui avait le sac quitta le chantier de construction et après avoir tourné le coin de la ruelle, il s'arrêta devant un vieil entrepôt.

Complètement abandonné et abîmé par les ans, il était difficile de penser que cet immeuble avait déjà été actif et productif. Maintenant, il servait surtout aux rendez-vous galants et aux meurtres à la petite semaine.

L'homme poussa une lourde porte grinçante et traversa un large espace désert. Il entra dans un vieil élévateur à marchandises qu'il mit en route jusqu'au plus haut niveau. Lorsque l'élévateur s'arrêta, il le quitta rapidement, longea un couloir sombre et ouvrit une porte. Ensuite, il emprunta un escalier au bas duquel il y avait une flèche accompagnée du mot «Toit».

Ouvrant une autre porte en haut de ces escaliers volants, il émergea sur le toit de l'immeuble et jeta un rapide coup d'oeil. Il ne vit rien, sauf peut-être la coupole du Capitole qui brillait dans le lointain.

«Vince?» appela-t-il d'une voix forte mais retenue. Alors, ne voyant et n'entendant rien, il appela à nouveau: «Vince?»

Avec précaution et même avec quelque nervosité, il s'engagea sur le toit en direction du château d'eau. C'était une structure aussi ancienne et aussi décrépite que le reste, portant de larges traces de rouille. «Vince» appela-t-il, et un peu plus fort: «Hé! Vince?» Il contourna le château d'eau et aperçut un homme, tout au moins ses chaussures, le bas de ses pantalons, le rebord de son chapeau. Le reste de l'homme était plutôt caché par le Washington Post. L'homme abaissa son journal, louchant vers le masque.

— Je ne peux pas croire que les Mets aient accepté cet échange! dit-il sur un ton de profonde sincérité blessée, comme s'il était le gérant de cette équipe de baseball ou comme si ce problème était le plus important de sa vie. Pourquoi, diable, ont-ils besoin d'un autre lanceur? Ils n'ont que ça, des lanceurs!

Montrant son désappointement, Vince Ricardo plia lentement son journal, descendit les marches poussiéreuses et quitta le château d'eau. C'était un homme trapu qui avait dépassé la quarantaine; il avait des cheveux noirs et portait légèrement la tête de côté comme s'il avait grandi dans une maison au plafond trop bas.

— Pourquoi ici? demanda l'homme au masque. Je ne comprends pas.

— Il y a des raisons, répondit Vince. Je ne fais pas les choses au hasard. Il y a toujours une raison valable, se mit-il à expliquer calmement, presque cliniquement, avec des accents sincères. De la tête, il fit un signe vers le sac noir

— Fais voir.

L'homme masqué tendit le sac ouvert et le tint à bout de bras pour qu'il soit inspecté. Vince regarda à l'intérieur, en contrôla le contenu puis il hocha la tête et prit le sac.

— Pas de problèmes?

— Non, aucun.

— Fabuleux. Un travail fabuleux!

Rien qu'à sa voix, on était sûr que Vince pensait qu'il s'agissait d'un travail fabuleux.

— Et maintenant, quoi? Allez-vous m'envoyer une facture?

— Il veut un million et demi pour ça, dit la bouche derrière le masque.

— Pas de problème, assura Vince.

— Pour demain.

— Quoi? s'exclama Vince comme s'il avait reçu une gifle.

— Je m'excuse, mais c'est ce qu'il m'a dit, expliqua le masque.

— Mais c'est complètement con! Mon fils se marie dimanche. Comment vais-je faire pour revenir avec ce pognon?

— Vince . . . commença l'homme masqué.

— Te rends-tu compte que je n'ai jamais rencontré les parents de la mariée?

Et, comme pour se justifier, il ajouta:

— Ça montre à quel point je n'ai pas eu le choix dans cette affaire.

— Vince, si ça ne dépendait que de moi, tu pourrais prendre deux semaines. Mais c'est ce qu'il a dit.

Il mit une certaine emphase en disant «il»; pas une menace, mais quelque chose comme «Business is business» et je ne suis qu'un messager.

— Christ! dit Vince avec dégoût. Bon, je n'ai qu'à m'y mettre et c'est tout.

De ses deux mains, il secoua celles de l'homme masqué, comme pour lui démontrer qu'il n'avait rien contre lui.

— Merci pour tout. Comment va ta femme? demanda-t-il comme si ça l'intéressait beaucoup.

— Ça va, elle est très occupée avec son tennis, répondit l'homme masqué.

— Voilà bien un jeu auquel je ne pourrais jamais m'amuser. Je ne sais pas trop pourquoi. Peut-être parce que c'est un genre de truc pour lequel il faut porter des shorts, dit-il avec philosophie.

Dans le lointain, ils purent entendre des sirènes de voitures de police qui commençaient à beugler.

— J'ai l'impression qu'il est temps qu'on se tire, dit avec regret l'homme au masque.

— O.K. Ne te fais pas de bile.

— Toi non plus, Vince.

Sur ces mots, l'homme masqué se retourna et partit rapidement mais silencieusement vers la porte conduisant à l'élévateur.

Avec le sac noir, Vince partit à son tour mais dans une autre direction. Parvenu au bout du toit, il escalada un petit mur et atterrit sur le toit de l'édifice voisin. Avant de disparaître, il admira une fois encore la pureté de style du dôme du Capitole et se sentit fier d'être Américain.

3

Abe Hirschorn ne s'était jamais habitué à aller chez un dentiste qui tenait boutique dans un grand édifice moderne. Il avait toujours pensé que la dentisterie était une occupation médicale qui devait se pratiquer dans une maison. À la limite, dans un joli pavillon attenant à la maison et ouvrant sur une cour, d'où le patient pourrait regarder les arbres par la fenêtre pendant que le dentiste ferait son travail. Depuis qu'il habitait New York, il aurait, à la rigueur, accepté qu'un cabinet de dentiste soit situé au rez-de-chaussée d'un appartement, quelque part à Central Park West ou à Riverside Drive, d'où il aurait pu apercevoir un arbre par la fenêtre. Mais dans un gratte-ciel? À chaque fois qu'il tournait le coin de Grand Central Station et apercevait l'enfilade de ces immeubles modernes où se trouvait le cabinet du dentiste, il avait l'impression d'être venu pour vendre des slips et des chemises, des pyjamas ou des pantalons, et d'avoir simplement oublié sa valise d'échantillons. Mais il y avait longtemps qu'il avait oublié cette valise, pour la bonne raison qu'Abe Hirschorn avait soixante-douze ans et qu'il était à la retraite depuis longtemps.

Il était sorti de l'ascenseur au dixième étage et avait marché le long d'un couloir interminable jusqu'à une porte vitrée sur laquelle étaient peints ces mots «Dr. Sheldon Kornpett». Il était entré dans la salle d'attente, s'était assis et avait lu la moitié d'un article dans Newsweek. Évita, l'infirmière espagnole du Docteur Kornpett, l'avait ensuite conduit dans le cabinet du dentiste. C'était un endroit moderne et fort bien équipé. Il s'était assis dans la chaise et avait laissé le Docteur Kornpett badigeonner ses gencives avec un antiseptique. Puis, Kornpett prit une énorme seringue et tandis qu'il la plongeait dans la mâchoire du vieil homme, Abe pensa: «Il a l'air d'un gentil garçon. Un gentil garçon? Il doit avoir quarante-cinq ans. Lorsque les dentistes commencent à avoir l'air de gentils garçons, cela veut dire que vous êtes pas mal âgé.»

36

Le Docteur Kornpett retira l'aiguille et Abe retourna à la salle d'attente tandis qu'un autre patient prenait sa place dans la chaise. Il eut le temps de terminer la lecture de l'article de Newsweek avant que son nez soit engourdi et qu'il retourne dans le cabinet du dentiste. Sheldon Kornpett, le garçon dentiste, avait une pince à la main et s'apprêtait à extraire.

— On y va, dit le Docteur Kornpett.

Lorsqu'il sentit que le dentiste tirait sur sa pauvre vieille dent, Abe lui attrapa le bras.

— Non. Laissez-moi, Monsieur Hirschorn! ordonna le dentiste. Restez sur la chaise.

Sheldon tira fortement sur la dent, et sentit de la sueur à la racine de ses cheveux: «Pourquoi pas, je suis capable de soulever avec ma pince un patient de cent soixante-dix livres», tandis que Hirschorn était complètement en dehors de la chaise. Sheldon Kornpett abandonna la dent et Monsieur Hirschorn retomba dans la chaise.

— Je ne peux pas travailler comme ça, dit-il à son patient.

— Docteur, il y a soixante-douze ans que j'ai cette dent. Elle ne veut pas mourir.

— Monsieur Hirschorn, une dent n'est pas une «elle», c'est des nerfs et de l'émail, dit Sheldon fermement. Cette dent est pourrie, aussi va-t-on l'enlever. Ce n'est tout de même pas une grosse affaire.

— Soixante-douze ans, répondit Monsieur

Hirschorn, sans écouter le dentiste, perdu dans ses souvenirs. Cette dent a mangé des steaks; cette dent n'a eu que des haricots, que des haricots, lorsque j'étais pauvre...

— Je comprends.

— Cette dent a passé à travers deux guerres mondiales, à travers la crise économique, à travers Hitler, à travers le *Ed Sullivan Show.*

Sheldon entendit le téléphone sonner dans le bureau de la réceptionniste et se demanda si Hirschorn allait occuper toute sa matinée.

— Monsieur Hirschorn... commença-t-il, mais le vieil homme semblait très agité.

— Cette dent a mordillé des femmes magnifiques, dit-il, et parmi elles, la deuxième cousine de Molly Picon.

Évita glissa sa tête dans le cabinet:

— Docteur Kornpett, votre femme veut vous parler.

Sheldon acquiesça:

— J'y vais dans un instant.

Baissant les yeux, il dit à son patient:

— Monsieur Hirschorn, votre dent a eu une vie magnifique et colorée, mais maintenant il est temps de lui dire adieu.

— Je comprends très bien. Mais je voulais que vous sachiez quel genre de dent c'est.

— C'était vraiment une grande dent, lui dit Sheldon. Je serai très honoré de l'extraire de votre bouche, ce que je vais faire après mon téléphone.

Il déposa sa pince sur le plateau et décrocha l'appareil posé contre le mur:

— Allo, dit-il. Comment ça va? La tente est dressée?

À l'autre bout du fil, Carol Kornpett regardait par la fenêtre de sa cuisine. Un petit peu plus loin, sur le gazon du parc, plusieurs ouvriers se battaient avec une grande tente verte et blanche.

— Ça peut aller, dit-elle.

— Cela m'excite, répondit son mari depuis son cabinet du centre-ville.

Carol secoua la tête, agitant une chevelure courte et rousse, avec un air d'amusement sur son joli petit visage. «Il est excité» pensa-t-elle «pendant que je fais du café pour cet ouvrier».

— Est-ce que Barbara est à la maison? demanda la voix au téléphone.

Carol traversa la cuisine du regard et aperçut sa fille, une fiancée anxieuse et mûre à point.

— Oui, elle est là. Elle joue à la ménagère.

Barbara leva les yeux des carottes qu'elle épluchait, et de loin cria «Bonjour» vers le téléphone.

— Elle te fait dire bonjour, rapporta Carol au père de la future mariée.

— Et n'oublie pas le vin, rappela Barbara.

— Et n'oublie pas le vin, répéta Carol. Pas du Beaujolais. Trouve quelque chose de plus à la mode. Un St-Emilion ou un bon vin de

Californie.

— Oakville mil neuf cent soixante-dix est un bon vin, annonça Barbara.

— Elle a dit du Oakville mil neuf cent soixante-dix. Quand penses-tu revenir à la maison?

Sheldon, dans son cabinet, regarda simultanément sa montre et Monsieur Hirschorn qui l'entendit dire: «Six heures et demie le dernier... C'est sûr qu'il vient?... Je ne le croirai que lorsque je le verrai... Je suis un peu nerveux mais heureux. Définitivement heureux. Je me sens bien... Écoute, j'ai quelqu'un ici... Je dois faire vite.» Sheldon envoya un baiser par téléphone et dit: «Moi aussi». Il raccrocha et revint vers Monsieur Hirschorn:

— Ma fille se marie dimanche, expliqua-t-il.

— C'est pas vrai! C'est très bien, Docteur Mazeltov. Un bon garçon?

— Excellent. Un étudiant en seconde année de Droit à Yale.

— Et les parents? s'enquit Monsieur Hirschorn.

— La mère est une femme merveilleuse. Le père est un type bien. C'est un grand consultant et il voyage tellement que, jusqu'à présent, nous n'avons pas eu la chance de le rencontrer. Ce soir, ce sera la première fois; il doit venir dîner.

Monsieur Hirschorn fronça les sourcils et

40

réfléchit quelques secondes.

— Alors, annulez!

— Annuler quoi? s'étonna Sheldon Kornpett.

—Le mariage, dit le vieil homme. Attendez de connaître le père.

— Le mariage est prévu pour dimanche. Je ne pense pas que...

— Annulez, vous dis-je, coupa Monsieur Hirschorn.

— Monsieur Hirschorn, ma fille doit épouser le fils, non le père.

— Cela ne fait aucune différence, affirma Monsieur Hirschorn. Le fruit vient de l'arbre, et vous devez voir l'arbre. Croyez-moi.

Puis, changeant de sujet, il dit: «Tenez!» et mit quelque chose dans la main du dentiste.

Sheldon regarda et vit la molaire.

— Votre dent?!

— Vous êtes un bon garçon. Vous vous seriez fait mal en tirant comme ça, dit-il au dentiste d'un ton paternel, en lui posant une main sur le bras.

Monsieur Hirschorn se leva et se remit sur ses jambes.

— Maintenant, faites-moi une faveur.

— Je ne peux pas, répondit poliment Sheldon.

— O.K. Docteur! J'espère que je me trompe. Bonne chance et oubliez ce que j'ai dit.

— Je vais essayer. Tout ira bien, je le sais.

Maintenant, asseyez-vous pour que j'arrange ça, sinon vous allez saigner sur votre chemise.

*   *   *

L'horloge de la cuisine indiquait quatre heures et demie. Le rôti était magnifique; le très habile et extraordinairement cher boucher de la bonne société l'avait personnellement découpé pour Carol et ses invités. Pour les Kornpett, un rôti tiré d'un comptoir réfrigéré au supermarché, était hors de question. «Trente minutes par livre à trois cents degrés, pensa Carol, cela fait trois heures et demie et cela veut dire huit heures. Ce qui laisse une heure pour l'apéritif. À moins qu'ils soient en retard. Sinon, je pourrai essayer autre chose. Une demi-heure à cinq cents degrés, éteindre le four et y laisser le rôti pour le terminer au dernier moment. De toute façon, si je le mets à cuire maintenant, il sera prêt à huit heures. Mais que faire s'ils sont en retard? Ou s'ils ne viennent pas?»

Tommy était un bon garçon mais on ne pouvait guère faire confiance à son père, même si elle ne l'avait jamais rencontré. Il n'était donc pas trop tard pour mettre le rôti au congélateur plutôt qu'au four, en attendant le prochain dîner, si jamais ils se décommandaient. Sauf que le prochain dîner ne pourrait avoir lieu qu'après le mariage.
«Mon Dieu!» pensa-t-elle en regardant l'horloge. « Quatre heures trente-cinq.»

«Ce serait dommage de gaspiller un si beau morceau pour la famille seulement», dit-elle, mais il n'y avait personne d'autre dans la cuisine; Barbara lézardait dans son bain. Carol décrocha résolument le téléphone. Elle composa un numéro et après quelques instants d'attente, entendit la voix de la future belle-mère de Barbara.

— Allo?

— Jean, c'est Carol, dit-elle avec un petit rire qu'elle voulait mondain mais qui sonnait faux. Écoutez, je ne me souviens pas, avais-je dit sept ou huit heures?

—Sept, répondit Jean. Est-ce que c'est trop tôt?

— Oh non, assura Carol. Je voulais seulement être certaine parce que j'allais mettre le rôti au four.

— Oh, j'espère que vous ne faites pas une grande cérémonie, répondit Jean Ricardo qui connaissait parfaitement les répliques de mise dans ce genre de dialogue.

— Oh non! Un simple dîner de famille, assura Carol qui pensait aux quarante dollars que coûterait le repas, en comptant les cocktails de crevettes. Ainsi vous et Vince et Tommy serez là à sept heures? Il me semble que Barbara a mentionné que Tommy lui a dit que Vince était parti hier.

— Oh, il sera revenu, chanta Jean au téléphone.

— Il n'est pas là en ce moment? demanda Carol, légèrement nerveuse.

— Vous connaissez Vince? interrogea Jean

44

avec un petit sourire.

— Non, je ne le connais pas.

— Vous savez ce que c'est.

Les deux femmes se mirent à rire, sachant exactement ce que l'autre pensait.

— Mais rassurez-vous, il a téléphoné. Il est sur le chemin du retour.

— Oh! Vous me rassurez, dit Carol. Sheldon et moi avons tellement hâte de le connaître.

— Lui aussi, répondit Jean.

— Alors, je vous verrai à sept heures?

— Sans aucun doute, dit Jean et elle raccrocha.

Elle se tourna vers Tommy qui venait juste d'entrer au salon.

— Ta belle-mère est inquiète pour son rôti, lui dit-elle.

Pensant qu'elle avait fait tout ce qu'il était humainement possible de faire, Carol glissa le rôti dans le four chauffé à trois cents degrés. Elle décida de ne pas dire à Barbara qu'elle avait téléphoné.

Elle commença à peler les pommes de terre, jetant parfois un oeil vers l'horloge, qui marquait maintenant quatre heures quarante-deux. «Plus trois et demie, ça fait sept et soixante-douze», pensa Carol, «ce qui fait huit et douze, ce qui laisse une heure pour les cocktails, et la conversation. J'espère qu'ils n'aiment pas le rôti trop saignant.»

4

Dans cette paisible rue de banlieue, on pouvait entendre la voiture venir de loin. Une figure d'homme s'encadra dans une fenêtre de la maison de style colonial cossu, écrasée contre la vitre, cherchant à voir si c'était la voiture qu'il attendait. Mais ignorant les espoirs écrasés de la figure dans la fenêtre à la française, la voiture passa majestueusement.

Dans le salon élégant et bien meublé, Sheldon Kornpett laissa retomber rideaux et draperies et revint vers la cheminée.

— Fausse alarme, dit-il, dépité.

— J'espère qu'ils n'ont pas eu d'accident, ajouta Carol Kornpett, en accordant tout bénéfice d'excuse à ses invités.

Hôtesse nerveuse, elle était assise, dans son fauteuil, comme sur un lit de clous. Elle portait un chemisier et une jupe longue, une tenue à la fois «de soirée» et «d'intérieur».

— Je sais que Monsieur Ricardo était en voyage, hasarda Barbara depuis un divan sur lequel elle était assise. Il a dû être retenu.

— Retenu, maugréa Sheldon.

— Je dois sortir mon rôti du four, dit à son tour Carol en se levant.

— Garde-le au chaud, suggéra Barbara.

— Je vais essayer, coupa Carol, du ton de la mère qui a fait cuire des rôtis pendant des années et à qui l'expérience ne manque pas.

Sheldon retourna à la fenêtre.

— Ça commence bien, dit-il. Une heure de retard!

— Je suis sûre qu'il y a une bonne raison, papa.

— Ils auraient pu appeler!

— Avec toute cette circulation, peut-être qu'ils n'ont pas pu.

— Pourquoi prends-tu toujours leur défense? rugit Sheldon.

— Je ne les défends pas, se défendit Barbara.

— Tu fais encore partie de notre famille! lui rappela-t-il.

— Bon Dieu papa! Ne me dis pas ça. Ils sont en retard. D'accord! On ne va pas en faire une affaire de famille.

— C'est un grand patron. Pourquoi n'a-t-il pas un téléphone dans sa voiture?

— Qui a dit que c'était un grand patron?

— Toi! Il voyage tellement; il est si occupé. C'est incroyable qu'on ne l'ait jamais encore rencontré. J'avais un type à mon cabinet, ce matin, Monsieur Hirschorn, qui me disait que je ferais mieux de remettre tout ça à plus tard.

— C'est une brillante solution au problème! répondit Barbara, acide.

Subitement, un pinceau lumineux éclaira le salon et ils entendirent un crissement de pneus sur le gravier de l'allée. Le père de la mariée se précipita vers la fenêtre et regarda anxieusement dehors.

— Coupé de Ville? demanda-t-il.

— Oui, les voilà, dit Barbara. Ça va, papa, ou vas-tu faire ta gueule des mauvais jours? Si tu dois...

— Non, non, ça va, répondit Sheldon, avec une certaine grandeur.

Il se dirigea vers la porte d'entrée. Barbara le suivit et Carol, entendant sonner, accourut de sa cuisine, au cas où Sheldon ferait une scène. Devant la porte ouverte, la famille Ricardo s'encadrait sous la lumière d'accueil un peu comme sur une carte de Noël envoyée en retard. Le père, un homme trapu, au teint basané, se tenait aux côtés de sa femme, Jean, une petite blonde. Tommy était derrière eux.

Vince Ricardo souriait et demanda le plus sincèrement possible:

— Arriverez-vous un jour à me pardonner?

Sheldon les attira à eux avec un visible effort pour sourire. Les Ricardo entrèrent dans le hall et furent, de la sorte, reçus par les trois Kornpett. Tommy, tandis qu'il embrassait sa future femme, hocha la tête avec exaspération et lui offrit cette explication: «Papa, bien sûr.»

— C'est ma faute, trompetta Vince. Mea culpa. J'avais du travail à Montréal et ces damnés Canadiens n'arrêtent jamais de parler. Mais, vous devez sans doute être la mère de cette charmante fiancée, déclara-t-il, en se tournant vers Carol.

— Oui, je suis sa mère, répondit Carol.

— Maintenant, je sais d'où Barbara tient son merveilleux regard, déclara Vince en l'embrassant.

— Vous pouvez compter sur Vince pour les compliments, ajouta Jean.

— Nous sommes tout de même contents que vous soyez ici, souligna Sheldon en embrassant Jean.

Il tendit alors la main vers Vince en déclarant:

— Je suis Sheldon Kornpett.

— Salut, Shelley, je suis très content de faire votre connaissance. Tommy m'a dit que vous aviez été le premier dentiste à utiliser un trépan à eau.

Flatté, Sheldon acquiesça. Évidemment, Vince avait trouvé la bonne attaque.

— Parmi les premiers à New York, je pense, répondit le dentiste avec modestie, en attendant que d'autres félicitations lui parviennent.

Mais il n'en reçut pas d'autres, aussi préféra-t-il inviter tout le monde à prendre un verre.

— Quelle journée! déclara Vince. Avez-vous déjà eu des jours comme aujourd'hui . . .

— Vous êtes consultant, je crois? demanda Sheldon, tandis qu'ils se dirigeaient vers le salon.

Carol, qui s'inquiétait surtout pour son rôti, cria à la cantonade:

— Je suis désolée, mais si nous ne passons pas immédiatement à la table, mon rôti sera immangeable.

— C'est parfait, j'ai justement faim, admit Vince.

— Ne faites pas de manières avec nous, ajouta sa femme.

Sheldon montra la salle à manger. «Par ici, s'il vous plaît», dit-il en conduisant les Ricardo.

Derrière eux et encore dans le hall d'entrée, Tommy souffla à Barbara:

— Je suis vraiment déçu.

— Avant que vous arriviez, mon père vous aurait certainement tués, lui répondit-elle.

Carol revint à la cuisine où elle se mit à préparer les cocktails de crevettes. Tandis qu'elle les plaçait dans des coupes, elle jetait un oeil farouche à son rôti.

*   *   *

Vaillamment, Carol se mit à tailler son morceau de boeuf en pièces. Elle avait choisi pour elle le morceau le plus cuit, mais, en vérité, il était bien difficile de savoir lequel d'entre tous ces morceaux était le plus cuit.

— Vince, combien de temps avez-vous vécu au Guatemala? demanda-t-elle en hôtesse avisée.

Un calme relatif s'était installé dans la salle à manger, et avec tact, personne ne fit allusion au rôti.

— Il y est allé pour une éternité, répondit Jean Ricardo, pendant que son mari avalait une bouchée.

— C'était dans la jungle — la brousse, comme nous l'appelons. Et j'y suis resté à peu près neuf mois, répondit Vince à son tour.

— C'est quelque chose, admit Sheldon.

— C'était absolument incroyable! J'ai vu des choses . . . Ils ont des mouches tsé tsé grosses comme des aigles . . . Réellement! À la tombée du jour, j'ai vu de ces mouches géantes emporter des enfants dans leurs griffes.

— Mon Dieu! s'exclama Carol.

— Il nous a dit de ces choses! ajouta Jean, des choses qu'il serait impensable de raconter ici.

— Des choses absolument incroyables, admit Vince en secouant la tête comme s'il se souvenait. Les paysans hurlaient, faisaient tout leur possible pour tuer ces mouches, agitaient des balais en l'air . . . Pouvez-vous vous imaginer de telles scènes? . . . Agiter en l'air des balais pour tuer ces énormes mouches qui enlevaient leurs enfants vers une mort certaine.

— Que c'est horrible! s'exclama Carol, transfigurée.

— Êtes-vous certain que vous parlez des mouches? demanda Sheldon en coupant les élans de sa femme.

— Oui, des mouches. Les indigènes de l'endroit les appellent des «josegrecos de muertos». C'est-à-dire les danseurs de flamenco de la mort.

— Tu n'as jamais retrouvé ces photos que tu avais prises, rappela Jean à son mari.

— Quel dommage! déclara Sheldon. J'aurait bien voulu les voir.

— Je les avais oubliées dans un paletot que j'ai envoyé chez le nettoyeur, regretta Vince. Inutile de dire que cela m'a fendu le coeur parce que je suis certain que ces photos auraient fait de moi un lauréat du Prix Pulitzer. Ces énormes mouches volant lentement dans le soleil couchant, de petits enfants bruns pris dans leurs griffes . . .

— Mon Dieu! gémit Barbara.

— Leurs griffes? demanda son père. Des mouches avec des griffes?

— Un spectacle que je n'oublierai jamais. Je n'en revenais pas! . . .

— Qu'avez-vous fait? demanda Carol.

— Que vouliez-vous que je fasse? répondit Vince en la regardant.

— Comme consultant, je veux dire, au sujet des mouches.

— Malheureusement, je ne pouvais rien faire, répondit Vince d'un air désolé, à cause de la terrible bureaucratie qui règne dans la brousse.

— De la bureaucratie dans la brousse? s'étonna Sheldon.

— Une énorme bureaucratie. Ces mouches, pour vous donner un exemple, sont protégées par la loi de 1917 de Guacamole.

— C'est absolument incroyable, coupa Sheldon. Je lis le National Geographic depuis des années et je n'ai jamais entendu parler de ça.

— Pourrais-je avoir un peu de vin? demanda Barbara qui avait décidé qu'il était temps de passer à autre chose.

— Bien sûr, répondit Carol.

— J'en voudrais un peu, moi aussi, demanda Vince.

Et tandis que Carol remplissait son verre, il continua en disant:

— Je voudrais porter un toast.

— Quelle bonne idée! s'exclama Jean.

— Je ne suis pas l'homme le plus éloquent de la terre, commença Vince, mais je voudrais dire que c'est aujourd'hui une occasion merveilleuse...

— Je ne pourrais pas dire mieux, glissa Jean en approbation au discours de son mari.

— ...et dimanche, continua-t-il, nous aurons une autre occasion, plus charmante et plus sacrée...

Le discours se poursuivait. Le dentiste vit la figure de l'homme onduler, se brouiller, et il s'aperçut que des larmes mouillaient ses yeux.

— ...Je voudrais réellement dire, tout en associant Jean et Tommy à mon discours, que je suis très honoré de faire partie de la famille Kornpett, et j'espère que nous serons ensemble dans les bons moments pour les partager avec joie, et s'il y a de mauvais moments, j'espère que nous serons ensemble également. Mais vraiment tous ensemble.

Barbara regardait ses mains qui étaient mêlées à celles de Tommy. Elle leva les yeux:

— Ce que vous dites est merveilleux, Monsieur Ricardo.

— Je pense comme toi, papa, fit en écho son fiancé.

Sheldon se leva avec l'impression d'être incapable de parler. Mais il savait qu'il devait le faire. Il leva son verre et dit:

— Il est dur pour moi de laisser partir ma fille... (tandis qu'une larme coulait sur sa joue)... mais je suis fier de la donner à quelqu'un d'aussi gentil que Tommy. Et j'espère que les Kornpett et les Ricardo partageront de nombreux moments de bonheur pour ... — et ne trouvant pas une fin de phrase heureuse — il conclut en disant: ...des années et des années.

Luttant contre la foule de sentiments qui l'envahissaient, Carol faisait son possible pour ne pas pleurer, tandis que Barbara se jetait sur son père, mettait ses bras autour de lui et lui disait: «Oh, papa, que tu es gentil!»

Les larmes de la familles Kornpett ressemblaient à un petit brouillard d'été, tandis que la pathétique réaction de Vince Ricardo était un véritable ouragan d'émotions ... Un Niagara de larmes accompagné de sanglots qu'il essayait vainement d'étancher avec sa serviette. Tommy, seul à un bout de la table, se sentait inconfortablement incapable de se joindre à l'émotion générale. Tout en sanglotant, Vince ôta la serviette de devant ses yeux et regarda sa montre. Aussitôt, il s'arrêta de pleurer et dit du ton le plus «business» possible:

— Excusez-moi, où est le téléphone?

Sheldon, professionnellement habitué aux larmes, fut absolument surpris par le changement d'attitude de Vince.

— Un téléphone? demanda-t-il, pour être sûr qu'il avait parfaitement entendu.

— Il y en a un dans la cuisine, répondit Carol.

— Y a-t-il un appareil plus éloigné? s'informa Vince. Je dois faire un longue-distance et quelquefois, avec ces appels outre-mer, il m'arrive de crier comme un bûcheron.

— Il y en a un dans la cave, mais c'est un vrai débarras, lui dit son hôte.

— D'accord, répondit Vince. Est-ce que c'est par là? demanda-t-il en montrant la cuisine.

Carol se leva:

— Je vais vous montrer où c'est.

— S'il vous plaît, ne vous dérangez pas. Je vais le trouver.

Vince se dirigea vers la cuisine.

Tommy sourit.

— Papa et ses appels téléphoniques mystérieux!

Son père s'arrêta net. Il regarda son fils d'un air glacial et demanda d'un ton aussi froid:

— Qu'as-tu dit?

Le sourire de Tommy s'effaça aussitôt.

— J'ai juste dit: «Toi et tes appels téléphoniques mystérieux.»

— Qu'est-ce que tu veux dire par là? questionna Vince avec méchanceté, et comme s'il faisait de gros efforts pour se retenir de le battre.

— Rien, rien. Mais on dirait que tu passes ton temps à téléphoner depuis des arrière-salles ou des cabines téléphoniques publiques.

— Petit con! hurla Vince. Ce sont ces

appels-là qui paient ton université!

— Vince! reprocha sa femme.

Ce seul mot sembla rappeler Vince à l'ordre et lui faire souvenir qu'ils étaient en visite chez des gens tout en même temps qu'il ressemblait à une plaidoirie.

Puis, il se dirigea à nouveau vers la cuisine.

— Tirez sur la ficelle pour allumer en bas, lui suggéra Sheldon.

— Un million de fois merci, répondit Vince avant de quitter la salle à manger.

Il laissait derrière lui une symphonie d'excuses. Jean Ricardo ouvrit le bal en déclarant:

— Il a travaillé si fort ces temps-ci. Normalement . . .

— Écoutez, interrompit Sheldon, on comprend.

— Il est d'habitude si affectueux avec Tommy, précisa Barbara à ses parents.

— Écoutez, je peux comprendre certains de ses ressentiments, ajouta son fiancé. Il a eu la vie dure. Pas moi.

Et chacun approuva.

Dans la cuisine, Vince ouvrit la porte conduisant à la cave. Apercevant un interrupteur, il alluma la lampe et commença à descendre, après avoir soigneusement refermé la porte derrière lui. En bas de l'escalier, il tira sur une ficelle et la lumière révéla une cave encombrée. Il y avait un établi, et pas grand-chose d'autre à voir: quelques boîtes, une valise, tout un fatras d'objets que les gens conservent généralement dans une cave parce qu'ils sont incapables de s'en séparer. Apercevant le téléphone, il se dirigea vers lui en se demandant pourquoi les Kornpett n'avaient jamais aménagé ce sous-sol. «Quelques panneaux de bois, une table de ping-pong...» pensa-t-il. «Avec tout l'argent qu'un dentiste peut gagner... une seule couronne suffirait!» Il souleva le récepteur et composa un numéro. Dès qu'il entendit son correspondant, il dit: «C'est Ricardo.» Puis, en réponse à une question: «Oui, très bien, mais écoute, c'est impossible, tout ce pognon pour demain...» Il écouta un moment, interrompant la voix pour dire: «Non, tu ne comprends pas; c'est un sacré marché international. Ce n'est pas comme vendre de la merde dans la rue.» Puis, il y eut une longue et possiblement colérique réponse à l'autre bout du fil. «Non, dit Vince, elles ne sont pas toutes ici. J'en ai gardé une en cas.» Sa voix monta d'un ton: «Pourquoi me menacez-vous? Vous ne pouvez pas...» Et, entendant un clic: «Allo?» Puis, il raccrocha, décontenancé.

Pendant un bon moment, Vince resta debout devant le téléphone à réfléchir, puis fouillant dans sa poche, il retira une plaque permettant d'imprimer des billets de cinq cents dollars. Du regard, il fouilla la cave et apercevant un mur de brique en mauvais état,

il retira un pavé derrière lequel il plaça son trésor en espérant de tout son coeur que les Kornpett seraient assez avares pour ne pas aména-
ger ce sous-sol dans les jours à venir. Sur
l'établi, il repéra un bout de craie et fit une
marque sur la brique derrière laquelle il avait
caché l'objet. Jetant la craie sur l'établi, il se
dirigea vers l'escalier, tirant la ficelle de la
lampe au passage. Puis, collant un sourire sur
son visage, il s'engagea dans l'escalier conduisant à la cuisine.

* * *

Pendant que les parents se congratulaient à la fin de cette soirée, Barbara entraîna Tommy à l'extérieur près de la voiture de son père.

Après l'éclat de Vince, la soirée avait été plaisante. Les parents et Barbara s'étaient assis au salon autour de liqueurs fines et tous et chacun avaient papoté. Même si le père de Barbara avait paru un peu tendu, il n'avait pas été réellement hostile. Seul Tommy avait semblé se tenir à l'écart, tranquillement assis près de Barbara sur le canapé, parlant rarement, ne répondant que si on l'interrogeait. Tout en écoutant les autres, Barbara détaillait son fiancé. Elle ressentait une certaine culpabilité à son égard, à cause de son refus de l'autre soir qu'elle considérait aujourd'hui comme une stupidité. Un caprice sans doute. Aussi avait-elle décidé de se faire pardonner.

— Demain... murmura-t-elle.

C'était à la fois une invitation et une acceptation.

— Demain quoi? demanda Tommy.

— Demain soir, dit-elle clairement.

— Oh d'accord, répondit-il, mais sans trop d'enthousiasme selon elle, si bien qu'elle n'eut pas l'impression d'avoir été très claire.

— Je pensais que tu devais être occupée, continua Tommy. Les préparatifs, les repas... le repassage..., dit-il vaguement.

Ses parents étaient maintenant sortis, mettant un terme à leurs adieux sur le seuil de la porte.

— Je pense à un motel, murmura Barbara.

— Terrible! dit-il. Je te prendrai à neuf heures et, devant tes vieux, je parlerai d'un film.

Entre-temps, tous les parents les avaient rejoints. Et ce fut la séparation et le départ.

*   *   *

Quel que soit le nombre de crises que la journée ait pu apporter, Sheldon Kornpett se brossait invariablement les dents avant d'aller se coucher. À ses yeux, c'était un devoir professionnel. Maintenant, debout devant la glace de sa salle de bain, portant un long peignoir oriental que Carol lui avait offert pour son anniversaire, il se brossait furieusement, vicieusement et certainement assez fort pour rayer l'émail de ses dents.

— Et puis, qu'en penses-tu papa? demanda Barbara depuis la porte de la salle de bain.

Sheldon se retourna comme un seul homme, le dentifrice à la bouche:

— Qu'est-ce que j'en pense? C'est un fou! Voici exactement ce que j'en pense.

Barbara préféra attaquer.

— Il est fou? demanda-t-elle avec emphase. Tu n'as qu'à te regarder toi-même avec toute cette mousse aux lèvres.

— C'est du dentifrice, dit-il en s'essuyant avec une serviette de bain. Barbara, je t'aime tendrement et je ne veux pas te faire de peine, mais cet homme est un instable et je ne veux pas que tu entres dans cette famille.

— Tu es complètement sicilien à ce sujet. Je dois épouser Tommy et non Vince.

Sheldon songea à la remarque du vieux monsieur Hirschorn:

— C'est un fruit sec, dit-il.

— Qui est un fruit sec?

66

Trop énervé pour se rappeler exactement ce qu'avait dit Monsieur Hirschorn, il déclara:

— C'est une façon de parler.

Puis, il sortit de la salle de bain.

— Alors, il vaudrait mieux te taire, papa!

— Évite-moi tes sarcasmes, veux-tu? coupa son père. Je te le dis, c'est terminé.

Il entra en trombe dans la chambre à coucher, mais sa fille le suivait toujours.

— Non, ce n'est pas terminé!

— Oui, c'est terminé!

Carol, devant sa coiffeuse, se démaquillait.

— Nous appelerons les traiteurs, les invités. C'est une faute qui coûte cher, c'est tout, mais pas autant qu'un mauvais mariage avec cette famille de fous.

— Bon Dieu! Tu ne feras pas ça! cria Barbara furieuse et désespérée. Tommy et moi irons nous marier à Las Vegas s'il le faut. Je m'en fiche. Mais nous nous marierons quand même. Maman, pour l'amour de Dieu, veux-tu lui dire?

D'un ton qu'elle voulait apaisant, Carol le réprimanda:

— Shelley, tu n'es vraiment pas logique.

— Je ne suis pas logique? J'ai passé mon temps à écouter ses conneries au sujet de ses mouches tsé-tsé géantes, protégées par la loi de 1917, et tu dis que je ne suis pas logique?

— Disons qu'il en a rajouté, minimisa Carol.

— Mais c'est un fou! Il rit, et tout à coup, il pleure, et il a failli casser la gueule à Tommy!

— Allons, allons, papa, il n'a pas voulu faire ça, plaida sa fille.

— Il a besoin d'aller à la cave pour se servir du téléphone pour appeler Dieu seul sait où...

— Et quoi d'autre? demanda Barbara calmement.

— Tout son comportement.

— Et c'est pour ça que tu voudrais annuler le mariage?

— Shelley, supplia Carol.

— Je n'aime pas ça, c'est tout, dit-il.

— En tout cas, tu fais de la projection, lui dit sa fille.

— Bon. Ça y est. On est parti. La psychologie est de la fête! annonça son père.

— Laisse-la parler, Shelley, demanda Carol.

— Il n'est pas possible, pour un père, de voir partir sa fille, commença Barbara. C'est une relation compliquée. Sans compter que s'ajoutent à cela des aspects sexuels...

— Hé! interrompit son père avec colère.

— Je ne parle pas d'inceste, mais je dois reconnaître qu'il existe entre un père et sa fille une certaine relation inconsciemment sexuelle. Aussi, plus l'heure du mariage approche, plus le père devient jaloux.

— Je pense qu'elle a raison, admit Carol.

— Je paie cinq mille dollars par année d'université pour entendre ça! tempêta le père.

— Tu penses que cela n'a pas de sens? demanda Barbara.

Sheldon écarquilla les yeux, il sourit, puis se dirigeant vers sa fille, il la prit dans ses bras:

— C'est plein de sens. Tu es adorable.

Il embrassa sa fille et, se dirigeant vers la coiffeuse, il embrassa sa femme aussi pour faire bonne mesure.

— Excusez-moi, dit-il.

— Il n'y a aucune raison de t'excuser, répondit Barbara. La seule chose que je voudrais, c'est que tu sois plus accueillant à l'égard du père de Tommy. Ne le rejette pas.

— Je ne le rejette pas, je ferai un réel effort, je te le promets.

— Imagine un peu comme il était nerveux ce soir, Shel, de nous rencontrer pour la première fois.

— Tommy lui avait dit tant de choses à ton sujet, ajouta Barbara pour mieux soutenir l'argument avancé par sa mère.

— C'est vrai qu'il était nerveux, dit encore une fois Carol.

— D'accord, d'accord, admit le père-mari-dentiste et bientôt beau-père en souriant. C'est terminé, ajouta-t-il en faisant un large geste de la main. Je ferai de mon mieux. Je vous le promets.

5

La Huitième Avenue est certainement le boulevard le plus schizophrène de New York dans cette ville réputée pour la qualité caméléonesque de ses différents quartiers. C'est tout un monde, incroyable à décrire. Les chantiers de construction, le Bureau de Poste central, toute une saga d'homosexuels, de bars, de salons de massage, à côté de cinémas pornos. Revenons un peu vers la Quarantième où, devant un vieil édifice, deux espèces de gorilles semblaient faire le pied de grue devant la porte. Même en pleine lumière du jour, ils avaient l'air sinistre. Ils se tenaient près de la porte, observant tout ce qui passait, qu'il s'agisse des voitures ou des piétons. Ils semblaient faire leur travail, et leur travail, pour le moment, était d'attendre.

Un peu plus loin, dans un taxi qui descendait l'avenue comme s'il était en folie, Vince Ricardo faisait tout son possible pour expliquer au chauffeur, à travers une vitre de plexiglass: «Doucement, on arrive, c'est au prochain coin.» Tandis que le taxi ralentissait pour se garer devant cet édifice, Vince Ricardo aperçut les deux gorilles et, après un joyeux juron, ordonna au chauffeur de poursuivre sa route.

— Quelle bande de bâtards! s'exclama Vince, pâle et agité.

— Y a-t-il un endroit particulier où vous voulez aller? demanda le chauffeur avec le ton résigné d'un vieux routier new-yorkais.

L'ordinateur mental de Vince se mit à fonctionner à toute vitesse à la recherche d'une adresse quelconque. En fouillant dans sa poche, il eut le bonheur d'y trouver la carte de visite de Sheldon Kornpett. «Trois cent quarante-deux Madison Avenue» hurla-t-il au chauffeur. «Pronto!»

— Alors, on va filer pronto, répondit le chauffeur en appuyant sur le champignon, ce qui lui permit de tourner le coin suivant sur deux roues.

*   *   *

La bouche de Madame Adelman était ouverte: ce n'était pas inhabituel. Sauf que cette fois-ci, elle n'en profitait pas pour parler. Ses yeux étaient soigneusement fermés parce qu'elle préférait ne pas savoir ce que le dentiste lui faisait. Pour ne pas voir toutes ces horreurs, elle se concentrait sur n'importe quoi d'autre, quitte à retourner aux chansons joyeuses de son enfance.

Maintenant, à la faveur d'une petite interruption, elle osa ouvrir les yeux et couler un regard.

— Un numéro six, demanda le Docteur Kornpett, et Évita lui tendit un instrument argenté. «Merci» dit-il en reportant son attention sur sa patiente.

— Nous avons l'air d'être bien, Madame Adelman.

— Awwfffmm, répondit-elle.

— Non. Il faudra certainement une ou deux autres visites après celle-ci... Grattoir, demanda le dentiste à Évila tandis que Madame Adelman se fermait les yeux à la seule évocation de ce mot horrible.

Mais avant de les fermer, elle aperçut une troisième tête entre celle du Docteur Kornpett et celle d'Évita.

— Un numéro quatre, dit Sheldon.

Évita le lui tendit tandis que Vince, se coulant entre toutes ces têtes, approchait la sienne pour mieux voir le travail que faisait Sheldon.

— Je suis en train d'assister à la naissance d'un chef-d'oeuvre, dit-il avec humilité.

— Vince! aboya Sheldon en devenant bleu de rage.

— Sortez d'ici, ordonna Évita.

Qu'il s'agisse d'un ami ou de n'importe qui d'autre, il y avait une patiente sur la chaise.

— Est-ce que je vous ai dérangé? demanda Vince avec innocence.

— Oui, Vince, répondit Sheldon en se grattant la poitrine.

— S'il vous plaît, veuillez sortir!

— C'est bon, Évita, laissez-le faire, dit le dentiste.

— Évita? répéta Vince. Je suis très heureux de faire votre connaissance. Je suis Vince Ricardo. La merveilleuse fille du Docteur Kornpett doit épouser mon fils bientôt, annonça-t-il en tendant la main vers l'infirmière.

Incapable de décider si les bonnes manières étaient plus importantes que le protocole médical, Évita coupa la poire en deux en ne disant rien, mais en prenant la main que lui tendait Vince. Celui-ci se tourna vers la patiente:

— Bonjour, ma chère. C'est un grand dentiste que vous avez là. Vous êtes vraiment une femme chanceuse.

— Mmpfllggr, répondit-elle.

— Oh! je suis absolument sérieux, renchérit Vince tandis que Madame Adelman pensait qu'il ne l'avait pas comprise.

— Vince... dit cette fois-ci le Docteur Kornpett d'un ton plus ferme.

— Je m'en vais. Comme j'étais dans les parages, je suis venu vous dire un petit bonjour en passant.

— C'est très gentil de votre part. Si vous avez un instant, nous pourrons causer pendant que ce moule sèche.

— Je ne veux pas vous envahir, répondit l'envahisseur.

Le Docteur Kornpett sourit:

— Mais pas du tout! et, se tournant vers sa cliente, il ajouta:

— Maintenant, ne bougez plus la tête si possible et gardez la bouche ouverte pendant cinq minutes. D'accord?

— Awwrrllmn.

«C'est très bien, vous avez un docteur extraordinaire et il faut l'écouter,» entendit Madame Adelman quelque part derrière elle.

Elle mit de côté ses chansons pour songer à l'homme mystérieux.

— C'est une merveilleuse patiente que vous avez là, dit Vince à Sheldon. Une femme extraordinaire!

— Est-ce que vous la connaissez? demanda Sheldon tandis qu'ils s'en allaient vers le bureau du dentiste.

— Absolument pas. Mais je peux vous dire

que c'est une personne de grande qualité.

Sheldon ouvrit la porte de son bureau et s'effaça pour laisser entrer Vince.

— C'est donc là le sanctuaire? s'enquit Vince.

— Eh oui!

Sheldon vint s'installer à son bureau pendant que Vince jetait un oeil averti sur les diplômes suspendus au mur du bureau.

— Est-ce que vous comprenez le latin? demanda Vince.

— Juste un peu.

— Savez-vous ce que cela signifie?

— Cela signifie qu'ils ne m'arrêteront pas pour avoir usurpé l'identité d'un dentiste, répondit Sheldon en riant.

Pendant ce temps-là, Sheldon se demandait ce qu'était venu faire le beau-père de sa fille dans son cabinet à pareille heure.

— En tout cas, c'est très gentil à vous d'être venu me rendre visite, hasarda-t-il.

— Eh bien, je présume que l'on fait presque partie de la même famille. J'aime me sentir près.

— Écoutez, à chaque fois que vous serez dans les parages... dit Sheldon en le regrettant déjà.

— C'est très gentil à vous, Shel! coupa Vince en s'asseyant. Je ne pense pas que j'abuserai de ce privilège. Je ne suis pas de ceux à qui vous donnez un doigt et qui vous prendront tout le bras.

— De toute façon, dit Sheldon, venez quand vous voulez.

— C'est merveilleux, mais je vois que vous êtes très occupé, la salle d'attente est pleine.

—Les affaires vont bien, admit Sheldon en apercevant une petite lumière au bout du tunnel.

— C'est une vraie mine d'or. Vous devez être constamment occupé? Je présume que si je vous demandais de laisser votre cabinet quelques minutes, ce serait impossible, n'est-ce pas?

Sheldon haussa les épaules:

— Cela dépend.

—Et maintenant, est-ce que ce serait possible? demanda Vince.

— Maintenant quoi? s'inquiéta Sheldon en comprenant que Vince avait une idée derrière la tête.

— Pourrais-je vous emprunter pour quelques minutes?

— Maintenant?

— Serait-ce un terrible inconvénient? demanda Vince sérieusement. N'ayez pas peur de me le dire, je pensais seulement, puisque c'est presque l'heure de manger ...

— Manger? s'écria Sheldon, en regardant sa montre. Il est à peine neuf heures et quart.

— Et alors? Cela ne vous arrive jamais de prendre votre déjeuner à cette heure-ci?

— Non, je ne prends pas de vrai déjeuner. Je travaille toute la journée sans arrêt.

— Alors, il n'y a pas de problème.

«Pas de problème à quel sujet?» se demandait Sheldon. Et comme il pensait qu'il valait mieux mettre le futur beau-père de sa fille à la porte, il dit:

— Vince, j'ai beaucoup de clients. Que voulez-vous exactement?

— Ce n'est rien, juste une bricole. Je ne sais pas comment vous le demander, mais j'ai besoin d'un coup de main pour cinq minutes.

— Cinq minutes? hésita Sheldon.

— Tout au plus! J'ai un taxi qui nous attend en bas.

— Écoutez, je suis désolé, dit Sheldon, mais j'ai deux molaires et une couronne qui m'attendent. Comme vous voyez, on me pousse dans le dos.

Mais l'homme semblait désappointé.

— Ne pourrais-je pas vous aider cet après-midi, aux alentours de cinq heures et demie? offrit-il.

— Non, je vais m'arranger. Je ne veux pas en faire une affaire d'état.

À la pensée que les deux familles partaient sur le mauvais pied, Sheldon balança entre le bonheur de sa fille et les deux molaires.

— Est-ce vraiment important pour vous? demanda Sheldon, en essayant de peser le pour et le contre.

— Cela m'aiderait tellement que vous ne pouvez pas l'imaginer, dit Vince sincèrement. Comme je vous l'ai dit, ce n'est pas une grosse affaire.

«Que pouvait-ce bien être?» Sheldon réfléchit.

— Vous savez quoi? Je n'ai jamais quitté mon travail. Qu'est-ce que cinq minutes pour un membre de la famille?

Il se leva. Vince aussi.

— Oh! Shel! C'est très gentil de votre part. Et vous aimerez ça.

— Où allons-nous?

— Juste à mon bureau. Je voudrais que vous forciez mon coffre-fort.

* * *

La Compagnie qui avait prévu le buffet de mariage en avait peut-être prévu un peu trop, mais, de l'avis de Bunny, ce n'était pas un problème parce qu'après la réception, le surplus serait déduit de la facture. Aussi Carol avait-elle choisi ce traiteur. Jusqu'à maintenant, elle en était très heureuse. Les hommes qui travaillaient pour Rubin étaient propres, gentils, et n'avaient rien cassé en transportant les caisses de soda dans la maison et en les descendant dans la cave.

— Pourquoi ne les mettez-vous pas contre le mur, suggéra-t-elle, ce n'est pas loin des escaliers.

— C'est parfait, répondit l'un d'eux.

— C'est pour après-demain, Madame Kornpett? demanda l'autre employé.

Carol fit une grimace.

— Par pitié, ne me le rappelez pas! J'ai encore tant de choses à faire.

— Si nous pouvons faire quelque chose, n'hésitez pas, appelez-nous, dit le premier en empilant des caisses contre le mur.

— C'est très gentil, dit Carol.

Puis une brique tomba du mur.

— Mon Dieu! s'exclama-t-elle.

— Oh! excusez-moi! se désola le deuxième employé.

— Ce n'est rien. Cette brique tombe tout le temps. Un de ces jours, nous nous blesserons.

L'homme acquiesça et ramassa la brique.

Carol le regardait pendant qu'il plaçait la brique dans son trou, puis elle l'entendit s'exclamer: «Oh!»

— Quoi? demanda-t-elle.

Il sortit quelque chose du trou, quelque chose qu'il observa attentivement. Son compagnon, qui regardait par-dessus son épaule, dit à Carol:

— Une plaque!

— Pour des cinq cents! ajouta son compagnon.

— Une quoi? demanda Carol, qui s'approcha à son tour.

Jamais de sa vie, elle n'avait vu quelque chose de pareil.

— Comment avez-vous appelé ça?

— On dirait que c'est une plaque pour imprimer des billets, répondit le premier homme. D'ailleurs, regardez, c'est écrit dessus: «États-Unis d'Amérique.»

Peut-être que ça appartenait à l'ancien propriétaire, suggéra le deuxième homme.

— J'en doute. Il y a quinze ans que nous sommes ici.

— En effet! cette plaque a l'air d'être neuve, reconnut le premier employé.

— Mais c'est incroyable! s'écria Carol. Juste ici, dans la cave!

— Oh, vous savez, les gens trouvent toutes sortes de choses dans les caves.

— Mais je n'arrive pas à le croire... Que

pensez-vous que je pourrais faire avec une chose pareille?

— Moi, de toute façon, je n'en ai jamais vu de ma vie, expliqua l'un des hommes.

— Amenez ça à la banque; ils doivent savoir, dit celui des deux qui semblait détenir l'autorité dans l'équipe.

— Vous croyez? douta Carol en pensant à tout le temps qu'elle perdrait.

— Certainement, confirma-t-il.

— Vous avez certainement raison.

Elle regarda sa montre en pensant qu'elle pourrait probablement le faire avant midi. Elle décida, en outre, que c'était là son devoir de citoyen, même si Barbara allait se marier dimanche.

*   *   *

— Je déteste ces chaussures blanches, déclara Barbara en jetant un regard découragé par la portière de la Toyota à l'un des magasins de la rue.

— Des chaussures blanches, grinça Carol entre ses dents.

Elle savait qu'elle aurait dû acheter elle-même des chaussures blanches pour Barbara, qu'elles lui aillent ou non, pour éviter cette discussion.

— Mais je ne les porterai plus jamais, s'écria Barbara. C'est de l'argent perdu.

Ça, c'était un argument qui avait déjà fait merveille par le passé.

— Je dois aller à la banque, annonça Carol qui pensait à ce qu'elle transportait dans son sac à main. Pendant que je serai là, tu iras t'acheter une paire de souliers blancs pour le mariage.

— Je déteste ce magasin-là, bougonna Barbara.

— Écoute, ma fille, arrête ton cinéma! Tu es encore ma fille, tu vis encore sous mon toit, et tu porteras des chaussures blanches. Une fois mariée, tu pourras porter toutes les chaussures que tu voudras!

Après s'être stationnée en trombe, elle prit son sac à main, sortit de la voiture et claqua la porte.

Depuis le côté opposé de la voiture, par-dessus le toit de la Toyota, Barbara lança:

— Peut-être que ces chaussures en plastique transparent...

— Blanches! hurla Carol, et faisant volte-face, elle se dirigea résolument vers la banque, portant sous son bras son sac à main, alourdi par ce truc bizarre qu'elle n'avait jamais vu auparavant.

6

Le taxi remonta la Huitième Avenue à tombeau ouvert, zigzagua entre les autobus, les camions, les voitures et les autres taxis. Il était un peu plus tard maintenant et le trafic se faisait plus dense: l'animation matinale encombrait les trottoirs d'hommes, de femmes et de tout-le-reste. Le cirque habituel de la rue offrait son spectacle.

Les yeux grand ouverts, Sheldon était assis à l'arrière du taxi, encore vêtu de sa blouse blanche. À côté de lui, Vince était silencieux, perdu dans ses pensées ou dans ses rêves, ou dans quelque machination. Le taxi prit un coin de rue à la corde et freina brusquement devant le Café des Îles Émeraudes. Le jeune chauffeur tourna la tête:

— L'aigle vient de se poser. Qu'est-ce qu'on fait maintenant?

— Mets tes clignotants, lui ordonna Vince.

— Est-ce qu'on roule encore? demanda Sheldon.

— Non, lui répondit Vince. Le taxi est arrêté. Nous sommes sur la Quarante-sixième Rue ouest.

— Est-ce qu'on a accroché le petit gars sur la Sixième Avenue? demanda Sheldon.

— Non, nous l'avons évité d'un bon pied et demi, le rassura Vince. Bon, maintenant... — il prit une feuille de papier et une clef de sa poche et tendit le tout à Sheldon — ça, c'est la clef de mon bureau et ça, c'est la combinaison du coffre.

Sheldon prit la clef et le papier et les examina. Pour être sûr qu'il avait bien compris, il répéta:

— Et le coffre se trouve derrière le portrait du Président Kennedy.

— C'est ça.

Sheldon mit la clef et le papier dans sa poche.

— Alors, j'ouvre le coffre, je prends le sac noir et je reviens au taxi.

— Avec le sac, insista Vince.

— Avec le sac, répéta docilement Sheldon en se demandant ce qu'il était venu faire ici.

Vous pensez que les deux types devant la porte ne verront pas le sac?

— On ne sait jamais.

— C'est quel genre de types? demanda le dentiste nerveusement. Sont-ils... cela l'ennuyait de le demander, mais il se hasarda: ... sont-ils après vous?

— Vous avez beaucoup d'imagination, Shel, répondit Vince en rigolant. Non, pas du tout, ce sont... comme des compétiteurs, vous comprenez? Et s'ils voient que vous avez ce sac noir, je risque de perdre une affaire. C'est tout.

— C'est comme Macy et Gimbel?

— C'est exactement ça, Shel, admit Vince avec beaucoup d'emphase. C'est vraiment ça.

— C'est bon, laissez-moi faire.

Sheldon descendit du taxi.

Vince se pencha par la portière:

— Shelley?

— Oui?

— Je ne l'oublierai jamais.

«C'est quand même un peu spécial», pensa Sheldon, «que veut-il que je fasse exactement?» Il sourit à Vince et commença à descendre la rue. À quelques pas de là, il aperçut les deux gorilles, Mo et Angie, qui faisaient encore le pied de grue devant le vieil immeuble et cela suffit pour effacer son sourire. Ils étaient grands et carrés, des monstres en trois dimensions, pire que dans les films. Sheldon eut un frisson. Dès qu'il se dirigea vers la porte de l'immeuble, les deux hommes s'arrêtèrent. Sheldon était sûr que ce n'était pas intentionnel, mais allez donc savoir? Ils se tenaient exactement en travers de son chemin.

Nerveux, Sheldon fit un petit pas vers la droite. Simultanément, les deux hommes firent un pas vers leur gauche. Sheldon leur fit un petit sourire, rien pour attirer leur attention. Il n'arrivait pas à pénétrer dans l'immeuble car les deux gorilles et lui, comme s'ils dansaient sans musique, ne savaient de quel côté passer.

— D'accord, on va s'arrêter, dit l'un des deux gorilles.

. — Cela arrive tout le temps, n'est-ce pas? s'excusa Sheldon, d'un ton qu'il voulait naturel.

Puis, il se dirigea vers l'entrée.

Mo et Angie regardèrent l'homme en blouse blanche, amusés. Ils attendaient là depuis le matin.

— Un appel d'urgence, Docteur? demanda Mo en riant.

Sheldon fit un effort pour sourire:

— C'est ça. Une urgence. Veuillez m'excuser.

— Allez-y, répondit Angie.

Sheldon prit l'air le plus nonchalant possible et se heurta à la porte vitrée. En jurant, il se frotta le nez, chercha une porte ouverte et la franchit. Traversant le petit hall d'entrée, les mains tremblantes, il prit la clef et le bout de papier dans sa poche. La clef lui glissa des doigts et tomba sur le sol. En essayant de la ramasser, Sheldon fit alors tomber le bout de papier où était inscrite la combinaison du coffre. Finalement, il réussit à récupérer le tout, en espérant que les types, dehors, n'aient rien remarqué.

Ils l'avaient remarqué. Regardant Sheldon, Mo nota:

— Nerveux, le bonhomme. Il perd tout.

— Tu penses? demanda Angie d'un ton indiquant qu'il avait compris.

— Peut-être, répondit son compagnon, tandis que Sheldon s'était déjà engouffré dans l'ascenseur. Les deux hommes se précipitèrent dans le hall et regardèrent, sur le tableau lumineux, au-dessus de l'ascenseur, à quel étage s'était arrêté Sheldon.

— C'est bien ça, dit Mo.

— Fallait y penser. Un docteur.

Angie appuya sur le bouton d'appel de l'ascenseur.

Là-haut, Sheldon sortit de l'ascenseur et longea un corridor poussiéreux. La plupart des bureaux semblaient vides, à part un ou deux, desquels émanaient quelques bruits de machines à écrire.

Bizarrement, Sheldon pensa que sa blouse blanche absorbait la poussière de l'atmosphère. Quel genre de bureau cela pouvait-il bien être? se demanda-t-il. Sûrement pas des avorteurs, puisque maintenant, c'était légal. Peut-être s'agissait-il de compagnies minables s'occupant d'envois postaux ou de coupons-réponses comme on en voit dans les journaux. Finalement, il arriva devant une porte munie d'une vitre opaque sur laquelle il y avait ces mots: «Entreprises Trans-Global, Vincent J. Ricardo, président». «Quel genre de Trans, quel genre de Global peut-il bien se faire dans un édifice comme celui-ci?» pensa-t-il. En tremblant, il sortit la clef de sa poche, la fit tomber encore une fois, la retrouva et ouvrit la porte.

Le bureau était sombre, et des stores étaient baissés devant les fenêtres. On aurait dit, pensa Sheldon, que l'aménagement de ce bureau avait été fourni par celui qui avait décoré les corridors. Il y avait un vieux bureau de bois et deux fauteuils de cuir craquelé. Il souffla sur la poussière d'une bordure de fenê-tre et tira sur un store qui lui resta dans la main. Un peu de lumière pénétrait maintenant dans la pièce et Sheldon y voyait un peu plus clair. Au fond, il y avait une échelle de secours et en face de la fenêtre, à quelque distance, peut-être quatre pieds, le mur de l'immeuble voisin.

— Très bien, dit-il à haute voix, j'envoie ma fille à Mount Holyoke pour qu'elle se marie avec ça!

Il étudia la pièce du regard. Une carte du monde était fixée sur un mur avec du papier collant. Il remarqua des punaises rouges concentrées en Amérique Centrale et en Amérique du Sud. Sur un autre mur, il aperçut la photo du Président Kennedy. Il se dirigea vers elle, cherchant dans sa poche la feuille de papier.

À la grande surprise de Sheldon, la photo portait une inscription, qui se lisait comme suit: «À mon cher Vince. Au moins avons-nous essayé. Mille mercis pour tout. Votre ami, John F. Kennedy. 25 avril 1961.»

Après tout, Vince aurait tout aussi bien pu écrire cette dédicace lui-même. Qui sait? Mais d'un autre côté, pensa Sheldon, pourquoi aurait-il pensé en avril soixante-et-un que le futur beau-père de son fils verrait cette photo de John F. Kennedy aujourd'hui? En grimpant sur une chaise, il attira le portrait vers lui, et aperçut un coffre-fort dans le mur.

Pendant que Sheldon commençait à jouer avec les boutons du coffre, dans le hall d'entrée, Mo et Angie prenaient l'ascenseur et appuyaient sur le bouton du neuvième étage.

* * *

Vide, le taxi attendait devant le Café des Îles Émeraudes, au coin de la Quarante-sixième Rue ouest. À l'intérieur du café, au comptoir, le chauffeur sirotait une bière à côté de son passager qui dégustait un café. Ici et là, quelques clients regardaient la télévision.

— C'est quoi, cette émission? demanda Vince en jetant un coup de tête vers le petit écran, dans sa perpétuelle recherche d'informations.

Le chauffeur était étonné.

— Es-tu malade, mon pote, c'est «The Price is Right», tous les Américains connaissent ça.

— Il faut savoir combien ça coûte? C'est ça, le principe? demanda Vince.

— C'est ça.

— Est-ce que je peux avoir un verre de lait, demanda-t-il au garçon qui lui fit glisser un verre sur le comptoir.

— Merci beaucoup. Est-ce que ce café a été séché à froid?

Le garçon secoua la tête en se demandant quel genre de type c'était.

— Je dis ça parce qu'il est bon. Est-ce que ce programme existe depuis longtemps? demanda-t-il sans transition à son compagnon.

— Depuis au moins 1911. Je ne peux pas croire que vous n'en ayiez jamais entendu parler.

— Je ne regarde pas beaucoup la télévision.

96

Je passe la plus grande partie de mon temps hors du pays.

— Vraiment? demanda le chauffeur de taxi en posant sa bière. Qu'est-ce que vous faites comme boulot?

— Je travaille pour la CIA, lui dit Vince avant de reporter son attention sur l'appareil de télévision.

*   *   *

Dans le bureau sombre, avec la face du Président Kennedy tournée vers le mur, Sheldon s'escrimait avec les boutons de coffre-fort. Il tira la porte. Elle ne s'ouvrit pas. Après avoir vérifié la liste de chiffres, il reforma la combinaison. Il était tellement absorbé par ce qu'il faisait qu'il n'entendit pas la porte de l'ascenseur s'ouvrir dans le couloir. Pas plus qu'il n'entendit les deux individus approcher à pas de loup dans sa direction.

«Trois», il tira sur la porte et rien ne se produisit. Finalement, il tira plus fort et la porte du coffre s'ouvrit. Le dentiste plongea la main dans cette cavité sombre tandis que de l'autre côté du bureau, Angie et Mo s'étaient arrêtés et tentaient d'ouvrir la porte sans bruit.

La main dans le coffre-fort, Sheldon s'immobilisa, paralysé comme sous l'effet de la novocaïne.

— Vince? murmura-t-il.

Dans le corridor, Mo dit à voix basse:

— Il a entendu.

— Vince? murmura Sheldon plus fort, assez, en tout cas, pour entendre sa voix par-dessus le bruit que faisait son coeur battant.

Dans le corridor, Angie sortit son pistolet et usant de la crosse comme d'un marteau, il fracassa la vitre de la porte.

Les morceaux de verre n'étaient pas encore arrivés à terre que Sheldon, fiévreusement, automatiquement, avait pris le sac dans le coffre-fort.

— Ne bouge pas! entendit-il avant d'apercevoir un pistolet pointé dans sa direction depuis l'extérieur de la porte du bureau, à travers ce qu'il restait de carreaux.

Et tandis qu'il était là, figé, à regarder cette arme, il aperçut une main qui, se glissant à l'intérieur, tournait la poignée.

La voix dit encore:

— Maintenant, on ne rigole plus. Il s'agit strictement de boulot, Docteur. Pose ce sac sur le bureau et fiche le camp!

— Ce n'est pas moi, c'est le beau-père de ma fille, balbutia le dentiste terrifié.

— Ça ne fait aucune différence pour moi, Docteur. Laisse tomber ce sac.

Là, du plus profond de sa mémoire, plus loin que son mariage, plus loin que ses cours à la faculté de Médecine, tout son corps répondit à la vue d'une arme et il se jeta à terre. Il entendit un coup de feu résonner quelque part et la vitre derrière lui éclata. «C'est assez», pensa-t-il, «je n'aime pas les gens qui jouent avec des armes». Il se remit sur pied, fonça vers la fenêtre, et sauta sur l'échelle de secours.

C'est à ce moment-là que les hommes enfoncèrent la porte du bureau. Ils se précipitaient comme des sauvages.

— Arrête! Arrête-toi! aboyaient-ils.

Sheldon n'avait pas l'intention de leur obéir. Glissant, courant, tombant, sautant, il descendit tout au long de l'échelle de secours comme jamais de sa vie il n'était descendu d'une échelle. Excité, il criait:

— Il n'y a pas de raison de me tuer! Je suis un dentiste!

Les deux hommes, revolver à la main, passèrent la tête par la fenêtre.

— Bon dieu! dit Angie. Je vais prendre l'échelle de secours et toi, les escaliers!

Mo traversa le bureau et fila vers le couloir pendant que Angie posait le pied sur l'échelle en question et descendait, comme il le pouvait, vers le dentiste. Pour un homme de cette taille, il se débrouillait assez bien.

Paniqué, gesticulant, cherchant des yeux n'importe quelle issue, n'importe quelle protection contre le revolver, contre l'homme, contre les balles, Sheldon continuait sa descente frénétique. Un cauchemar, un vrai cauchemar.

Sheldon était arrivé au dernier échelon de l'escalier de secours. D'un regard terrifié, il évalua la distance au sol, et entendant l'homme au-dessus de lui, il sauta. Il atterrit sur les fesses et constata qu'il devrait faire un peu de sport. Il se releva et se mit à courir.

Là-haut, même s'il n'avait rien d'un James Bond, Angie sautait, tournait, courait vers le bas de l'échelle de secours. Pensant que ce n'était pas le moment d'admirer ses exploits, Sheldon réalisa qu'il se trouvait dans un étroit couloir, contenu entre les deux immeubles de brique. Le couloir offrait très peu de protection en cas de tir. Il se mit à zigzaguer et renversa quelques poubelles. Pendant une seconde, il craignit que ce tapage n'attire l'attention du tireur et cette pensée lui donna des ailes.

À l'intérieur de l'immeuble, Mo descendait lui aussi, rencontrant quelques obstacles sous forme de portes de secours fermées à clef.

Les badauds de la Huitième Avenue, habitués à tout ce qui est inhabituel, virent sans surprise courir un dentiste en blouse blanche maculée, serrant contre sa poitrine un sac noir qui pouvait tout autant contenir des instruments chirurgicaux qu'une bombe de nationalistes porto-ricains.

Pendant ce temps, au Café des Îles Émeraudes, Vince regardait «The Price is Right» avec grand intérêt.

— Quels caves! s'exclama-t-il. Te rends-tu compte, trois cents dollars pour cette laveuse-sécheuse!

Le chauffeur de taxi, intrigué par tout autre chose que l'émission de télévision, dit à Vince:

— Je ne crois pas que vous soyez de la CIA.

— Pourquoi pas?

— Je ne sais pas, mon vieux, répondit le chauffeur en riant. Je pensais, tu sais, James Bond et le reste...

Le type à ses côtés n'avait rien de Sean Connery.

— Non, il me ressemblent tous, dit Vince. Je suis le type classique des gars de l'Agence... trapu, musclé, court sur pattes. Es-tu intéressé à travailler pour nous? Les bénéfices marginaux sont intéressants et le salaire aussi. Le truc c'est de ne pas se faire tuer. Ça, c'est vraiment la clef des avantages sociaux.

Dans la rue, effrayé et épuisé, Sheldon se disait avec rage, entre deux respirations: «Je vais le tuer! Je vais le tuer!» pendant qu'il descendait l'Avenue en courant.

Plus loin derrière, Angie le poursuivait. Sans cesser de courir, il avait pris son pistolet en main, prêt à tirer. L'écho d'un coup de feu et la vague impression qu'une balle lui était passée près de l'oreille firent comprendre à Sheldon qu'il valait mieux continuer à courir. Mais juste en cas, il implora l'aide divine: «Mon dieu!» pria-t-il «fais que je ne meure pas sur la Quarante-sixième Rue ouest!» Au loin, il aperçut le taxi qui attendait au coin de la rue, le salut au bout de sa course et, plus loin, la sécurité de son cabinet. Dans un sprint final, d'un effort herculéen, il atteignit le taxi et se jeta sur la portière. Elle était fermée. Lançant un rapide coup d'oeil à l'intérieur, il constata que la voiture était vide et que le taximètre cliquetait toujours. Frustré comme il ne l'avait jamais été, il se mit à donner des coups de poing sur le toit, criant avec une émotion profonde:

«Vince! Bon dieu de Bon dieu!»

«Il est incroyable que des gens perdent en ce moment leur temps à regarder des conneries pareilles,» pensait Vince pendant qu'un candidat frétillait d'émotion à la vue de son lot.

Le chauffeur, entendant des bruits de métal, et toujours inquiet pour la sécurité de sa bagnole, regarda par la vitrine du café. Il attira l'attention de son passager.

— Hé! Votre ami est revenu!

Vince tourna la tête et aperçut, lui aussi, Sheldon qui frappait sur le toit du taxi.

— O.K., On te doit combien? demanda-t-il calmement au garçon.

Le bruit de tam-tam sur le toit du taxi attira bien plus que le chauffeur. Angie, à peu de distance de là, s'arrêta pour faire feu à nouveau. Sheldon, serrant toujours le sac noir objet de ses malheurs, se coula derrière le taxi et rampa dans le caniveau. Et là, pauvre malheureux, il appela, après Dieu, le seul autre nom qui pouvait l'aider. «Vince! Vince!» hurla-t-il dans le tintamarre de la circulation.

Angie avançait doucement vers le taxi. Entendant un bruit derrière lui, il se retourna avec l'agilité d'un léopard, mais une seconde trop tard.

Vince, qui sortait du café, lui assena un coup de crosse sur la tête. Le gorille s'écroula et Vince l'enjamba délicatement.

— Shelley? appela-t-il.

Ce dernier rampait autour du taxi, apparemment incapable de parler.

— Shelley, ça va? lui demanda Vince.

Derrière Vince, le chauffeur de taxi sortait du café et jetant un rapide coup d'oeil sur la rue, il appela: «Hé! Attention!» Une demi-seconde plus tard un coup de feu éclatait.

Vince tourna sur lui-même et en même temps, fit feu vers le second gorille qui descendait la rue, pistolet en main. Mo s'arrêta net. Son pistolet vola dans les airs; il avait la main fracassée et se tordait de douleur. Subitement, Vince s'inquiéta des flics qui apparaissaient dans le décor.

Il se tourna vers Sheldon et débita:

— Les flics arrivent! Nous devons foutre le camp!

Puis, il aida le dentiste à se relever et à monter dans le taxi. Le chauffeur se glissa à l'avant et fit démarrer son moteur. Il n'avait pas tourné le coin de la rue que déjà on entendait les sirènes des voitures de police.

Vince regarda Shelley avec l'air de s'excuser et lui dit doucement, comme s'ils étaient à l'église:

— Je suis vraiment navré, je ne pensais pas que ça tournerait comme ça...

Tandis qu'ils traversaient la ville en taxi, Sheldon comprit que sa vie avait été épargnée et que le seul danger qui maintenant planait sur sa tête, était d'être arrêté. «Je pourrais le tuer», pensait-il, «le tuer avant que les flics arrivent, le tuer.» Il se jeta sur Vince, le saisissant à la gorge et, tout sens familial balayé par la rage, il criait:

— J'ai failli être tué! Vous avez dîné chez moi et vous venez me relancer à mon bureau pour m'envoyer à la mort!

Vince secouait la tête, essayant de parler, la gorge serrée entre les doigts de cet arracheur de dents.

— Il faut que je vous explique . . . réussit-il à expirer.

— Aucune explication! criait le dentiste enragé. Mais voyant que le visage de Vince tournait au bleu, se souvenant de la peine imposée pour meurtre, il lâcha la gorge de l'homme et le rejeta au bout du siège.

— Disparaissez à tout jamais de ma vie!

— Je comprends bien.

— Vous ne comprenez pas! Comment pouvez-vous comprendre? Vous êtes fou! Je comprends, je comprends! Mais vous êtes complètement malade!

* * *

— Je sais que votre rendez-vous était à neuf heures trente, Madame Fineshreiber, répéta Évita.

— C'est juste pour une dent. Une dent de mon pont qui est cassée, répétait la bonne femme, une main sur la bouche. J'ai mangé un morceau de pain . . . et pour accuser davantage le Docteur Kornpett d'incompétence, elle ajouta: Un morceau de pain frais.

— Le docteur sera là dans quelques instants, dit Évita.

— Je suis ici depuis neuf heures vingt-cinq et je n'ai pas vu le dentiste.

— Je suis navrée, Madame, il a eu un appel d'urgence, mentit Évita en élevant la voix. Elle entendait la colère monter chez tous ceux qui étaient assis dans la salle d'attente.

— Je dois aller à un dîner de B'nai B'rith, coupa Madame Fineshreiber, la main toujours devant la bouche.

— Vous y serez, la rassura Évita. Il n'est que dix heures trente.

— Mon dîner est à Brooklyn. Je suis l'animatrice de ce banquet et je n'ai pas ma dent de devant.

— J'étais là à neuf heures quinze, annonça une femme enceinte depuis un fauteuil situé de l'autre côté de la salle d'attente.

Alors, la porte s'ouvrit. Tous les regards anxieux se tournèrent vers le Docteur Kornpett. On aurait dit qu'il avait descendu Madison Avenue dans un camion de poubelles.

Le dentiste allait fermer la porte, mais avant qu'il ne le puisse, elle fut ouverte par l'homme dont le fils allait épouser la merveilleuse fille du Docteur Kornpett. Il le suivait en portant un petit sac noir.

— Je comprends absolument ce que vous ressentez, déclara rapidement le petit homme.

— Alors maintenant, fichez le camp! Laissez-moi seul! cria le dentiste.

Madame Fineshreiber, choquée, s'appuya contre le bureau d'Évita; la femme enceinte cria: «Oh!» et deux autres patients laissèrent tomber leur National Geographic.

Sheldon prit soudainement conscience que la salle d'attente était pleine de gens qui le regardaient. Mortifié, il se tourna et, sans regarder personne, baissant la voix, les dents serrées et avec force, il dit:

— S'il vous plaît, allez-vous-en!

— Je m'excuse, Shel, dit Vince, mais j'ai une conscience. Je ne peux pas laisser les choses comme elles sont. Je me sens coupable.

Lui aussi prit conscience de la présence des clients et, en souriant, il leur annonça:

— C'est sa merveilleuse fille qui doit épouser mon fils Tommy.

Ce fut un concert de oh! et de ah! et de murmures de «Félicitations» venant de la salle d'attente, sauf de la femme enceinte qui dit: «J'avais rendez-vous à neuf heures et quart,»

107

et de Madame Fineshreiber qui dit: «J'ai un banquet à midi.»

— Merci beaucoup, répondit le Docteur Kornpett avec le plus de dignité possible. Je m'excuse de mon retard. Nous allons essayer d'accélérer les choses.

En allongeant le pas, il se dirigea vers son cabinet, suivi, comme son ombre, par Vince. À la porte, Sheldon s'arrêta, fit volte-face et siffla:

— Allez-vous-en!

— Je ne peux pas. C'est trop important.

Depuis la chaise sur laquelle elle était assise, bouche ouverte, Madame Adelman avait entendu le tintamarre de la salle d'attente. Espérant la fin de son supplice, elle roula de gros yeux en direction de la porte. Elle l'entendit s'ouvrir et aperçut le Docteur Kornpett dans son champ de vision.

— Mon dieu! gémit-il. Madame Adelman, vous avez attendu tout ce temps? Mon dieu! je m'excuse, dit-il en espérant qu'elle ne le traînerait pas en justice. S'il vous plaît, vous pouvez fermer la bouche maintenant.

Mais quand elle essaya de refermer ses mâchoires, elle ne le put. Ces dernières semblaient gelées. «Mon dieu!» pensa-t-elle «je ne serai plus jamais capable de mâcher, comment vais-je manger? Pas de steak, pas de bonbon, aucun solide. Une vie de soupe au poulet.» Le dentiste, traversé par un éclair de compréhension, lui prit les mâchoires entre les mains et tenta de les refermer. Mais en vain. À la fin, elle pensa: «Du moins mes mâchoires sont ouvertes, il ne sera pas nécessaire de me nourrir par intraveineuse.»

Elle entendit le bruit de quelqu'un qui entrait dans la pièce derrière elle, et une voix d'homme dire:

— Shelley?

Le dentiste se tourna vers la voix et cria:

— Notre relation est terminée! Je ne peux rien faire pour le mariage mais, entre nous, c'est fini.

L'homme qu'elle avait vu auparavant, celui dont le fils devait épouser la fille du Docteur Kornpett, apparut dans le champ de vision de Madame Adelman, serrant contre lui un petit sac noir et secouant la tête avec regret.

— Si seulement c'était vrai . . ., murmura Vince.

— Mais de quoi parlez-vous? demanda le dentiste.

Vince ouvrit le petit sac noir et en montra le contenu au dentiste.

— Qu'est-ce que c'est? demanda Kornpett, en plongeant ses mains dans le sac.

— Cela m'ennuie, répondit l'autre.

— Qu'est-ce que c'est? répéta le dentiste plus fort.

L'autre regarda le dentiste dans les yeux:

— Shel, vous venez tout juste de descendre

la Quarante-sixième Rue avec un milliard de dollars en matrices volées au gouvernement américain. Dans moins de vingt-quatre heures, le FBI, le Département du Trésor, la Banque Mondiale seront à nos trousses sans compter les deux autres, ce qui est une bonne possibilité. Shel, on est dans de beaux draps, mais si je joue mes cartes comme il faut...

Madame Adelman, qui regardait le dentiste, vit son visage passer par toutes les couleurs de l'arc-en-ciel.

— ...nous nous en sortirons, termina l'homme.

C'est à ce moment-là que Sheldon, les jambes en coton, s'affala sur Madame Adelman. Toujours allongée sur sa chaise, les yeux au plafond, elle aperçut le visage du petit homme se pencher vers elle et lui dire:

— Maintenant, ma chère, vous pouvez vous rincer la bouche.

7

«Pourquoi, à la banque, est-ce que je choisis toujours la file d'attente la plus longue,» se demandait Carol. Elle avait déjà changé deux fois de file. La première fois, elle était dans une petite file au début de laquelle il y avait une vieille dame avec un mandat international, incapable de s'expliquer. Puis, revenant à la première ligne, trois personnes avaient pris sa place. L'une d'entre elles sortit une énorme enveloppe de cuir de son sac à main et tint très longuement le crachoir à la caissière avec un dépôt d'une bonne centaine de chèques, c'est à croire qu'il n'y en avait que pour elle.

Finalement, Carol avança vers un guichet

et fit un sourire à la fille encadrée dedans.

— Bonjour, Madame Kornpett. Tout est prêt pour le mariage?

«Je n'ai pas le temps de raconter ma vie,» pensa Carol. Elle préféra dire poliment:

— Pas tout à fait, pas tout à fait, espérant, de la sorte, mettre un point final à ce genre de conversation.

— Comment va Barbara? Est-elle nerveuse? demanda la caissière.

«Pieds nus», pensa Carol.

— Elle ne le montre pas, mais je suis sûre qu'elle est nerveuse. En fait, de nous tous, c'est mon mari le plus énervé en ce moment.

C'est ce que répondit Carol, sans même imaginer combien elle était proche de la vérité.

— Que puis-je faire pour vous aujourd'hui?
Encaisser un chèque, je présume?

— Non, pas précisément. J'ai trouvé quelque chose . . .

Elle ouvrit son sac à main et sortit la plaque.

— Croyez-le ou non, j'ai trouvé ça dans ma cave ce matin et je ne sais quoi faire avec . . ., dit-elle en glissant l'objet sur le comptoir vers la caissière qui le prit.

— C'est lourd, n'est-ce pas? dit la fille. Mon dieu! s'exclama-t-elle en y regardant de plus près. On dirait une sorte de plaque.

— Pour un billet de cinq cents dollars.

La caissière étudia l'objet:

— Je pense que vous avez raison. Vous dites avoir trouvé ça dans votre cave, Madame Kornpett?

— Ce matin.

— Jésus! Ce n'est pas à moi que ces choses-là arrivent!

— Avez-vous une idée de... Que faut-il que je fasse avec, ou alors combien ça coûte?

— Je ne sais vraiment pas, Madame Kornpett. Je n'ai jamais vu quelque chose comme ça. Vous savez, je peux le demander au gérant. Voulez-vous attendre?

— Oui, je voudrais bien résoudre ce mystère.

— Je ne vous blâme pas. Laissez-moi lui demander, dit la caissière.

Puis la fille partit avec la matrice.

Carol regardait l'animation de la banque, convaincue qu'avec sa chance habituelle, elle aurait à attendre longtemps.

Barbara, portant des jeans, un T-shirt et un petit sac, poussa la porte de la banque et entra. Jetant un rapide coup d'oeil, elle aperçut sa mère et se dirigea vers elle.

— Es-tu prête? lui demanda-t-elle.

— Encore une seconde. As-tu trouvé des chaussures?

— Non, elles étaient dégueulasses. Alors, j'ai acheté une paire de souliers de tennis. Comme ça, au moins, je n'aurai pas tout perdu.

— Tu dois quand même t'acheter des chaussures.

— Je sais, je sais, chanta Barbara. Demain, j'irai en ville et ferai deux ou trois magasins.

La caissière, en attendant, avait mis la main sur le gérant et l'avait suivi dans son bureau. Le petit homme replet était assis, et étudiait l'objet avec étonnement.

— Mon dieu!

— Quoi? demanda la caissière.

Le souffle coupé, l'homme pointa le journal sur son bureau, le tournant un peu pour que la caissière puisse lire un titre: «Camion de l'Hôtel des Monnaies attaqué. Des millions en plaques sont volés.»

Il prit une feuille de papier dans un tiroir et déclara:

— Nous avons reçu une note ce matin concernant les billets de contrefaçon qui pourraient être imprimés avec ces plaques.

— Mais ce ne serait pas réellement de faux billets, signala la caissière.

— Ça, c'est le problème; ils n'ont qu'à retirer de la circulation ces numéros de série.

— Y a-t-il les numéros de série ...

La caissière fut incapable de finir sa question. Elle ressentait une étrange sensation dans les genoux. Voilà bien la chose la plus excitante qu'elle vivait de toute sa vie.

Le gérant de banque ouvrit un tiroir de son bureau et en sortit une loupe. Avec des allures de circonstance, il étudia gravement la matrice et compara les numéros avec ceux sur sa note de service.

— Bon dieu! en voilà toujours un!

Pendant ce temps, de l'autre côté du comptoir, la mère et la fille avaient recommencé à se disputer au sujet des fameuses chaussures blanches.

— Vas-tu arrêter? demanda Barbara nerveusement.

Puis elle entendit une voix dire: «Madame Kornpett?» Carol, la bouche ouverte et prête à répondre à Barbara, tourna la tête et fut surprise de voir le gérant de la banque près d'elle. La caissière était là, elle aussi, mais elle ne souriait plus. Le plus sinistre, pour Carol, c'étaient les deux gardes de sécurité qui s'étaient joints au groupe.

— Oui? demanda-t-elle, la gorge serrée.

— Voulez-vous bien passer à mon bureau un petit moment? Je voudrais vous poser quelques questions.

«Après tout, les chaussures ne sont pas les choses les plus importantes dans la vie» pensa Carol.

* * *

Les mains tremblantes, Sheldon passa au travers de tous les rendez-vous de sa matinée comme un dentiste d'une comédie de Chaplin; il avait gratté, foré, mélangé, rempli, ajusté, cajolé. Il était inquiet à l'idée que le FBI, la CIA, le Département du Trésor, et Dieu seul sait qui, pouvaient être sur ses traces. Et en plus, il y avait Vince Ricardo. Le petit homme voulait parler avec lui pour «éclaircir la situation». Il n'avait absolument pas voulu quitter le cabinet. Vince avait dit qu'il attendrait Shelley jusqu'à ce que celui-ci soit moins occupé, mais, en aucun cas, il ne voulait s'asseoir dans la salle d'attente. Il avait pris un siège dans un coin du cabinet, le sac noir serré contre sa poitrine, et posait des tas de questions sur les techniques dentaires.

— Bon, Shelley, je pense qu'on peut parler, dit-il lorsque tout fut terminé.

— Nous n'avons rien de plus à dire, répondit le dentiste. Mais si vous y tenez tant, parlez, ajouta-t-il, résigné.

— Pas ici.

— Pourquoi pas? Vous ne pensez tout de même qu'ils surveillent ma chaise de dentiste par écoute électronique!

— Nous pourrions être interrompus et je veux vraiment que vous compreniez ce qui se passe.

— Vous n'allez pas encore m'amener quelque part pour qu'il m'arrive des bricoles?

— Non. Je le jure, Shelley, cette phase de l'opération est terminée. Je pensais seulement que nous pourrions aller casser une petite croûte.

Sheldon ferma les yeux, secoua la tête, rouvrit les yeux et regarda sa montre.

— Dix minutes, dit-il. Dix minutes. À midi, je dois ajuster un pont.

— Fantastique! s'exclama Vince. Ça nous laisse beaucoup de temps.

Il se dirigea vers la porte, puis s'arrêtant à hauteur du plateau de travail du dentiste, il déposa le sac noir parmi les instruments.

— Je vais laisser ça ici.

— Non! cria Sheldon. Embarquez ça avec vous.

— Shelley, rétorqua Vince raisonnablement, voulez-vous vous balader avec un milliard de dollars en matrices volées au restaurant? Imaginez qu'en traversant la rue, on soit écrasés par un autobus et que des flics ramassent le sac. Cela soulèverait un tas de questions.

Pendant quelques secondes, le dentiste s'imagina en train de glisser sous un autobus et convint que ce n'était pas une si mauvaise idée surtout en pensant au mariage qui devait avoir lieu samedi et à la déception de Barbara.

— D'accord, dit-il. Mais vous allez revenir le chercher?

— Bien sûr, Shelley, bien sûr, le rassura

Ricardo. Est-ce qu'il y a un bon restaurant italien dans les parages? Je me taperais bien un
canneloni, demanda-t-il en ouvrant la porte.

Sheldon montra le sac noir:

— Allez-vous laisser ça ici? À la vue de
n'importe qui?

Il prit le sac et cherchant un endroit où il
pourrait le planquer, il le fourra dans la poubelle.

— À quelle heure passe le type qui ramasse
les ordures? demanda Vince de façon prati-
que.

— Après six heures.

— D'accord, répondit Vince en quittant le
bureau.

Tandis que les portes de l'ascenseur se
refermaient sur eux, Sheldon imagina le pont
qu'il ajusterait tout à l'heure. Il regarda nerveusement sa montre. Il était midi moins une
minute.

Dans Madison Avenue, il fit entrer Vince
dans le premier restaurant qui leur tomba sous
la main. Ils s'installèrent et commandèrent de
la soupe. C'était la seule chose que l'estomac
nerveux de Sheldon consentirait à garder.

Ils étaient assis en silence pendant que la
serveuse apportait leur soupe. Sheldon ne
savait pas par où commencer, et Ricardo, lui,
ne semblait pas pressé de parler.

Sheldon, pâle, tremblant jusqu'au plus
profond de lui-même, prit sa cuiller et fit un

120

gros effort pour avaler un peu de soupe.

— Vous allez l'air un peu mieux, souligna Vince.

Sheldon acquiesça.

— C'est une bonne idée d'avoir pris cette soupe de poix cassés. Elle a l'air délicieuse. Puis-je?

Il tendit sa cuiller en direction du bol de Sheldon.

«De la soupe, pensa Sheldon. Le monde est en flammes et il me complimente sur ma soupe.»

— Mmmmmm! apprécia Vince. Très bonne. Un peu grasse peut-être, mais très bonne. Vous devriez mettre des biscuits dedans, cela absorbe la graisse.

Après avoir remercié le Seigneur d'être assis ici, dans un petit restaurant, à manger une soupe grasse sans biscuit, plutôt que d'être en prison ou même déjà mort, Sheldon demanda:

— Ces plaques, elles sont vraies?

— Oh oui, elles sont absolument vraies!

— Où les avez-vous eues?

— Écoutez, c'est un peu délicat, commença Vince.

— Je sais que c'est délicat, coupa Sheldon. Où les avez-vous eues?

— Je les ai volées.

— À qui?

— Au gouvernement, répondit Vince de la

manière la plus naturelle au monde. À qui voulez-vous que je vole une chose pareille?

Sheldon jeta un rapide coup d'oeil aux alentours pour voir si quelqu'un avait entendu. Vince n'avait pas baissé la voix, et un petit bistro surpeuplé de Manhattan n'était certes pas l'endroit idéal pour tenir une conversation intime comme celle-là. Particulièrement à l'heure du repas. Particulièrement avec Vince. Ce n'était pas le genre de gars avec qui tenir une conversation confidentielle, même dans les grands espaces déserts de la Sibérie.

— J'ai dit à l'Agence ...reprit la voix de l'homme.

— Quelle agence? chuchota Sheldon.

— Quelle agence? demanda Vince en prenant le monde à témoin de la bêtise de Sheldon. La CIA, pardi!

— Qu'est-ce qu'ils viennent foutre là-dedans? interrogea le dentiste pendant qu'un frisson lui courait dans le dos.

— Je travaille pour eux, annonça Vince. Je travaille pour la CIA. C'est la raison pour laquelle j'ai volé cette plaque. Oh! pas tout seul, on m'a aidé, admit-il modestement.

— J'essaie de comprendre. Vous avez volé le gouvernement américain pour le compte de la CIA. Est-ce exact?

— Tout à fait.

— Et pourquoi?

— Laissez-moi vous résumer la situation.

122

Je pense qu'il y a des tas de nuances, mais laissez-moi vous expliquer l'essentiel, d'accord?

— D'accord, répondit Sheldon, à peu près convaincu que son partenaire essayait encore une fois de lui monter un bateau.

— Au cours des six derniers mois, commença Vince, il y a eu une succession de vols de ce genre. En Angleterre, en Allemagne, en Suisse. Bing, bing, bing.

Le bing, bing, bing rappela à Sheldon les coups de feu.

— Nous ...l'Agence ...continua son compagnon.

— La CIA, dit Sheldon, déterminé à appeler les choses par leur nom, point par point, qu'importe le nombre de bols de soupe qu'il devrait prendre.

— C'est ça. L'Agence sait que ces plaques prennent la route de l'Amérique latine et font partie d'un vaste complot destiné à détruire l'économie des États-Unis.

«Ah, pensa Sheldon. Nous voilà revenus en Amérique latine.»

— Y a-t-il un rapport quelconque avec les mouches tsé-tsé?

— Shel, je suis très sérieux.

En effet, Vince avait l'air d'être très sérieux.

— Vous devez comprendre que ces petites Républiques de Bananes doivent des milliards et des milliards de dollars à l'Ouest. Et puisqu'ils n'ont même pas un pot de chambre pour pisser dedans, ils ne sont pas capables de rembourser leurs dettes. En aucune façon... à moins que tout à coup apparaisse dans le décor une telle inflation que le papier-monnaie ne serve plus qu'à s'essuyer le postérieur. Une fois qu'ils ont ces plaques dans le sac, ils sont prêts.

— Prêts pour quoi?

Vince regarda Sheldon dans les yeux et expliqua sur un ton plus rapide:

— Shel, que pensez-vous qu'il se produirait s'ils commençaient à imprimer et à distribuer des milliards et des milliards de dollars, de francs, et de marks? Vous créez une crise de confiance dans la monnaie, c'est l'émeute pour un lingot d'or, c'est la flambée, la panique, le chaos politique, la musique atonale, l'expressionnisme. C'est l'Allemagne avant Hitler. Que pensez-vous que les gens feront lorsqu'une bouteille de bière leur coûtera mille deux cents dollars?

Sheldon regardait Vince, médusé. «Alice, décida-t-il. Il n'est pas Jeanne d'Arc, il est Alice vivant dans son pays des merveilles, volant les riches pour soustraire les pauvres au vol des riches,» et, réalisant qu'il venait de faire de Vince un Robin des Bois, il secoua la tête:

— Ce serait terrible, dit-il juste pour dire quelque chose.

— Vous pensez que je raconte des conneries? demanda Vince.

— Non, non, pas du tout, répondit Sheldon sans être convaincu de sa réponse.

— Mais eux pensent que je raconte des conneries.

— Eux?

— L'Agence. Je leur avais expliqué comment faire pour voler l'Hôtel de la Monnaie. Voler comme il faut ...professionnellement ... fourguer les plaques en Amérique latine ... et découvrir le pot aux roses ...mais ils ont pensé que c'était trop risqué.

Des papillons volaient dans l'estomac de Sheldon.

— Un instant! la CIA n'a pas voulu? Je pensais que vous faisiez ça pour elle?

— Mais oui.

— Alors, ils sont derrière tout ça?

— Non. Je l'ai fait seul.

Sheldon se renversa de la soupe sur la main.

— Vous ne vous êtes pas brûlé? demanda Vince gentiment, comme s'il pensait qu'un dentiste à la main brûlée était un chômeur en puissance.

— Vous avez volé le gouvernement américain pour votre compte?

La voix de Sheldon monta dangereusement, et plusieurs têtes se tournèrent vers eux. Incapable de contrôler le ton de sa voix, Sheldon hurla:

— La CIA a pensé que c'était trop fou...

— Trop risqué, corrigea Vince.

— Mais ça ne vous a pas empêché de le faire! Avec ces gangsters. Mon Dieu!

— Je ne pouvais pas le faire seul, Shel, expliqua Vince avec bon sens. J'ai dû embaucher des gens et je dois dire que je suis déçu. Ils ont voulu leur argent tout de suite, ils ont essayé de vous avoir...

Le regard de Vince montrait bien qu'il ne croyait pas du tout au Père Noël.

Sheldon leva la main:

— Attendez, je veux comprendre. La CIA n'a pas autorisé cette opération, vous avez embauché des gangsters.

Et remarquant qu'on les écoutait, Sheldon baissa la voix:

— Donc vous avez commis un crime, c'est ça?

— C'est ça. C'est un délit fédéral.

Puis, tranquillement, comme à un enfant, il expliqua:

— C'est la raison pour laquelle nous avons le FBI aux fesses.

— Arrêtez de dire nous! Écoutez-moi un instant. Si vous êtes pris, est-ce que la CIA va dire: «Il travaille pour nous, tout va bien»?

— Non.

— Non?

Les gros yeux bruns du dentiste devinrent

vitreux.

— Non, dit Vince. En ce moment, je travaille sans filet. Si ça marche, je suis un héros pour l'Agence. Si je suis pris, l'Agence foutra mon dossier à la poubelle et affirmera qu'elle n'a jamais entendu parler de moi. Je serai dans la merde pour au moins vingt-cinq ans, minimum.

— Mais pas moi, dit rapidement Sheldon. Vous seulement. Je n'ai rien à voir dans ça maintenant, pas vrai?

Vince approuva rigoureusement:

— C'est vrai, selon toute probabilité.

— Comment, selon toute probabilité?

Une fois de plus, la voix de Sheldon s'enfla pendant que dans son estomac un moteur hors-bord faisait des siennes.

— Je vous ai fait une faveur. Je suis allé chercher le sac. J'ai failli me faire tuer. C'est fini.

— C'est vrai, reconnut Vince. Vous êtes libre et sans tache. Dès que nous aurons récupéré la plaque qui est chez vous.

— Quelle plaque?

«Je deviens fou, pensa Sheldon. Quand je me suis réveillé ce matin, j'ai pris mon gruau et j'étais sain d'esprit. Maintenant, je crois que je suis fou.»

— Une plaque, répondit Vince.

— Du sac?

— Oui, j'en ai oublié une dans votre cave,

hier soir.

Sheldon avait testé sa santé mentale; cette fois, il questionnait son ouïe. Il ne pouvait en croire ses oreilles.

— Dans ma cave? cria-t-il.

— Pourquoi vous énervez-vous?

— Pourquoi je m'énerve? hurla Sheldon tandis que toutes les têtes du restaurant se tournaient vers eux. C'est la pièce maîtresse, la preuve du plus sensationnel crime fédéral commis depuis l'affaire d'espionnage atomique et elle est dans la cave de ma maison...

Sheldon avait maintenant la vedette. Tout le restaurant, clients et serveuses, l'écoutaient attentivement. Même le cuistot, une cuiller de bois à la main, avait abandonné une omelette western pour venir jeter un oeil.

— Et vous me demandez pourquoi je suis énervé!

Ce fut au tour de Vince de se mettre en colère. Il se leva de table et foudroya l'assistance du regard.

— Occupez-vous de vos assiettes! Est-ce que je me mêle de vos affaires?

Furtivement, chacun replongea dans sa mangeaille, en bons New-Yorkais capables de prétendre que la scène n'avait jamais eu lieu, ou que, si elle avait eu lieu, ils regardaient ailleurs à ce moment-là.

— Si je n'aimais pas tant ma fille, je pense que j'appellerais les flics.

— Shelley, je comprends, mais croyez-moi, il y a vingt-cinq ans que je travaille pour l'Agence. Cette opération est fondamentalement réglée comme une horloge.

— Une horloge! Je veux que ce truc sorte immédiatement de chez moi.

La voix de Sheldon sifflait dangereusement.

Vince regarda sa montre.

— Dans deux heures, un type se faisant appeler Smith ira chez vous pour relever le compteur à gaz. C'est lui qui récupérera la plaque.

— Dans deux heures, répéta Sheldon.

— Au plus tard, précisa Vince en demandant l'addition à la serveuse et en lui signalant qu'il prenait la soupe de Sheldon à son compte.

— Vince, je veux que vous compreniez quelque chose. Si cette ...Sheldon se sentit incapable de prononcer le nom de l'objet ...si cette chose, se décida-t-il à dire, n'est pas sortie de chez moi dans deux heures, j'annulerai ce mariage à tout jamais. Je ne veux pas mettre ma famille en danger.

— Shel, je comprends, protesta Vince. Je ferais la même chose à votre place.

La serveuse posa l'addition sur la table. Vince la prit, se leva et se dirigea vers la caisse.

— Je ne blague pas, répéta Sheldon.

Vince jeta un billet de dix dollars sur le

comptoir.

— Je sais, mais croyez-moi, ce sera fait et, dans quelque temps, nous nous souviendrons de cet épisode autour de l'arbre de Noël et nous en rirons.

Il donna une grande tape dans le dos de Sheldon.

— Soyez prudent, dit-il en sortant dans la rue.

Sheldon se lança à sa poursuite; Vince avait déjà arrêté un taxi.

— Qu'est-ce que je fais avec ce qui est à mon bureau? Le sac noir? demanda Sheldon clairement.

— Ah oui, répondit Vince en ouvrant la porte du taxi. Emmenez-le chez vous. Je dirai à Tommy d'aller le chercher plus tard.

— Non! cria Sheldon.

— Allons, Shelley, ce n'est qu'un petit sac noir. Personne n'établira de lien entre ce sac et vous. À quelle heure serez-vous à la maison?

— Sept heures, répondit automatiquement Sheldon, en sachant très bien qu'il se faisait avoir jusqu'à la moelle.

— Tommy y sera. À sept heures tout sera terminé. Je vous le promets.

Vince monta dans le taxi et salua de la main, mais Sheldon retint la portière avant que l'homme puisse la fermer. Il y avait encore une chose qu'il voulait comprendre.

— Vince?

— Quoi?

— Quelle est cette photo de Kennedy dans votre bureau? Qu'est-ce que ça veut dire: «Du moins aurons-nous essayé»?

— C'était pour la Baie des Cochons.

Sheldon était sidéré. Il avait du mal à le croire. Même s'il avait vu la photo et la dédicace de ses propres yeux.

— Vous avez été impliqué dans l'expédition de la Baie des Cochons?

— Impliqué? Vince sourit. C'était mon idée. À demain, Shel.

*   *   *

— Je pense que je vais fermer mon compte en banque, dit Carol tandis qu'elle arrêtait sa voiture au feu rouge.

— Maman, maman . . . commença Barbara.

— Quinze ans! J'ai un compte ici depuis quinze ans et ils me traitent comme une criminelle!

— Ils font leur travail, c'est tout.

— Leur travail? s'exclama Carol tandis qu'elle démarrait en trombe au feu vert. Toutes ces questions stupides pour cette maudite plaque, et je ne sais même pas ce que c'est! Je ne sais pas comment elle se trouvait chez nous! J'ai un mariage dimanche. Le gazon dans le jardin est foutu à cause de cette tente . . . Sais-tu combien cela m'a coûté pour le faire pousser? J'ai besoin d'un jupon, tu as besoin de chaussures, je ne suis pas allée chercher le costume de ton père chez le nettoyeur, et ils passent leur temps à me poser des questions comme si j'avais dévalisé la Brink's!

Elle s'engagea dans sa rue.

— Ce soir, j'en parlerai à ton père, et demain je fermerai définitivement, mais définitivement mon compte!

— N'ont-ils pas ton hypothèque? demanda Barbara.

— J'annulerai ça aussi.

Carol s'engagea dans l'allée de la maison.

— Qu'est-ce que c'est?

Il y avait une camionnette stationnée

devant la porte.

— Rubin's Catering? suggéra Barbara.

— Ils sont déjà venus ce matin.

Carol descendit de voiture et partit à la pêche dans son sac à main pour y trouver ses clefs. Un homme descendit de la camionnette et se dirigea vers elle.

— Quoi encore? grommela Carol entre ses dents.

Elle pensa qu'il y avait quelque chose de sinistre chez cet homme qui s'arrêtait devant elle.

— Puis-je vous aider?

— Je suis venu relever le compteur à gaz, déclara-t-il.

— Mon compteur à gaz? répéta Carol tandis que l'homme hochait la tête, une étrange expression dans les yeux.

— Ma maison, dit Carol avec beaucoup de prudence, fonctionne entièrement à l'électricité.

Pendant un moment, l'homme parut réfléchir.

— Mon nom est Smith.

Carol se demanda chez quel voisin elle irait se réfugier, si besoin était.

— Mon nom est Kornpett, lui répondit-elle. Ma maison fonctionne entièrement à l'électricité. Pas au gaz.

Le bonhomme sembla considérer ce problème. Finalement, il déclara:

— Alors, je suis venu relever le compteur électrique.

— Le compteur électrique? répéta à nouveau Carol, tandis que Barbara, faisant le tour de la voiture, venait près de sa mère.

— Dans la cave, précisa Monsieur Smith.

— Il a déjà été relevé, rétorqua Carol en haussant le ton de sa voix.

— Mon nom est Smith, dit encore une fois l'homme d'une voix plus forte.

— Quel est votre prénom?

Carol sentait bien qu'il s'agissait là d'une question idiote, mais elle avait l'impression qu'elle serait en sécurité tant et aussi longtemps qu'elle entretiendrait la conversation.

— John, répondit l'homme, après un bref moment d'hésitation.

— Relève le numéro de sa voiture, Barbara!

— Oui, d'accord.

Barbara se rapprocha de sa mère sans quitter l'homme des yeux.

— S'il vous plaît, Madame, cela ne prendra qu'une minute. C'est au sous-sol.

— Ma fille a relevé votre numéro, Monsieur John Smith. Si vous ne fichez pas le camp immédiatement, je vais devoir appeler la police.

Monsieur Smith la regardait, les lèvres tremblantes comme s'il allait dire quelque chose. Les deux femmes soutenaient son regard.

— Allez-vous-en, dit finalement Barbara avec une certaine autorité.

Elle souleva son sac à chaussures comme s'il s'agissait d'une arme.

Un peu surpris, Monsieur Smith commença à battre en retraite et Carol se sentit envahie par un sentiment de gratitude à l'égard de Barbara; une brave fille. Tandis qu'elle surveillait Monsieur Smith qui reculait lentement, son attention fut attirée par le bruit d'une voiture qui s'engageait dans l'allée. Elle jeta un rapide coup d'oeil par-dessus son épaule et aperçut non pas une mais deux énormes voitures noires portant d'étranges insignes sur les portières. Les deux voitures se rangeaient de part et d'autre de sa Toyota. Elle regarda à nouveau Monsieur Smith qui prenait rapidement ses distances et réalisa que ce n'était pas le geste de Barbara qui lui avait fait peur mais plutôt l'arrivée intempestive de ces automobiles.

Elle entendit s'ouvrir les portes des voitures et se tourna vers elles. Plusieurs hommes en descendirent et un grand blond s'avança vers elle. «Quoi encore, pensa-t-elle, je ne pourrai pas en supporter beaucoup plus.»

— Madame Kornpett? demanda l'homme blond, en s'approchant d'elle.

Six ou sept hommes se tenaient derrière lui. Elle vit disparaître Monsieur Smith dans sa camionnette et pensa qu'après tout, elle aurait peut-être été plus en sécurité avec lui. Au moins, lui était seul. Idiotement, elle pensa l'appeler pour qu'il puisse relever son compteur, n'importe lequel, celui qu'il voudrait.

— Mon nom est Thornton, dit le grand blond en tendant une sorte de carte. Je suis du Département du Trésor.

Pendant un moment, elle eut l'impression que tout tournait autour d'elle et que le soleil allait se décrocher du ciel du New Jersey. Elle pensa même qu'elle allait s'évanouir. Le bruit d'un autre moteur la ramena à la réalité et la maison se stabilisa sur ses fondations. Elle vit Thornton regarder vers la rue tandis que la camionnette démarrait.

— Qui était-ce? demanda l'homme du Département du Trésor.

Carol s'aperçut qu'elle était absolument incapable de répondre.

— Il était venu relever le compteur à gaz, entendit-elle Barbara dire.

— Je voudrais vous poser quelques questions, Madame Kornpett. Puis-je entrer?

— Bien sûr, répondit Barbara à sa place. Viens, maman.

Les deux femmes se dirigèrent vers la porte. En entrant dans la maison, la mère murmura à sa fille:

— Si tu les veux vraiment, achète-les donc, ces chaussures en plastique.

8

Les trois automobiles étaient stationnées devant la maison coloniale dans cette rue tranquille de Teaneck. Dans la douceur du crépuscule de juin, la petite Toyota de Carol ressemblait à une voiture de nain, entourée comme elle l'était par les deux grosses bagnoles noires arborant des insignes du Département du Trésor des États-Unis. C'était comme si les deux voitures officielles n'avaient pas encore passé les menottes à la petite voiture japonaise, mais espéraient bien le faire; tout au moins voulaient-elles barrer la route à la petite voiture si cette dernière avait souhaité prendre la poudre d'escampette.

Tout le monde était réuni au salon.

— C'est complètement absurde, déclara Barbara à la cantonade. Je me sens comme «Bonnie and Clyde».

Thornton, le chef de l'équipe, la regarda.

— Je souhaiterais que ce soit absurde, Mademoiselle Kornpett. Mais il s'agit d'une affaire très sérieuse.

Un des hommes revint de la cuisine et déclara:

— Rien d'autre dans la cave.

— Depuis combien de temps votre mari est-il dentiste, Madame Kornpett? demanda un troisième homme.

— Il est dentiste depuis mil neuf cent ...

Carol hésita, essayant de se souvenir en prenant l'âge de Barbara et en y soustrayant quelque chose.

— ...soixante, précisa-t-elle. Mil neuf cent soixante.

Elle était plus calme maintenant. Depuis deux heures, ces hommes la cuisinaient et elle s'y était habituée. Elle se demanda si elle devrait offrir du café ou un apéritif.

— Toujours à New York? s'enquit un quatrième homme.

On aurait dit qu'ils se relayaient et se donnaient la réplique comme au théâtre.

— C'est ça, dit Carol. Il a partagé son cabinet avec le Docteur Murray Weingart à Brooklyn pendant quelques années et a finalement ouvert son propre cabinet à Manhattan.

— Il fait même partie de l'Association Professionnelle des Dentistes, ajouta Barbara.

— A-t-il toujours un horaire très régulier? demanda Thornton.

— Il passe toujours cette porte à sept heures précises chaque soir, répondit Carol.

— Des problèmes avec l'Impôt? demanda le troisième homme.

Barbara fut tentée de lui dire que le deuxième avait sauté son tour.

— Aucun. Il paie même plus qu'il ne doit, affirma Carol qui se souvint qu'on ne parlait jamais de ça à la maison. Son comptable lui a même suggéré un tas de déductions, mais il a toujours refusé. Quand même, voulez-vous bien me dire de quoi il s'agit? Quel lien cela a-t-il avec la plaque?

— C'est ce que nous aimerions savoir, Madame Kornpett, répondit Thorton. Mais je suis sûr que si tout ce que vous m'avez dit est vrai, nous trouverons une explication très simple.

— Lorsque vous verrez mon père, expliqua Barbara, vous verrez que ce n'est pas le genre d'homme à être mêlé à des affaires louches.

— Je l'espère beaucoup, Mademoiselle, répondit le troisième homme en souriant.

*   *   *

L'homme-à-ne-pas-être-mêlé-à-aucune-affaire-louche conduisait en ce moment le dernier modèle d'une BMW en direction de sa maison. Fatigué mais assez détendu, il écoutait de la musique tout en conduisant. De temps en temps, il jetait un coup d'oeil sur le sac noir posé près de lui. Dans dix minutes, Tommy viendrait le prendre et tout rentrerait dans l'ordre. «Mon plus grand problème sera de passer à travers le mariage, pensa-t-il. Mais, finalement, dois-je permettre à ma fille d'épouser un homme qui est complice du plus gros hold-up du siècle? Mais, pensa-t-il encore, moi aussi, je suis complice. Oui.» À ce moment, il aperçut l'entrée de son garage et son coeur cessa de battre. La vision de deux voitures noires arborant l'insigne du Département du Trésor lui brûla les rétines. Il écrasa les freins et détachant ses yeux des deux voitures, il vit deux étrangers, apparemment venus avec elles, qui se tenaient derrière les fenêtres de son propre salon.

— Oh merde! s'exclama-t-il.

Dans le salon, au bruit des freins de Sheldon, toutes les têtes se tournèrent vers la fenêtre.

— C'est mon mari, dit Carol triomphante, soulagée qu'il soit revenu pour la sauver de cette inquisition. Vous pouvez lui parler. Vous comprendrez l'absurdité …

Le reste de sa phrase disparut dans un tintamarre épouvantable tandis que Sheldon, paralysé de peur, remettait son moteur en marche avec toute la puissance possible.

Les flics sautèrent de leur divan comme autant de tranches de rôties d'un grille-pain.

— On y va! cria Thorton.

Ils sortirent de la maison à toute vitesse. Dehors, ils se divisèrent en deux groupes et les chauffeurs avaient déjà mis les moteurs en marche avant même que les portières ne soient fermées. Ils décollèrent de l'allée comme une escadrille de Spitfires se lançant dans les airs pour protéger Londres d'une attaque de la Luftwaffe. Tous les voisins, curieux, regardaient avec étonnement.

À une fenêtre de la maison coloniale, Carol et Barbara regardaient elles aussi. Elles virent les bagnoles reculer à toute pompe dans l'allée et prendre leur élan dans la rue tranquille, tous pneus crissant. C'était inconcevable ...leur mari et père.

— Mon Dieu, maman, que se passe-t-il?

Sa mère se tourna vers elle, un éclair d'intelligence dans les yeux:

— Bien sûr, dit-elle calmement.

— Quoi?

— Qui est allé dans la cave hier soir?

— Qui?

Les yeux de Barbara s'illuminèrent à leur tour.

— Mon Dieu, soupira-t-elle, Monsieur

Ricardo!

— Ce petit bâtard! dit Carol, de la colère plein la voix. Il a entraîné ton père dans un sale coup!

*　　*　　*

Au même moment, le père de Barbara était surtout occupé à tourner le coin des rues sur les chapeaux de roues. Normalement, il aurait dû mourir de peur, mais cette fois-ci, il ne s'en souciait guère. Avec un mélange d'effroi et de rage, il s'agrippait au volant, ses mains serrant comme des étaux. Il filait à toute allure, un véritable fou. Regardant aussi souvent que possible dans son rétroviseur, il descendait le boulevard à une vitesse vertigineuse. «Je vais le tuer! hurlait-il à personne puisqu'il était seul. Je vais lui arracher le coeur de la poitrine!» Il aperçut dans son rétroviseur les voitures noires qui, tous feux allumés, zigzaguaient dans le trafic. «Bon Dieu!» cria-t-il. Il écrasa l'accélérateur au plancher, souhaitant qu'il n'y ait aucune ambulance ou camion de pompier qui vienne traverser sa route. Ou des flics.

— Ne le perdez pas! gueulait Thornton au chauffeur de la première voiture.

«Il me rattrape, pensa Sheldon les yeux rivés au rétroviseur. Que va-t-il se passer s'il me rejoint?» Jetant parfois un regard sur sa route, il était hypnotisé par ce qui se passait derrière lui. «Toute ma vie devrait défiler devant mes yeux», pensa-t-il avec hystérie. Obligeamment, les images déferlèrent sa tête. Sa mère, son frère, le collège, cette fille, quel était son nom? ...Sous le pont de Conney Island? ...Le dortoir du collège, Carol, l'ar-

145

mée, son diplôme d'université, le mariage, Barbara à l'hôpital alors qu'elle venait de naître, un traitement de canal, les ponts, les détartrages, ce fatal dîner avec les Ricardo, l'échelle de secours et puis les phares des voitures du Département du Trésor qui se rapprochaient de lui, inexorablement.

Revenant un peu sur terre, Sheldon jeta un oeil à nouveau dans le rétroviseur. Ils étaient encore plus proches. Il regarda en avant et aperçut un gros carrefour. Instinctivement, il tira le volant à lui et tourna à angle droit pour se dérober aux poursuivants. «PEINTURE AUTOMOBILE AUTOMATIQUE». L'enseigne au néon scintillait sur le toit d'un énorme garage à vingt mètres de lui.

«C'est un signe du ciel, pensa-t-il, sinon, au diable! Mon Dieu, s'il te plaît, permets-moi de leur échapper.» Il tourna à droite et s'enfila dans l'entrée de cet atelier automatique de peinture automobile. Il mit sa voiture au point mort, retira son pied des freins, se rejeta en arrière sur le siège et soupira. Il entendit les sirènes des voitures du Département du Trésor disparaissant dans le lointain.

— Où est-il passé? demanda Thornton à son chauffeur.

Le chauffeur, détaillant la circulation avec des yeux de merlan frit, se refusa à toute réponse.

—Tu l'as perdu, Jerry, gueula un des hommes au chauffeur.

— Tu crois que c'est facile?

— Bon Dieu! grogna Thornton.

— Si tu veux, je peux faire demi-tour? demanda Jerry. On peut jeter un oeil dans les autres rues.

—Même si tu sais ce que tu cherches, tu ne le trouveras pas.

— Énerve pas Jerry, gouailla un des hommes assis à l'arrière. Il est terrible pour filer les petites vieilles.

— Ferme ta gueule, Herb! répondit Jerry qui se retourna pour incendier son camarade du regard, puisqu'il lui était impossible de lui envoyer son poing dans la gueule.

—Regarde où tu vas! hurla Thornton, tandis que la voiture se dirigeait droit sur un camion.

Jerry ramena la voiture dans sa trajectoire.

— Arrête-toi où tu pourras, grogna Thornton.

À un arrêt d'autobus, Jerry arrêta sa voiture et Herb, baissant sa vitre, fit signe à l'autre voiture qui vint se stationner tout près. Thornton descendit, fit le tour des deux voitures et parla à l'autre chauffeur.

— On l'a perdu, dit-il. Que deux d'entre vous retournent à la maison et attendent.

— Il ne reviendra pas, répondit le chauffeur.

— Je sais qu'il ne reviendra pas, mais

quand je vais aller au bureau, je vais devoir leur dire que Madame Kornpett ne sait rien mais que Monsieur Kornpett a foutu le camp quand il a vu nos bagnoles. Alors, ils vont me dire: «L'avez-vous filé?» Et je vais devoir dire: «Oui, mais on l'a perdu.» Et ils vont dire: «Qu'avez-vous fait après?» Il vaut mieux pour mes fesses que j'aie une bonne réponse. Alors, je leur dirai: «J'ai mis sa baraque sous surveillance.» Toi, Daly, et toi Turin, foutez-moi le camp là-bas!

— Je devais aller au tennis à neuf heures, se plaignit Turin.

— Je m'en fiche éperdument! Même si tu avais rendez-vous avec Brigitte Bardot sur un lit d'eau, tu vas aller surveiller la maison des Kornpett. Et prends une autre voiture. Une voiture anonyme.

Thornton, en colère, revint à sa bagnole et y monta.

— À la maison, Jerry, en quatrième vitesse.

*   *   *

148

Gentiment, doucement, comme une femme quittant la clinique après une chirurgie esthétique, la BMW dernier modèle roula doucement hors du garage. Elle était maintenant rouge corail et arborait de flamboyants décalques sur les côtés. Un jeune type s'approcha de la voiture tandis que Sheldon la contemplait, les larmes aux yeux.

— Du beau travail, n'est-ce pas! s'exclama-t-il.

Il était soit très impressionné, soit très bon vendeur pour un jeune de son âge.

— C'est trente dollars, dit-il. Vous pouvez me donner l'argent à moi: mon père est parti bouffer.

Sans discuter, Sheldon sortit trois billets de dix dollars de sa poche et les tendit au jeune homme, en se demandant s'il ne lui faudrait pas maintenant porter des bottes à talons hauts et un imperméable doré pour conduire sa voiture.

— Croyez-moi, c'est du bon boulot. De la qualité; ça ne partira jamais et vous ne pourrez pas mettre d'autre peinture dessus.

«Mon Dieu, pensa Sheldon, je n'ai pas acheté cette voiture. C'est une location à long terme. Que vais-je en faire s'ils ne veulent pas la reprendre?» Le garçon le regardait réfléchir en silence.

— Avez-vous un téléphone ici? demanda Sheldon.

— Quoi? demanda le gars comme s'il n'avait jamais entendu ce mot.

Cette espèce de stupidité tomba sur les nerfs de Sheldon. Il entra dans une rage soudaine, attrapa le garçon par sa chemise et le souleva en l'air:

— Un téléphone!

— Par ici, pleura le garçon désarmé avant que Sheldon ne le rejette à terre et se dirige en courant vers la cabine téléphonique.

*   *   *

— Médium-saignant pour tout le monde? demanda Vince, sa face sous la toque de chef cuisinier émergeant de la fumée d'un Bar-B-Q dans la cour arrière de sa maison.

Vickie, son invitée et voisine, chanta:

— Bien cuit pour moi, Vince.

Son mari et elle étaient assis à une table blanche, sur des chaises aussi blanches, sous un parasol de même couleur.

— Tu l'as voulu, tu l'auras, répondit Vince.

Jean sourit à son mari. Elle aimait beaucoup recevoir en été parce qu'elle pouvait amener ses invités au jardin, ce qui lui évitait d'avoir à faire le ménage du salon. En fait, elle détestait les hamburgers de Vince mais c'était tout de même mieux que de cuisiner elle-même.

— C'est merveilleux que Vince soit là pour quelques jours, dit-elle à Vickie et à Al son mari.

Elle leur devait déjà trois dîners et cette petite réception intime pouvait au moins compter pour un.

— Il faut un mariage pour qu'il soit là, lança Al, se croyant très drôle.

Sa femme se tourna vers le chef:

— Que penses-tu du futur beau-père de Tommy?

— Terrible! lui fut-il répondu immédiatement. Terrible, un type terrible. J'ai immédiatement eu pour lui une réaction chimique, quelque chose de rare et qui n'arrive pas avec n'importe qui.

Le téléphone sonna dans la véranda.

— J'y vais, dit Jean.

— Non, coupa Vince.

Puis, calmement, il expliqua:

— J'attends un appel de Zurich, ma chérie.

Il posa sa spatule et se dirigea vers le téléphone qui sonnait encore, en espérant vaguement qu'il s'agisse d'un de ces handicapés qui vendent des ampoules électriques par téléphone.

À la troisième sonnerie, il répondit:

— Allô?

La voix d'un déséquilibré mental lui arriva par le fil. Néanmoins, il put reconnaître le son de la voix du merveilleux, très merveilleux futur beau-père de Tommy!

— J'ai des flammes sur ma voiture!

Et comme si la voix savait que Vince ne pouvait pas comprendre ce dont il s'agissait, elle répéta, un octave plus haut, beaucoup plus rapidement:

— J'ai des FLAMMES sur ma voiture!

Alarmé, Vince empoigna le téléphone et s'éloigna de la cour, reluquant de temps à autre Jean et le couple afin de s'assurer qu'ils ne pouvaient l'entendre. Ils avaient l'air de rire et de s'amuser et ne s'intéressaient absolument pas à lui. Il pouvait donc parler en toute sécurité.

— Shelley, dit-il, vous êtes très énervé. Je

ne sais pas pourquoi...

Il ne put poursuivre car une tempête de mots lui arrivait dans les oreilles.

— Qui? demanda-t-il, étonné. Saint-Jésus! Ils vous ont poursuivi? Ah Shel...

Encore une fois, la voix à l'autre bout du fil l'interrompit avec une marée de phrases incohérentes dans lesquelles le mot «flammes» revenait de temps à autre.

— Je ne comprends pas ce que vous me dites, pas plus que cette histoire de flammes.

Vince fit une pause pendant laquelle Shelley passa à des choses plus sérieuses.

— Non! cria Vince. Non! ne retournez chez vous sous aucun prétexte. Si c'est vraiment les gars du Trésor, ils vont vous arrêter. C'est certain.

— Alors qu'est-ce que je fais, Vince?

Sheldon, désespéré, réalisait l'idiotie de demander son avis à la source même de ses problèmes, mais il n'avait personne d'autre à qui faire appel.

— Je n'ai pas envie d'aller en prison. Le mariage...

Il fit une pause tandis que Vince l'interrompait. Pourquoi discuter, pensa-t-il, et en regardant sa montre:

— Sept heures et quart, dit-il à Vince.

— L'avez-vous toujours avec vous? Le sac noir?

— Bien sûr que je l'ai toujours avec moi! Si

je ne l'avais pas avec moi, pensez-vous que ma voiture aurait des flammes?

— D'accord. D'accord, Shelley. Calmez-vous.

Vince essayait de réconforter son correspondant comme les psychiatres des séries télévisées.

— Shel, ce qu'il vaut mieux faire pour le moment, et le plus tôt possible, c'est raccrocher et filer vers l'aéroport McGraw, dans le New Jersey . . . C'est près de Lodi, à la sortie de la Route 46. Apportez le sac noir et je vous attendrai.

— Aéroport? Vous allez où?

Une fois de plus, Sheldon ne pouvait en croire ses oreilles.

— Scranton, Pennsylvanie? Pourquoi?

Aussi calmement que possible, comme si, au bout du fil, il tenait un lion échappé d'un zoo, Vince répondit:

— Je dois y aller pour quelques heures. Si vous voulez venir avec moi . . .

— Je ne comprends pas, s'étonna Sheldon. Qu'est-ce qu'on fait avec le Département du Trésor?

La réponse sembla donner une nouvelle mesure à sa colère.

— Ne me dites pas de ne pas m'énerver, cria-t-il assez fort pour que Vince puisse l'entendre même sans téléphone. Ils me collent aux fesses, partout au New Jersey!

— Shel, venez avec moi à Scranton. Le temps que vous reveniez, tout sera réglé. Croyez-moi.

Vince entendit sa femme l'appeler et se tourna dans sa direction.

— Les hamburgers sont prêts, cria Jean.

Vince fit un signe de la main à sa femme lui indiquant qu'il serait là dans quelques secondes. Puis, baissant la voix, il reprit sa conversation téléphonique.

— Shel, la fin de cette histoire approche, je vous l'assure. Maintenant, décollez... Aéroport de McGraw, sortie de la Route 46. Il y a des panneaux. Suivez-les. À tout à l'heure.

Vince pressa le bouton de l'appareil avec son doigt, attendit quelques secondes, releva le doigt et entendit la tonalité. Rapidement, il composa un autre numéro, souriant à ses invités par-dessus son épaule. Quelques secondes plus tard, il entendit décrocher et cette fois-ci, sans s'inquiéter d'être entendu par ses amis, il se mit à parler rapidement. En chinois.

*   *   *

De son côté, Sheldon avait raccroché. «Je n'irai pas à Scranton», dit-il à l'appareil téléphonique. À travers la vitre de la cabine, il voyait le garçon du garage qui l'observait. «Je vais arrêter de me parler tout seul», dit-il tout haut en se passant la main dans les cheveux et en reprenant sa respiration. «Je n'irai pas à Scranton. Je vais aller à l'aéroport de McGraw trouver ce fou, lui remettre son sac noir et repartir à la maison. Si je peux passer au travers du Département du Trésor, probablement de la Police et sans doute aussi de la Mafia qui doivent cerner ma maison, je vais sauver Carol et . . .» Pendant quelques secondes, il entrevit la possibilité de laisser tomber Barbara qui, après tout, était indirectement la source de ses problèmes. Mais se souvenant qu'elle était sa seule enfant, il changea d'avis et continua: « . . . et Barbara. Alors, je vais aller à l'aéroport Kennedy et si la CIA n'a pas confisqué mes cartes de crédit, on prendra tous l'avion pour un pays où il n'y a pas d'extradition possible. Là, j'ouvrirai un autre cabinet et en attendant, je vais arrêter de me parler tout seul.» Il arrangea sa cravate et quitta la cabine téléphonique, en retenant un juron à la vue de sa voiture.

— Quelle est la route la plus proche pour Lodi? demanda-t-il au garçon.

— Je ne sais pas, monsieur, répondit le garçon en tremblant, et mon père est parti bouffcr.

Sheldon secoua la tête et démarra.

* * *

Vince raccrocha le téléphone, s'arrêta quelques secondes pour inventer une histoire et retourna dans la cour. Il se dirigea vers la table de pique-nique, prit un hamburger et mordit dedans à pleines dents.

— Écoutez, dit-il à Al et Vickie en évitant de regarder Jean dans les yeux, j'espère, mes amis, que vous m'excuserez mais il m'arrive une drôle d'histoire.

— Qu'est-ce qu'il y a encore? coupa la voix de sa femme.

— Un peu trop cuit, lui répondit-il en agitant son hamburger.

Puis, se tournant vers ses invités:

— Pas grand-chose. J'en ai pour une heure ou deux.

— N'oublie pas le mariage, dimanche matin.

Jean était visiblement ennuyée.

— Je sais. Une heure . . . deux tout au plus, répéta Vince.

— C'est l'appel de Zurich . . .?

Vickie voulait savoir.

— Oui, soupira-t-il.

Et pour plus de vraisemblance, il ajouta:

— L'ambassadeur m'a demandé de lui faire une faveur personnelle, alors je dois me rendre à New York. À l'ambassade d'Allemagne. Peut-être serez-vous encore là lorsque je reviendrai.

Il engouffra ce qu'il lui restait de hamburger, en prit un autre, embrassa Jean sur la joue.

— As-tu dit à Tommy d'aller chercher ce sac chez Barbara? lui demanda-t-il entre deux bouchées de hamburger.

— Oui, répondit brièvement Jean en le regardant d'un air contrarié et déconcerté.

— Ce n'est plus nécessaire.

— Je ne peux pas le prévenir maintenant. Il est allé chercher son costume... pour le mariage, souligna-t-elle. Après, il se rendra directement chez Barbara.

— Bon, ce n'est pas important. À plus tard.

Il se dirigea vers la Coupé de Ville stationnée devant la maison.

— Mais, Al, demanda Vickie à son mari, pourquoi s'en va-t-il à l'ambassade d'Allemagne? Est-ce que Zurich n'est pas en Suisse?

9

Lorsque Sheldon arriva à l'aéroport, l'horizon était éclairé par un cheveu de lumière. Le soleil, un énorme ballon rouge, éclaboussait le ciel, les nuages pollués, et tout l'air que Sheldon respirait.

Il s'arrêta devant un panneau: «Stationnement de nuit — Stationnement pour visiteurs» avec des flèches indiquant la droite et la gauche. «Visiteurs» dit-il au panneau en tournant à droite. «Je suis définitivement un visiteur.» Il roula encore un peu et, suivant une autre flèche, entra dans l'aire de stationnement.

Sheldon prit le sac noir, ouvrit la porte, appuya sur le bouton de la serrure, sortit de la voiture et claqua la portière. Il jeta un coup d'oeil au parcomètre et constata qu'il lui restait dix-sept minutes à courir sur les vingt-cinq de son prédécesseur; après avoir mentalement calculé toutes les probabilités, il choisit le côté de la loi. Il inséra une pièce de monnaie, tourna le levier, constata qu'il avait quarante-sept minutes de stationnement devant lui et prenant le sac qui lui parut plus lourd qu'il n'en avait l'air, il se dirigea vers l'aérogare.

Il aperçut Vince le premier. Celui-ci attendait près d'un comptoir d'information, un gobelet de plastique à la main. Tandis que Sheldon se dirigeait vers le futur beau-père de sa fille, ce dernier se retourna, lui sourit chaleureusement, et courut à sa rencontre en jetant le gobelet dans une poubelle.

— Shelley, l'accueilla-t-il comme s'il ne l'avait jamais revu depuis le collège, je suis très content de vous voir ici.

— Humm! répondit Sheldon en observant une prudente réserve.

Il tendit le sac à Vince. D'un seul mouvement, celui-ci prit le sac de sa main gauche et, de sa main droite, il serra fermement le bras de Sheldon.

— Êtes-vous déjà monté dans un jet directorial? Il n'y a pas de meilleure façon de voyager.

— Je n'irai nulle part, répondit Sheldon tandis qu'il était entraîné vers une porte de sortie à l'autre bout de l'aérogare.

— Juste un petit saut à Scranton, émit Vince en pinçant le bras de Sheldon. Vous n'y êtes jamais allé? Quelle merveilleuse petite ville. Vous vous reposerez. Nous serons de retour dans une heure.

— Je n'ai pas envie d'aller à Scranton.

Sheldon essayait de libérer son bras.

— Écoutez, je vous paierai à dîner. Il y a bon petit restaurant à Scranton. Un restaurant indonésien.

— À Scranton?

— Des réfugiés, expliqua Vince. Ils font une soupe de nids d'hirondelle qui va vous estomaquer.

— Une soupe de nids d'hirondelle? Ce n'est pas chinois?

Sheldon réalisa qu'il était à l'extérieur encore une fois. Ils se dirigeaient maintenant vers un petit avion qui les attendait près de la piste. Les moteurs tournaient.

— Ouais, expliqua Vince en entraînant Sheldon, c'est un restaurant indonésien, mais le chef est chinois. Chang Hoo. Quel type fantastique, précisa-t-il en aidant Sheldon à franchir les trois marches de l'avion. Voilà, nous sommes prêts à partir.

— Je ne veux pas aller à Scranton. Je n'aime pas la soupe de nids d'hirondelle.

Vince parut blessé.

— Une heure. Deux heures si nous nous

165

arrêtons pour dîner. S'il vous plaît, permettez-moi de vous inviter.

— Mais je n'ai mis que vingt-cinq cents dans le parcomètre, argumenta Sheldon.

Et regardant sa montre, il ajouta:

— Dans trente-neuf minutes, j'aurai une contravention.

— Shelley, nous sommes au New Jersey. Tous les flics sont corrompus.

Et Vince poussa dans l'avion son invité récalcitrant.

Sheldon se tourna vers la porte mais un Chinois qui semblait être venu de nulle part retirait déjà l'échelle et fermait la porte de l'avion.

— Je vous présente Bing Wong, dit Vince. Voici le Docteur Sheldon Kornpett, certainement le meilleur dentiste de toute la ville de New York. Cet homme est un artiste de la roulette.

Ayant rendu à Sheldon ce qui appartenait à Sheldon, son ton devint plus prosaïque.

— Asseyez-vous, Shelley, dit-il avant de se diriger vers la cabine de pilotage.

— Où allez-vous?

Sheldon avait nettement l'impression qu'il n'avait pas envie de rester seul avec le gentleman oriental.

— Cockpit, répondit Vince.

— Vous n'allez tout de même pas piloter!

— Pour le décollage seulement, rétorqua

Vince en écartant le rideau du cockpit.

— Mais...

— Ensuite, je laisserai mon copilote faire le nécessaire. Billy Wong. Le frère de Bing. Un type charmant.

— Mais... dit Sheldon.

Il n'avait d'ailleurs aucune idée de ce qu'il voulait dire à Vince.

— Dès que nous serons en l'air, je reviendrai dans la cabine et on pourra se reposer.

Sur ce, Vince disparut dans le cockpit et Sheldon se retourna vers la porte, se demandant s'il valait la peine de crier «Au secours» par-dessus le bruit de l'appareil.

Bing Wong était debout devant la porte.

— Heureux de faire votre connaissance, dit automatiquement Sheldon.

Bing Wong sourit à Sheldon et dit quelque chose en chinois qui semblait vouloir dire: «Attachez votre ceinture.»

Dans le cockpit, Vince s'installait dans le fauteuil du pilote, à côté de son copilote chinois, un homme d'âge moyen. Il attacha sa ceinture et posa une question, en chinois, à son voisin. Billy Wong lui répondit; Vince fit signe qu'il avait compris et tourna un bouton du tableau de bord. Les essuie-glace de l'avion se mirent en route.

— C'est pas le bon truc, déclara Vince, embarrassé.

Dans la section réservée aux passagers,

tout près de la catatonie, Sheldon s'était laissé tomber dans un fauteuil et se battait avec sa ceinture. Ses doigts avaient pris la consistance de spaghetti froids.

Devant lui se tenait le grand Chinois qui débitait les instructions de sécurité avec la souriante assurance d'une hôtesse de l'air de la TWA, fraîche émoulue d'une école de charme. Il plaça un carton d'instructions sous le nez de Sheldon, tira le masque à oxygène qu'il se posa sur le visage, démontrant comment respirer avec l'appareil. Ensuite, il sortit un gilet de sauvetage de quelque part et montra à Sheldon comment s'en servir. Pendant tout ce temps, il donnait ses instructions dans un chinois souriant.

«Je suis complètement fou», pensa Sheldon en anglais.

Dans le cockpit, Vince tira un levier et le régime des moteurs s'amplifia.

Dans la cabine, Sheldon entendit la voix de Vince dans le haut-parleur:

— Est-ce que le personnel de bord est assis? Il vit alors le grand Chinois s'asseoir et se sangler avec une ceinture. Sheldon sentit que l'avion se mettait en mouvement, prêt à prendre sa vitesse de décollage. Mais en jetant un coup d'oeil par le hublot, il réalisa que l'avion faisait marche arrière. Vince dut s'en rendre compte, au même moment, car on entendit un infâme bruit de freinage et l'avion s'arrêta net.

168

«On se mettait en position» dit la voix dans le haut-parleur et Sheldon constata que pour la centième fois de la journée, il était en train de prier. «Il ne doit pas y avoir d'athées dans l'entourage de Vince Ricardo», pensa-t-il.

L'avion commença à aller de l'avant, doucement cette fois-ci, et comme Sheldon avait fermé les yeux, il sentit le décollage et sut que l'avion était dans les airs.

*   *   *

Les deux hommes étaient assis, silencieux, dans la voiture stationnée dans une rue tranquille à cinquante mètres de la maison coloniale. Ils étaient là depuis au moins une heure et n'avaient plus grand-chose à se dire. Turin avait ouvert la radio que Daly avait immédiatement éteinte. Ils n'avaient pas parlé depuis, sauf quand Daly avait baissé la vitre pour dire à une bonne femme que son schnauzer était en train de pisser sur la roue avant de la voiture.

Daly rompit subitement le silence:

— Tu penses pas qu'il est arrivé avant nous?

— Non, répondit son compagnon. Où vois-tu sa bagnole?

— Dans le garage?

— Non.

— La Toyota est toujours devant, fit remarquer Daly.

Turin le regarda.

— Avec ton sens de l'observation, tu devrais être détective.

Le silence reprit le dessus.

Après une bonne dizaine de minutes, une Volkswagen fit son apparition, attirant l'attention des deux hommes du Trésor qui la regardèrent ralentir et stationner devant la maison.

— C'est lui? demanda Daly.

— C'est pas sa voiture, répondit Turin.

Et voyant un jeune homme en descendre, il ajouta:

— Et c'est pas lui.

Ils surveillèrent le jeune homme qui vint sonner à la porte des Kornpett. Lorsque la porte s'ouvrit, il entra et Turin dit:

— Prends le numéro de sa voiture.

— Certainement un ami de la fille, répondit Daly.

— Ça n'empêche pas sa voiture d'avoir un numéro.

Daly ouvrit la porte de la voiture, regarda derrière lui et demanda à son compagnon:

— Qui t'a nommé général?

Il s'approcha ensuite de la Volkswagen à pas de loup et nota son numéro sur le dos d'une enveloppe. En revenant, il mit le pied dans une crotte de chien.

— Merde! jura-t-il en remontant dans la voiture.

— Tu vas empester toute la bagnole, se plaignit Turin.

Découpant le numéro de l'enveloppe, il se servit du reste du papier pour essuyer ses chaussures.

— Ils n'ont donc pas de chiottes à chiens dans le New Jersey?

Il jeta l'enveloppe souillée par la portière.

*   *   *

Après le départ précipité des hommes du Département du Trésor à la poursuite de Sheldon, Barbara et Carol étaient trop énervées et effrayées pour manger. Pendant une demi-heure, elles firent les cent pas en regardant le téléphone qui ne sonnait jamais, puis elles décidèrent finalement d'avaler une bouchée: du fromage, une demi-boîte de biscuits Ritz et quatre brioches à la cannelle.

Elles passèrent une autre demi-heure à dire du mal de Vince Ricardo et à s'inquiéter de Sheldon.

— S'ils l'avaient pris, nous en aurions entendu parler, déclara Barbara.

— Et s'ils ne l'ont pas pris, où est-il? rétorqua sa mère. Et puis, peux-tu bien me dire ce qu'il a fait?

— Je suis certaine qu'il ne sait rien de cette plaque trouvée dans la cave.

— Alors, pourquoi s'est-il sauvé?

Elles se regardèrent longuement, chacune comprenant que la seule personne qui pourrait leur répondre était celle dont elles n'osaient prononcer le nom. Finalement, Carol se décida:

— Vince doit le savoir.

Barbara secoua la tête, ne voulant pas admettre cette possibilité mais ne voulant pas non plus passer pour une idiote en niant l'évidence.

Carol interrogea Barbara des yeux et, fina-

lement, celle-ci se leva et décrocha le téléphone. Mais aussitôt elle raccrocha.

— Suppose, dit-elle, suppose qu'il ne sait
rien.

— C'est impossible, affirma Carol.

— Mais si... insista Barbara. Est-il nécessaire d'avouer à mon beau-père que mon père
se cache de la justice?

Carol réfléchit à ce problème.

— On ne peut pas établir un mariage sur ça,
finit-elle par admettre.

— Non, reconnut à son tour Barbara.

Elles décidèrent alors que la meilleure
chose à faire était de se servir un verre de vin
blanc.

Enfin, Barbara persuada sa mère de prendre un long bain pour relaxer et proposa même
d'utiliser des sels de bain qu'elle avait mis de
côté pour sa nuit de noces. Promettant à sa
mère qu'elle ne quitterait pas le téléphone des
yeux au cas où son père appellerait, Barbara
revenait au salon lorsque la sonnette d'entrée
se fit entendre.

— Que se passe-t-il? demanda Tommy en
voyant la figure de sa fiancée.

— Rien, répondit Barbara.

Et, fermant la porte, elle se blottit dans ses
bras.

— Qui est-ce? demanda Carol du haut des
escaliers.

— Tommy, lui cria Barbara.

— Il se passe quelque chose? demanda Tommy.

— Non.

— On va au cinéma, clama Tommy dans les escaliers à l'intention de sa future belle-mère.

— Au cinéma!? répondirent à la fois la mère, choquée, et la fille, étonnée.

— Tu ne te souviens plus? lui rappela Tommy, le cinéma-motel?

— Oh, Tommy!

Barbara, excitée par les derniers événements, avait tout à fait oublié.

— Pourtant tu m'avais promis.

— Oui, je sais.

— Tu ne veux pas? Qu'est-ce qui se passe?

— Mais oui, je veux. Il ne se passe rien, lui dit-elle en l'embrassant.

Soudainement, elle avait envie d'être avec lui; plus que tout au monde, elle voulait sentir ses bras autour d'elle et fuir, dans un acte d'amour, toute cette folle journée.

— Je vais prévenir maman, murmura-t-elle avant de monter les escaliers.

— Je vais au cinéma avec Tommy, dit-elle assez fort pour qu'il puisse l'entendre.

— Comment peux-tu aller au cinéma avec toutes ces histoires! cria Carol sous sa mousse de savon.

— J'avais promis. Et si je n'y vais pas, hurla Barbara à travers la porte, je vais devoir lui dire pourquoi.

174

— Pourquoi ne lui dis-tu pas que tu as mal à la tête?

— Ça commence mal un mariage!

Carol s'assit dans la baignoire. Elle réalisa que, de toute façon, sa fille n'avait pas l'intention d'aller au cinéma.

— Cela m'ennuie beaucoup de te laisser seul, reprit Barbara d'une voix normale.

— Où est ton père? demanda Tommy du bas des escaliers.

— Il est sorti.

— D'accord, dit finalement Carol en constatant qu'il lui serait impossible de retenir sa fille. «Après tout, qu'elle profite des bons moments de la vie, Dieu seul sait ce qui peut encore nous arriver!» pensa-t-elle.

— Attends au moins que je sois sortie du bain, à cause du téléphone.

Barbara choisit quelques effets dans sa chambre qu'elle glissa dans un petit sac avant de redescendre.

— Je dois attendre que maman soit sortie du bain. Pour le téléphone, expliqua-t-elle à Tommy.

— Attendez-vous un appel?

— Non.

— Oh, j'allais oublier. Ton père n'aurait-il pas laissé ici un petit sac noir pour mon père? Je devais venir le prendre.

— Papa n'est pas venu à la maison.

— Alors, comment peut-il être sorti?

— Voilà, expliqua Barbara. Il est venu à la maison... mais il n'est pas entré dans la maison.

— Qu'est-ce que cette histoire?

— Quoi? demanda Barbara.

— À quoi jouez-vous... je ne sais pas...

— Non, je ne joue pas, répondit-elle rapidement.

— Je suis sortie, clama Carol du haut des escaliers.

— Nous allons revenir bientôt, lui répondit Barbara.

— Nous allons seulement au cinéma, ajouta Tommy, en insistant un peu trop.

— Essayez *Superman*, suggéra Carol, on ne sait jamais.

*   *   *

— Reste ici et surveille la maison. Je vais suivre la fille, annonça Turin.

— Je ne peux pas rester ici et surveiller la maison, objecta Daly. On n'est pas à New York. C'est une rue. Avec des maisons. Qu'est-ce que je vais faire?

— Dehors! ordonna Turin. Je vais les perdre. Elle va peut-être rencontrer son père.

Daly descendit de voiture mais tint la porte ouverte.

— Qu'est-ce que je vais faire? répéta-t-il.

— Planque-toi derrière un arbre! lui lança Turin en tirant la porte à lui avant de démarrer derrière la Volkswagen.

*   *   *

Ils avaient à peine tourné le coin du boulevard que Barbara posa une question qui lui brûlait la langue:

— Pourquoi ton père devait-il recevoir un petit sac noir de mon père?

— Je ne sais pas. Quel motel?

— Est-ce que c'était le sac de mon père ou le sac de ton père?

— Que penses-tu de La Savane?

— Ce n'est pas un motel. C'est une espèce de petit camp.

— Quelle différence?

— Les cabines de douche métalliques dans le coin de la chambre, répondit-elle avec irritation.

— Je ne savais pas que tu voulais aller prendre une douche.

Barbara revint à ce qui la tracassait:

— Qu'est-ce qu'il y avait dans le sac?

— Quel sac?

— Le sac noir.

— Barbara, je ne sais vraiment pas. Ma mère m'a dit qu'il lui a dit de me dire d'aller chercher un sac. Le Englewood Cliffs?

— Trop près.

— Il y a de belles salles de bain.

— Et si c'était le sac de ton père, comment mon père l'avait-il en sa possession?

— Peut-être que ça a quelque chose à voir avec le mariage. Un cadeau. Une surprise. Quel motel?

178

Le mot «motel» lui fit courir un frisson d'excitation de haut en bas.

— Celui à Newburg. Mais si c'était un cadeau de mariage, il aurait dû rester chez moi avec les autres cadeaux. Pourquoi, alors, ton père le voulait-il?

— Pour le faire graver! s'impatienta Tommy. Newburg est à douze milles d'ici.

— Alors?

— C'est dans l'État de New York, objecta le garçon qui avait l'impression de faire quelque chose d'illégal.

— Pompton Lakes, suggéra alors Barbara plutôt que de discuter.

— J'espère que je pourrai attendre jusque là...

Barbara n'accorda aucune attention à cette remarque.

— Ton père dit qu'il est un consultant.

— Pourquoi me parles-tu de mon père?

— Qu'est-ce que ça fait, un consultant?

— Je pense que ça consulte.

— Avec qui? À propos de quoi? demanda Barbara.

Tommy avoua son ignorance:

— Je ne sais pas vraiment.

— Tu ne sais pas ce que ton père fait pour vivre? s'étonna Barbara.

— C'est un type assez secret. Il a toujours dit qu'il était consultant. Il voyage beaucoup.

Brusquement, sa voix devint agressive:

— Mais pourquoi veux-tu savoir ça maintenant?

Alors Barbara lui raconta tout: la matrice trouvée dans la cave, la scène à la banque, le mystérieux Monsieur Smith et le compteur à gaz inexistant,les hommes du Département du Trésor et l'arrivée comme le départ intempestifs de Sheldon Kornpett à sept heures.

— Et tu crois que mon père est mêlé à ça? demanda Tommy lorsqu'elle eut tout raconté.

— Il n'était jamais rien arrivé avant qu'il ne vienne chez nous, dit-elle. Il n'était rien arrivé avant qu'il ne te demande de récupérer ce sac noir.

Doucement, Tommy gara la voiture devant un *Kentucky Fried Chicken*. Dix, cent détails tirés du passé surgirent de sa mémoire et il eut la pénible impression que Barbara avait raison. Peut-être y avait-il quelque chose d'illégal dans ce que son père faisait. Tous ses voyages... Trafic? Narcotiques? La Mafia? Il est Italien, pensa le garçon.

Il se tourna et regarda la merveilleuse fille assise à ses côtés: il comprit qu'il l'aimait et la voulait pour toute sa vie.

— Je me doutais bien qu'il y avait quelque chose.

— Oui, admit-elle.

— Veux-tu que nous annulions le mariage?

— Oh non! Pourquoi le voudrais-je?

— Parce que... peut-être que mon père a

fichu le tien dans une sacrée histoire.

— Quoi qu'il en soit, ce n'est pas ta faute. Tommy, je t'aime. Ce soir plus que jamais. Je l'ai compris quand tu es venu à la maison... j'étais si énervée... et quand je t'ai vu, j'ai su que je voulais que tu m'emmènes, que tu me fasses l'amour, et que c'était, pour moi, la chose la plus importante au monde.

Elle l'embrassa avec fougue, pressant son corps contre le sien.

— Oh Tommy, oublie Pompton Lakes. Allons à La Savane.

— Ce n'est pas le moment, Barbara.

— Je t'en prie.

— Non.

— Pourquoi non?

— Je ne pense pas que nous devrions.

— Tu ne veux pas?

Barbara eut l'étrange sentiment qu'elle répétait une scène déjà jouée.

— Oui, je veux. Tu sais combien je le veux, lui répondit Tommy.

— Alors, pourquoi pas?

— Parce que je pense que nous devons attendre.

Barbara se rappela toute la conversation qu'ils avaient eue la veille. Elle soupira, autant pour signifier au garçon qu'elle était frustrée que pour expulser l'air de ses poumons. Elle s'éloigna de lui et regarda le *Kentucky Fried Chicken*.

— Barbara, murmura le garçon. Je t'aime beaucoup mais ce n'est pas le moment.

— Quand, alors?

— Dimanche. Comme tu l'as dit, à la Plaza. D'ici là, ton père sera revenu et tout sera clair. En ce moment, je me sentirais coupable.

— Je t'en prie.

— Non.

— Pourquoi non? demanda-t-elle encore.

Ils reprirent toute la tirade du début, et parvenus à «Parce que je pense que nous devons attendre», Tommy fit démarrer la voiture.

— Je pense qu'on nous suit, dit-elle en regardant par la fenêtre arrière.

— Impossible, lui répondit Tommy.

Il la reconduisit chez elle en silence mais remarqua qu'elle tournait la tête vers l'arrière à chaque fois qu'ils s'engageaient dans une nouvelle rue. Il stationna devant la maison.

— Fâchée?

— Non, dit-elle avec colère. Mais il a stationné plus loin.

— Qui?

— L'homme qui nous suivait.

— Personne ne nous a suivis.

— Oui, quelqu'un nous suivait.

— Tu deviens paranoïaque.

— Ce n'est pas ma faute, je n'ai pas l'habitude d'être suivie. Je ne viens pas d'un milieu de criminels.

Tommy décida qu'elle allait beaucoup trop

loin.

— Moi non plus! hurla-t-il. Mon père est un consultant international, ce qui est beaucoup plus distingué que de fouiller dans la gueule des gens!

— Tu ne sais même pas ce que fait ton père!

— C'est un type terrible! Un peu tendu, mais terrible!

— Si ton père est si bien que ça, pourquoi le Département du Trésor poursuit-il mon père? Pourquoi avons-nous été suivis?

Tommy prit une profonde inspiration:

— Écoute, je n'ai pas envie de me battre. Je veux seulement penser à dimanche.

— J'espère que c'est vrai, coupa Barbara, qui se sentait rejetée, frustrée et suivie.

— Qu'entends-tu par là?

— Je pense que n'importe quel type au monde... quand sa fiancée tente de l'entraîner dans un lit... et qu'il la rejette... je ne sais pas...

— Veux-tu insinuer que quelque chose ne va pas avec moi?

— Qui sait? le nargua Barbara. On ne sait vraiment jamais qu'après le mariage, n'est-ce pas?

— Préfères-tu que nous annulions la cérémonie?

— Je ne peux pas. Ma mère en a parlé à toute la famille. Et tu sais comme moi tout ce que pourrait raconter ma tante Louise!

— Ce n'est pas une raison!

— Je ne peux pas ne pas me marier, rugit Barbara, et si toi tu ne veux pas te marier, on va attendre après le mariage!

Elle descendit de voiture et courut vers la maison.

— D'accord! lui cria Tommy. Si c'est ce que tu penses!

Il attendit jusqu'à ce qu'elle eût fermé la porte de la maison et soit entrée sans se retourner.

— C'était un film rapide, l'accueilla Carol en sortant de la cuisine.

— Oui.

Barbara descendit les quelques marches conduisant au salon.

Sa mère la suivit. Elle essaya de se souvenir comment elle avait elle-même tenté de tempérer les ardeurs de Sheldon, dans le temps.

Barbara souleva le rideau de la fenêtre et regarda dehors.

— Est-ce que papa a téléphoné?

— Non, répondit sa mère.

Barbara aperçut la voiture de Tommy qui s'en allait et jeta un oeil vers l'autre voiture. Elle vit un sac de sandwiches voler de la portière; le sac fut attrapé au passage par quelqu'un qui se tenait derrière un arbre. La porte de la voiture claqua et la bagnole suivit celle de Tommy.

— Je suis terriblement inquiète, avouèrent en même temps les deux femmes.

*   *   *

Sheldon devait bien admettre, depuis le décollage, que c'était un vol sans problèmes, même s'il n'avait pas encore ouvert les yeux. Il estima qu'ils devaient voler depuis une demi-heure et décida de risquer un oeil sur sa montre. Doucement, il ouvrit les yeux et regarda l'heure. Dix minutes seulement. Il tourna lentement la tête pour explorer la cabine. Il ne voyait pas Vince. Bing Wong était toujours assis dans son fauteuil et lisait une copie du magazine *Ebony*.

Sheldon tourna la tête dans une autre direction, vers le hublot, et le sentiment du désastre qu'il attendait lui sauta en pleine figure. Ils volaient au-dessus des eaux. Beaucoup d'eau.

— L'océan? se demanda-t-il à voix haute. On survole l'océan pour aller à Scranton?

Il regarda le Chinois qui semblait ne pas avoir entendu.

Dans le cockpit, Vince dit quelque chose à Billy Wong qui acquiesça, puis il se leva et se dirigea vers la section réservée aux passagers.

— Shel... commença Vince.

Mais Sheldon n'attendit pas la suite:

— Comment se fait-il que nous soyions au-dessus de l'océan?

— C'est ce que je voulais vous dire. Il y a eu un léger changement dans notre plan de vol.

Vince faisait tout son possible pour donner à sa phrase aussi peu d'importance qu'à une élection partielle mais, visiblement, il ne rassurait pas son unique passager.

— On ne va pas à Scranton? s'enquit Sheldon.

— Non, nous allons à Scranton, continua Vince, aussi calme qu'une mère qui rassure son enfant. Mais nous avons une petite escale rapide à faire auparavant.

— Où ça?

— Au Honduras.

Sheldon approuva:

— Au Honduras.

Il répéta le mot pour être absolument certain d'avoir bien entendu.

— C'est ça, dit Vince en souriant. Je pense que vous allez trouver ce pays assez intéressant...

«Toute la vie est un choix, pensa Sheldon. Quelquefois, nous sommes appelés à choisir entre des bonnes choses, et quelquefois, comme maintenant, nous devons choisir entre des mauvaises choses. Le problème est de choisir la meilleure des bonnes choses, ou alors la moins terrible des mauvaises et de la faire vite.» Ayant fait son choix, il quitta son siège comme un diable sortant d'une boîte, ramassa au passage un gilet de sauvetage, et, comme un fou, se catapulta contre la porte de l'avion.

Vince cria quelque chose en chinois et le Chinois, hôtesse, pirate ou autre, laissa tom-

ber son *Ebony*. D'un rapide mouvement athlé-
tique, il quitta son siège et coinça Sheldon.

*   *   *

Il faisait très sombre à l'extérieur et on n'arrivait à distinguer que le reflet des feux rouges clignotant sur les ailes. Regardant comme un abruti à travers le petit hublot, Sheldon essayait de se souvenir où se trouvait exactement le Honduras, s'il s'agissait ou non d'une île. Ses connaissances géographiques, du Mexique au Brésil, n'étaient pas tellement à jour. Près de lui était assis le Chinois, un oeil parcourant négligemment le *Better Homes and Gardens* et l'autre surveillant Sheldon. Tournant une page et apercevant quelque chose qui lui plaisait, il poussa gentiment Sheldon du coude.

Celui-ci tourna la tête et regarda distraitement la photo; ça ressemblait à un arrangement de lilas, de pamplemousses et de mauvaises herbes.

— Très beau, dit-il découragé.

Il entendit un bruit et levant la tête, il aperçut Vince qui sortait du cockpit et s'adressait en chinois à son voisin. Ce dernier se leva et laissa son fauteuil à Vince qui s'assit.

— C'est un amour, ce gars-là, déclara Vince en parlant du Chinois, comme s'il ne s'était jamais rien passé.

Sheldon n'avait pas l'intention d'engager la conversation et il ne répondit rien. Il tourna la tête vers le hublot de façon ostensible.

— Vous m'en voulez n'est-ce pas? poursuivit Vince. Je vous ai dupé.

Vince attaquait le problème de front, mais sans réussir à tirer son compagnon de son mutisme. Il fit une nouvelle tentative pour rompre le silence total:

— Le plus drôle, c'est que vous me remercierez quand tout cela sera terminé.

Abasourdi par le culot de l'homme, Sheldon ne put que hocher la tête, en se maîtrisant pour ne pas lui répondre. Il continua à regarder par le hublot, souhaitant presque apercevoir un incendie ravager l'une des ailes.

— Je suis très sérieux, reprit Vince. À partir de maintenant, c'est de la routine. Nous avons quitté le pays. Nous sommes en sécurité. Tout ce qui arrivera désormais...

Mais son compagnon ne semblait absolument pas intéressé.

— Écoutez-vous ce que je vous dis?

Silence.

Vince poursuivit quand même:

— C'est à l'aéroport que nous allons rencontrer le sénateur Pat Braunschweiger, un membre corrompu de l'Assemblée législative du Honduras. Il va jeter un coup d'oeil aux matrices. Nous, on va à l'hôtel, on se lave, on prend quelques bières.

Sheldon faillit demander ce qu'il en advenait de la soupe aux nids d'hirondelle.

— Plus tard dans l'après-midi, nous allons rencontrer le Général Garcia — le chef de cette bande latino-américaine — nous lui remettrons les plaques en échange de vingt millions de dollars et, bingo, nous l'attrapons la main dans le sac.

C'était beaucoup plus que Sheldon ne pouvait en entendre. Il se tourna vers Vince:

— Et quoi d'autre? demanda-t-il calmement. On se tirera dessus?

— Shel, Vince se tordait de rire, Shel, vous êtes trop souvent allé au cinéma.

Sheldon ne daigna pas répondre. Je suis plutôt en train de vivre un film, pensa-t-il, *La Chute de la Maison Kornpett*.

10

Je ne comprends absolument rien, se disait Carol, seule dans le grand lit double. Je suis en train de m'en faire au sujet du mariage lui-même, au sujet de Barbara et de la cérémonie demain soir, et j'oublie Shel. Je n'ai pas l'habitude d'être inquiète à son sujet. Ça ne m'était jamais arrivé. «Il arrive devant cette porte tous les soirs à sept heures», avait-elle affirmé aux hommes du Département du Trésor. Et c'était vrai. Tous les soirs. Même ce soir, il avait réussi à se rendre jusque devant la maison, à sept heures.

Elle tapota l'oreiller de Sheldon et le mit contre elle, dans le sens de la longueur, pour compenser l'absence d'un corps humain près du sien.

De toutes façons, continua-t-elle, il aurait fallu que je réorganise l'agenda de mes préoccupations après cette conversation avec Barbara. C'est sûr que Tommy et elle ont eu une engueulade d'amoureux. On est toujours nerveux avant le mariage, décida-t-elle, puis elle se détourna du facsimilé de son mari.

Mais qu'est-ce que ce sac noir? Barbara en a parlé mais elle a tout de suite changé de sujet. Sheldon avait un sac noir. Sheldon est parti avec un sac noir que Tommy devait venir chercher pour Vince. Si Sheldon était parti avec une femme, je saurais comment faire. Mais alors, est-ce que ce sac noir ne voudrait pas dire une femme noire? . . . Non, c'est ridicule. S'il y a une chose dont je suis certaine, c'est que Sheldon m'est entièrement fidèle. Mais alors, pourquoi Barbara ne veut-elle pas discuter avec moi de ce sac noir? . . . Peut-être parce qu'elle n'en sait pas plus long.

Alors pourquoi Shelley n'appelle-t-il pas?

Sans doute parce que cela lui est impossible.

Pourquoi impossible? . . .

Kidnappé? Drogué? Mort?

Carol se mit à pleurer. Devrais-je appeler sa famille? Non. Sa soeur Louise me ferait toute une scène. J'en ai assez comme ça. Elle s'empresserait d'insinuer que Shel est parti avec une autre femme. «Il n'est pas parti avec une femme», hurla-t-elle dans le noir, «il est parti avec un sac!»

Mon Dieu! Que se passera-t-il s'il n'est pas revenu avant le mariage? S'il m'appelait, au moins, il me dirait quoi faire. Et s'il ne m'appelle pas? Allons nous célébrer quand même le mariage? L'annuler? Dans ce cas, que vais-je faire de tous les hors-d'oeuvre? Il n'y a pas de congélateur assez grand dans tout Teaneck pour...

Non, ça n'a pas de sens. Ma mari a été kidnappé, ou pire encore, et je m'inquiète des hors-d'oeuvre. On revendra le champagne. Et avec tous ces types qui rôdent autour de la maison, je n'ai pas encore acheté mon jupon. Elle s'assit dans son lit: «Bon Dieu! j'ai oublié d'aller chercher le costume de Shelley chez le nettoyeur!»

*　　*　　*

Dans sa chambre, Barbara était assise sur son lit, celui qu'elle avait depuis le collège, une poupée sur les genoux. Ayant depuis long-temps abandonné l'idée de dormir, elle faisait des réussites avec deux paquets de cartes.

Que se passe-t-il avec Tommy? pensait-elle. Je ne pouvais tout de même pas être plus claire au sujet de mes intentions ce soir, à moins de descendre moi-même sa fermeture éclair... Je pensais que tous les hommes... sauf... se pourrait-il que? Oh, c'est ridicule. Je ne voulais pas mercredi parce que je ne voulais pas qu'il pense que je suis une... Mais il pense peut-être que je suis une... et c'est pour ça qu'il veut annuler le mariage? Pourquoi n'ai-je pas accepté mercredi? Je le voulais. Pourquoi ne voulait-il pas ce soir? Il en avait envie aussi. J'en ai marre. Parce que mon père...

Où est papa? Qu'est-ce que ce monstre de Vince Ricardo a fait avec lui? Si papa est... S'il est arrivé quelque chose à papa, puis-je encore épouser Tommy? Le voudrais-je même? Puis-je me marier avec lui à condition que nous ne parlions plus jamais à son père? Est-ce que Tommy acceptera? Est-ce que maman acceptera ce mariage dans les conditions actuelles? Et moi?

Elle termina sa réussite et jeta un coup d'oeil à son réveille-matin. Il était trois heures. Elle se leva, fit attention de ne pas déranger le jeu de cartes et vint s'asseoir devant sa

198

coiffeuse. Là, elle détailla longuement son visage hagard. Toutes les futures mariées sont belles, pensa-t-elle. Voilà un cliché que je démentirai dimanche. S'il y a un mariage. S'il y a un dimanche.

Elle revint à son lit et balaya les cartes d'un large revers de la main, elle attrapa sa poupée et se jeta sur le lit. «Je veux Tommy,» dit-elle à la poupée. «J'ai besoin de lui et j'ai également besoin de chaussures . . .»

*   *   *

L'horloge de la cuisine indiquait trois heures et demie et Tommy était en train de se confectionner un *pouding instantané*. C'est parfaitement logique, pensa-t-il. Les autres sortes de pouding prennent beaucoup de temps et il n'y a absolument rien dans le réfrigérateur que j'aie envie de manger. À trois heures trente-deux, il se dit qu'il l'avait suffisamment mélangé. Il lut les instructions à l'arrière de la boîte. On disait de laisser reposer cinq minutes, mais à cette heure-ci, c'était du temps perdu. De toute façon, il devrait aller se coucher. Il aurait besoin de toute son énergie. Surtout après ce qui s'était passé ce soir. D'ailleurs, il ne s'était rien passé du tout ce soir. Qu'est-ce qui m'arrive, se demanda-t-il. Elle m'embrasse, elle me serre dans ses bras, elle m'aime, et moi . . . Il ne comprenait pas. Crétin, se dit-il à lui-même.

Il prit le bol dans lequel il avait mélangé le pouding ainsi qu'une cuiller à soupe et s'assit au comptoir de la cuisine. À la première bouchée, il s'aperçut que la mixture était grumeleuse et dégueulasse. Mais, d'un autre côté, c'était du chocolat. Aussi, la mangea-t-il.

Il se demanda si Sheldon Kornpett était revenu à la maison. Vince, lui, n'y était pas, mais il n'y avait rien d'exceptionnel à cela.

Jésus, marmonna-t-il, je suis trop jeune pour être mêlé à des histoires pareilles. Je suis trop jeune pour me marier. Je suis trop jeune... mais à la pensée de Barbara en chemise de nuit, étendue voluptueusement sur le lit du Plaza, son sang ne fit qu'un tour et, automatiquement, il porta la main à sa culotte de pyjama.

Non, décida-t-il, je suis trop vieux pour ça.

À l'étage supérieur, Jean Ricardo dormait en paix.

*   *   *

James Thornton, du Département américain du Trésor, ne dormit pas cette nuit-là. Pas plus que son supérieur qui ruminait toute cette histoire, mais n'était pas mécontent d'avoir eu l'occasion d'engueuler Thornton qui avait laissé échapper le principal suspect de la plus importante affaire des dix dernières années.

Thorton avait espéré, contre tout espoir, que Daly et Turin apporteraient du nouveau. Mais Turin revint les mains vides, avec un mal de dos carabiné parce qu'il s'était endormi, dans la voiture, devant la maison des Ricardo. Quant à Daly, il revint avec un sac à déchet plein d'os de poulet, sans compter un bon rhume.

*　　*　　*

Vince dormait comme un bébé.

*   *   *

Sheldon, à peu près sûr de risquer la mort entre les mains de ce cinglé, s'était réfugié dans un mutisme absolu. Tandis que l'avion volait toujours vers le sud, il avait regardé Vince et Bing Wong s'endormir dans la cabine des passagers. Quand il fut certain qu'ils dormaient profondément, Sheldon envisagea une fois de plus de sauter de l'avion.

Mais, se dit-il, avec la chance que j'ai, je vais tomber en plein milieu du Triangle des Bermudes.

Un peu plus tard, il sombra lui-même dans un profond sommeil.

*   *   *

L'aéroport de Teguciagalpa, au Honduras, n'était pas exactement très achalandé. La piste s'étendait, comateuse, sous la chaleur des tropiques. Quant à l'aérogare, il ne comportait ni salon, ni restaurant, ni boutique. Il s'y trouvait du moins une toilette unisexe nauséabonde et un distributeur de Coke hors d'usage.

Le petit jour était la période creuse de l'aéroport. Les palmiers se balançaient dans le vent; à l'occasion, une noix de coco tombait sur le sol et roulait. L'herbe était humide de rosée. Les cieux étaient sans nuages. Le seul avion privé stationné près de la piste rouillait tranquillement.

Pour un iguane passant par là, il n'y avait rien de spécial à remarquer, sauf, peut-être, une Mercedes 450 SEL, arrêtée près de la piste. Un homme était debout près de la voiture et attendait.

Rien au monde n'aurait pu faire sortir le Sénateur Pat Braunschweiger du lit, aussi tôt, sauf de l'argent. Des masses d'argent. Il attendait, furieux de poireauter, fumant nerveusement cigarette sur cigarette et jetant de temps à autre un regard vers le ciel bleu et sans nuage, imperturbablement vide.

L'iguane qui cherchait son casse-croûte fut effrayé par le son d'un avion. Bien qu'ayant toujours vécu près de l'aéroport, il n'était guère habitué à ce bruit, qui eut un effet opposé sur le Sénateur. Il leva la tête et sourit en apercevant cette forme argentée scintillant dans le soleil levant.

L'iguane se sauva derrière un petit monticule et mal lui en prit. Il y avait là, à moitié enterrée dans une végétation très dense, une autre voiture qui, comme l'iguane et le Honduras, avait connu des jours meilleurs. Trois hommes en tenue d'hommes d'affaires étaient assis sur le toit. Tous les trois surveillaient la piste. L'un d'entre eux, Edgardo, avec des jumelles; les deux autres, Alfonso et Carlos à travers les lunettes de leurs fusils.

«*Mira! Aeroplano!*» cria l'un des trois hommes. Les deux autres regardèrent rapidement vers l'oiseau argenté, puis à nouveau la piste, et descendirent du toit de la voiture. Pendant ce temps, l'avion s'apprêtait à atterrir. Edgardo continua à suivre la descente de l'appareil, coupant comme un couteau l'air pur du matin, se posant finalement, puis roulant pendant un certain temps. Finalement, l'avion s'arrêta.

Depuis leur observatoire, les trois hommes surveillaient le Sénateur Braunschweiger, qui jeta son mégot à terre avant de se diriger vivement vers l'avion.

Soulagé, et quelque peu surpris, d'être arrivé, Sheldon défit sa ceinture et suivit Vince à la porte de l'avion. Bing Wong l'avait ouverte et son frère, le copilote, avait quitté le cockpit pour leur dire adieu. Dans la porte ouverte,

Vince embrassa les deux frères Wong sur les joues. Il leur fit également un petit discours en chinois, les remerciant apparemment pour le vol. Les deux frères sourirent à Vince et s'inclinèrent, puis tous les trois se tournèrent vers Sheldon.

Je n'embrasserai pas un pilote chinois, pensa Sheldon. Ce n'est pas que j'aie des préjugés contre les Orientaux, seulement je n'ai pas l'habitude d'embrasser les pilotes d'avion.»

Mais, voyant qu'on attendait un geste de sa part, il décida de s'incliner et de sourire, comme il l'avait vu faire aux autres.

À la suite de Vince, il descendit sur la piste délabrée, se demandant comment l'avion avait pu y atterrir.

Derrière lui, il entendit le bruit de l'échelle que l'on remontait à bord et il remarqua que les moteurs tournaient toujours. «Est-ce que les pilotes chinois vont nous laisser ici? Seuls? Au Honduras? Je ne suis même pas sûr qu'il s'agisse du Honduras,» pensa-t-il, évaluant toute la confiance qu'il pouvait avoir en Vince. À cause des palmiers, il décida qu'on n'était certainement pas à Scranton. Son attention fut attirée par un homme élégant qui se dirigeait vers eux, les mains tendues en signe d'accueil amical.

Depuis le promontoire, seul Edgardo regardait le Sénateur avec des jumelles. Carlos et Alfonso avaient momentannément cessé de le surveiller à travers la lunette de leurs carabines pour armer celles-ci.

— Pat! s'exclama Vince apparemment ravi de revoir le Sénateur Braunschweiger.

— C'est un escroc? murmura Sheldon derrière Vince tandis qu'ils traversaient la piste.

— Ce sont tous des escrocs par ici, répondit Vince. Au moins, celui-ci ne s'en cache pas.

Le Sénateur Braunschweiger, le visage illuminé, les bras largement ouverts, leur cria:

— Bienvenue au Honduras!

Mais le feu nourri de l'artillerie coupa court à ses salamalecs et aussi à sa vie. Il s'écroula devant eux.

— À terre! conseilla Vince en se jetant lui-même dans l'herbe qui bordait la piste.

Sheldon n'eut pas besoin de se le faire répéter et il plongea près de Vince tandis que des rafales de balles passaient au dessus d'eux.

— Est-ce qu'il vit encore? gémit-il.

— S'il vit encore, il joue joliment bien la comédie, grogna Vince dans le sifflement des balles.

Puis il rugit:

— Attention!

Sheldon, qui n'avait pas tellement l'habitude des fusillades, s'empressa d'obéir. En se retournant, il remarqua que l'avion se préparait à décoller.

— Ils nous laissent ici? cria-t-il, empli de

terreur.

— C'est la procédure normale, lui dit Vince.

— Quoi? demanda Sheldon qui ne pouvait en croire ni ses oreilles, ni ses yeux, ni rien d'autre.

— On va courir vers la bagnole, décida Vince.

— On réussira jamais, rétorqua Sheldon, qui détestait être négatif, mais après tout, rien ne les protégerait dans ce champ désert.

— Êtes-vous prêt?

— Non!

Une autre pluie de balles tomba si près d'eux qu'ils en reçurent de la poussière au visage.

— Maintenant, je suis prêt, déclara Sheldon.

Vince acquiesça et se leva; son corps trapu plié en deux, il se mit à courir en direction de la Mercedes. Sheldon, qui ne tenait pas à rester seul dans un pays étranger, le suivit à une demi-seconde de distance.

— En zigzag! hurla Vince entre deux rafales.

— Quoi?

— En zigzag!

Il avait crié plus fort en indiquant la manoeuvre à Sheldon d'une main qui voulait ressembler à un serpent. Sheldon comprit aussitôt et commença à zigzaguer en direction de la voiture.

Sur le promontoire, Carlos et Alfonso tiraient, juraient, ajustaient leur tir, juraient, tiraient et juraient.

Miraculeusement, Sheldon et Vince atteignirent la voiture, ouvrirent les portières à toute volée et grimpèrent dedans. Sheldon prit instinctivement la place du passager, là où il pouvait le mieux reprendre son souffle, tandis que Vince, derrière le volant, cherchait fébrilement la clef de contact.

— Où sont ces Bon Dieu de clefs? demanda-t-il comme si Sheldon le savait.

— Vous vous foutez de moi, suggéra nerveusement le dentiste tandis qu'une rafale faisait éclater la vitre arrière.

— Dehors! ordonna Vince.

Ils plongèrent de la Mercedes, roulant sur le sol, l'auto servant de paravent à la fureur de l'artillerie.

— Elles doivent être dans sa poche, dit Sheldon avec logique, étonné de sa puissance de déduction dans un moment pareil.

— Je vais aller les chercher, répondit Vince qui commençait à se remettre sur ses jambes.

— Non! hurla Sheldon en le tirant par le bas de sa veste. Laissez-moi y aller, je préfère mourir en courant plutôt que de rester seul ici.

Vince s'étonna:

— Êtes-vous sérieux?

— Je n'en peux plus!

En effet, Sheldon frisait l'hystérie.

— Vous voir étendu là . . . mort . . . et moi, ici, seul, avec les balles . . . Non, je ne peux pas!

— Shelley!

— S'il vous plaît. Je ne peux pas rester ici.

— D'accord, accepta Vince, fier du courage inattendu du dentiste. Mais souvenez-vous, en zigzag!

— C'est sûr!

Sheldon partit en zigzaguant dans la direction du cadavre du Sénateur.

Depuis le promontoire, Carlos et Alfonso suivaient le dentiste à la lunette. Ils balancèrent un feu nourri de munitions vers lui jusqu'à ce qu'ils voient s'allonger près du corps de l'ancien Sénateur. Carlos sourit, préférant une cible stationnaire, tandis qu'Alfonso continuait à tirer.

«Vous êtes mort, hein?» murmura Sheldon au cadavre et, prenant son silence pour une affirmation, il fouilla les poches du mort. Il trouva les clefs et commença à courir vers la voiture en pensant: «Mon Dieu, et si ce sont les clefs de sa maison?»

Derrière la Mercedes, à plat ventre, par-dessus le bruit des rafales, Vince criait à Sheldon de zigzaguer.

Au passage, Sheldon lança les clefs à Vince. Tous deux s'entassèrent dans la Mercedes. Tenant la tête baissé, Vince fit partir le moteur. Et juste au moment où une vitre arrière explosait sous l'impact d'une balle, ils démarrèrent.

— *Desiste*, déclara Edgardo déçu.

Les deux tireurs abaissèrent leurs fusils.

— Le Général sera furieux, dit Alfonso à ses compagnons.

— Il sera toujours temps, jeta Edgardo. *Vamos*!

Les trois hommes sautèrent dans la vieille voiture noire et quittèrent les lieux.

L'iguane soupira de soulagement et décida de s'établir dans un quartier moins fréquenté et plus résidentiel.

*   *   *

Sheldon se tenait, rigide, sur le siège de la Mercedes, absolument incapable d'apprécier la verdure luxuriante qu'ils traversaient tandis que la voiture filait à toute allure sur une autoroute.

— Je pense que nous allons descendre en ville, trouver un hôtel et nous reposer.

Vince bavardait comme un simple touriste fatigué par une longue randonnée.

Sheldon perdit conscience.

— Puis, je vais donner quelques coups de téléphone, continua Vince, et on va régler tout ça.

*　　*　　*

En 1935, le Savoy-Tegucigalpa avait certainement été le meilleur hôtel de la ville. Néanmoins, malgré les incendies, les inondations, les révolutions et les termites, il demeurait, de loin, le meilleur hôtel de la ville, d'autant plus qu'aucun autre n'avait jamais été construit.

Sur le balcon branlant d'une des chambres les plus chères, Sheldon faisait les cent pas, ignorant le spectacle des rues de la métropole surchauffée. Il était fatigué, irrité et anxieux. Il regarda sa montre: «Dix heures» dit-il à haute voix, et même s'il n'y avait personne pour l'entendre, il continua d'un ton ému: «Rayon X et détartrage pour Monsieur Pearlman.»

La voix de Vince Ricardo lui parvenait de l'intérieur de la chambre.

Naturellement, pensa Sheldon avec amertume, nous sommes à des milliers de kilomètres de la maison, il m'a détourné du droit chemin, nous avons été témoins d'un meurtre, nous avons failli être tués, et lui, il téléphone.

Il prêta l'oreille:

— Vous pouvez vous imaginer ce que j'ai ressenti, Général, de le voir mourir sur la piste, comme ça.

«Vous pouvez vous imaginer ce que j'ai ressenti», ricana Sheldon en imitant la voix et le ton sincère de son compagnon.

— Je comprends, reprit la voix de Vince. Sûrement des anarchistes...

«C'est certain. Ils ont un peu voulu nous

tuer», commenta Sheldon à l'intention des passants.

— Non, c'est très gentil de votre part, Général, mais nous avons hâte de régler cette affaire et de rentrer chez nous...

Prenant une ferme décision, Sheldon se dit: «Je dois absolument me tenir loin de ce type», et il entra dans la chambre. Des poules se promenaient sur le plancher; Sheldon les chassa à coups de pied. De la main, Vince, toujours au téléphone, fit signe à Sheldon de faire moins de bruit.

— Aussitôt que possible, Général. Non, nous prendrons un taxi... Où êtes-vous? demanda-t-il en prenant un papier et un crayon.

— 501 United Fruit Boulevard, répéta-t-il tout en notant l'adresse. Prendre le Pont du Général Garcia. C'est très bien. Un beau monument à votre honneur, Monsieur.

Sheldon écoutait à moitié, cherchant en même temps un plan de survie.

— Bon!... disait Vince. Avez-vous l'argent?... D'accord. Dix millions dans une mallette et dix autres millions divisés en deux petits paquets de cinq millions chacun. C'est parfait.

«Parfait, pensa Sheldon, ce serait parfait si encore je pouvais y croire. La seule chose que je sais, c'est que je ne suis pas à mon bureau en train de m'occuper des dents de Monsieur

Pearlman. Je n'en crois pas mes yeux. Je dois faire quelque chose.» Avec une petite idée en tête, il se dirigea vers la porte de la chambre.

Attiré par le mouvement de Sheldon, Vince tourna la tête et posa sa main sur le micro du téléphone:

— Où allez-vous?

— En bas. Je vais chercher un journal.

— D'accord, répondit le maître du crime, mais n'allez pas trop loin, nous allons partir bientôt.

— Le plus tôt sera le mieux, rétorqua Sheldon avant de quitter la chambre.

Et tandis qu'il fermait la porte, il put encore entendre Vince dire:

— Non, le Trésor ne sait pas qui a fait le coup.

Il sortit d'un ascenseur qui, en temps normal, l'aurait effrayé, mais qui, avec les expériences des jours derniers, lui sembla même reposant. Le hall d'entrée du Savoy-Tegucigalpa bouillonnait d'activité; hommes d'affaires et poulets, se promenaient en piaillant sous les immenses pales d'un ventilateur bruyant comme un avion. Apercevant une rangée de téléphones publics, Sheldon se fraya un passage dans la cohue et s'y dirigea. Après ses démêlés avec la téléphoniste qui parlait un espagnol parfait, mais semblait ignorer l'anglais élémentaire, il put demander l'Ambassade des États-Unis en ajoutant que c'était urgent parce que sa vie était en danger. Il entendit une réponse incompréhensible, remercia son interlocutrice au cas où elle aurait compris et attendit.

En haut, dans la chambre, au moment même où Sheldon plaçait son appel téléphonique, Vince était en train de dire:

— À bientôt, Général.

Il raccrocha, satisfait de la tournure des événements. Puis il prit son veston et l'enfila.

Quelque part en ville, au Service des renseignements de l'Ambassade des États-Unis, le téléphone sonnait. L'ambassade était située dans une ancienne *hacienda* que le gouvernement avait américanisée de son mieux, en installant l'air conditionné et des armoires à dossiers. Pour les dossiers, tout allait bien. Pas pour l'air conditionné. Les bureaux étaient donc aussi surchauffés que le reste de la ville. Quant à Barry Lutz, l'attaché aux Renseignements, c'était un grand jeune homme blond qui passait le plus clair de son temps à la poursuite des courants d'air dans les couloirs.

La sonnerie du téléphone attira son attention et il revint à son bureau.

— Barry Lutz, Renseignements, puis-je vous aider?

— Monsieur Lutz, vous ne me connaissez pas très bien, dit une voix surexcitée dans l'appareil. En fait, vous ne me connaissez pas du tout.

— Pourriez-vous répéter, s'il vous plaît? demanda Barry à son correspondant.

Sheldon s'éclaircit la gorge:

— Écoutez, il se peut que je ne sois pas très clair mais je suis très sincère. Je suis un dentiste de New York, j'ai un cabinet à Manhattan et je vis à Teaneck. C'est dans le New Jersey.

Sheldon voulait exposer tous les faits, clairs et précis.

— Qui êtes-vous? demanda Lutz, intrigué.

— Je suis un citoyen ordinaire mais patriote. Maintenant voici: je suis actuellement au Honduras...

— À Tegucigalpa?

— Oui, à Tegucigalpa, précisa encore le dentiste américain et patriote à son sauveur invisible. Je suis avec quelqu'un qui travaille pour la CIA et nous avons failli nous faire tuer en arrivant. Maintenant, nous allons rencontrer un général et moi je pense que toute cette affaire est très dangeureuse.

Lutz était convaincu d'avoir un timbré au bout du fil, mais il tenta de faire correctement son travail.

— Bon, pourquoi êtes-vous avec cette personne?

— Quoi? demanda Sheldon. Je suis avec lui parce que...

Dieu, se dit-il, j'ai l'air complètement stupide.

— Son fils doit épouser ma fille...

— Avec qui êtes-vous? demanda raisonnablement Lutz.

— Son nom est Vince Ricardo et j'étais... Pourquoi riez-vous? cria Sheldon au téléphone.

Pendant ce temps, dans la chambre, Vince prenait le petit sac noir et sortait, fermant la porte derrière lui.

— Vous êtes avec Vince Ricardo? demanda encore l'attaché des Renseignements en essayant de contenir son rire, par politesse. Quel montant d'assurances détenez-vous?

— Que voulez-vous dire, assurances? Ricardo ne travaille-t-il pas pour la CIA?

— Oh, mon Dieu, non! Plus maintenant, annonça la voix dans le téléphone. Il a été mis à la porte de l'Agence l'an dernier pour des raisons mentales... Mentales, répéta-t-il. Vous me comprenez?

Sheldon trouva la force de demander:

— Quoi?

— C'est un extravagant, précisa Lutz. Il se fiche dans des situations dangereuses sans rime ni raison et a tendance à improviser. Comprenez-vous?

En silence, Sheldon hocha la tête vers le téléphone. Oui, il comprenait. Trop bien.

— Complètement cinglé, ce gars-là. Le pire, c'est que, par sa faute on a perdu une demi-douzaine d'agents qui travaillaient avec lui. Des morts horribles. Alors, finalement, on

218

l'a foutu à la porte. Vous êtes avec lui en ce moment? demanda encore l'attaché des Renseignements comme s'il n'en croyait pas ses oreilles. À Tegucigalpa? C'est ça?

Le monde entier s'écroula autour de Sheldon qui dut s'appuyer contre la porte de la cabine. Il fit un effort pour paraître sensé, dans l'espoir que ce type ferait quelque chose pour l'aider.

— Oui, il a des plaques en sa possession. Si j'ai bien compris, il essaie de démanteler un réseau international. Une histoire de marché monétaire. Voyez-vous, c'est un mariage qui nous a unis...

Lutz posa une question à laquelle Sheldon répondit:

— Non. J'ai toujours pensé qu'il était un peu bizarre, mais il est aussi...

Sheldon cherchait le mot approprié. Il ne trouva qu'«adorable» et décida que ça ferait l'affaire.

— Bien sûr, il est adorable, admit Lutz mais ça ne l'empêche pas d'être timbré. Je pourrais vous raconter un tas d'histoires...

— Non, non, ce n'est pas la peine.

— Écoutez, faites-vous, faites-moi, faites une faveur à votre famille, lui dit le représentant de son gouvernement. Tenez-vous, s'il vous plaît, le plus loin possible de lui.

Il raccrocha et se mit à rigoler comme un fou. Il sortit un mouchoir de sa poche, s'épongea le front puis, retournant dans le couloir, il dit: «Pauvre type».

Sheldon raccrocha de son côté, plus effrayé qu'en colère, ou vice versa. «Pourquoi est-ce que je paye des taxes?» se demanda-t-il. Il ouvrit la porte de la cabine et en sortit. Dans la chaleur torride du hall de l'hôtel, il se figea sur place. Vince était là, debout, l'air en colère. Un petit sac noir à la main, il l'attendait.

11

Dans le stationnement pour visiteurs à l'aéroport McGraw, non loin de Lodi, dans le New Jersey, quatre hommes contemplaient la voiture rouge corail avec décalques de flammes. Le parcomètre indiquait: *Violation*.

Le flic dit:

— J'ai remarqué que ce numéro de plaque était dans mon carnet.

— Il a fichu le camp, admit Thornton, l'homme du Trésor.

Il se demanda où il pourrait trouver un autre emploi, et s'il en trouvait un, est-ce que l'argent qu'il gagnerait vaudrait encore quelque chose, compte tenu de ce que subirait l'économie américaine après le vol commis par le dentiste.

— La voiture ne ressemble pas à ce qu'elle était avant, observa Turin en promenant un doigt sur les flammes.

— Du beau boulot, reconnut Daly qui pensait à sa vieille Chevrolet. Je voudrais bien savoir où il l'a fait faire.

— Qu'est-ce que je vais faire avec ça? s'enquit le flic.

— Remorquez-la, répondit Thornton. Si personne ne la réclame, vous pourrez toujours la mettre au musée des horreurs.

— Je vais appeler une remorqueuse.

Le policier se dirigea vers l'auto-patrouille.

— Où pensez-vous qu'il soit allé? demanda Turin à son patron.

— Je vais jeter un coup d'oeil à l'aéroport, mais je ne pense pas qu'ils aient quelque chose. Quant à vous, retournez vous planquer devant les deux maisons. La femme et la fille sont notre seul espoir. Elles pourraient essayer de le contacter. Ou le gars de l'autre maison. Il doit jouer un rôle dans cette histoire. En tout cas, suivez n'importe qui.

— Mais . . . commença Turin.

— Faites ce que je vous dis, les gars! laissa tomber Thornton en se dirigeant vers les bureaux de l'aéroport.

*   *   *

Il n'y avait qu'un seul taxi en attente devant le Savoy-Tegucigalpa. Le chauffeur, un homme jeune, fort et particulièrement laid, était appuyé sur l'aile, les yeux à demi fermés, rêvant à la femme qu'il aimait et à ses prouesses de la nuit dernière. «Quelle femme! pensait-il en espagnol. Ce soir je remets ça, si aujourd'hui je ramasse assez de pourboires pour me la payer.»

Il remarqua une autre voiture qui venait se garer derrière son taxi. Ce n'était pas un taxi donc, pas de danger. Une voiture noire. Le chauffeur arrêta le moteur et descendit de l'auto. Il s'approcha de lui.

— *Qué es la hora*? lui demanda l'homme.

Le chauffeur de taxi leva le bras, regarda sa montre et ne remarqua pas Alfonso, qui était l'autre chauffeur, lever une barre de fer. Les mots «dix heures et quart» étaient déjà sur ses lèvres mais il n'eut guère le temps de les prononcer.

Adroitement, Alfonso l'assomma et, aussi adroitement, saisit le corps qui allait tomber. Il était certain que personne ne l'avait remarqué. Il tira le corps non loin de là, et le dissimula derrière une rangée d'arbustes. Il prit la casquette du chauffeur et la mit sur sa propre tête. Puis il retira le veston de la forme inerte et l'enfila lui-même.

*   *   *

225

— Je pensais que vous deviez aller chercher un journal, dit Vince à Sheldon coincé dans la porte de la cabine téléphonique.

— Tout ce qu'ils avaient était en espagnol, mentit le dentiste.

— Vous avez téléphoné, affirma Vince d'une voix blanche.

— C'est vrai, reconnut Sheldon, jugeant qu'il était stupide de mentir.

— Vous avez appelé l'Agence. Que vous ont-ils dit?

Sheldon décida de lui dire la vérité. Toute cette histoire ne l'intéressait plus. Il désirait une seule chose: sortir de là vivant.

— Que vous étiez un malade mental dangereux et que vous n'étiez plus à leur emploi.

— Ils ont vraiment dit ça?

Vince semblait plus intéressé qu'ennuyé.

— C'est bien ça, affirma Sheldon.

Il fut surpris de voir Vince éclater de rire. C'était bien la dernière réaction qu'il attendait de lui. Mais il avait toujours sa petite idée derrière la tête, et certain qu'il y avait au moins un taxi devant la porte, il contourna Vince et s'y dirigea au pas de course.

Avec une agilité remarquable, Vince se mit à sa poursuite. D'un bond puissant, il sauta sur le dos de Sheldon et le renversa, le clouant à terre de ses mains puissantes. Puis il s'assit sur lui.

— Lâchez-moi! cria Sheldon.

— Êtes-vous cardiaque, Shel?

— Non!

— Alors je reste et écoutez-moi!

«Non, je n'écouterai pas ce qu'il va me dire,» pensa Sheldon en se bouchant les oreilles des deux mains.

Vince approcha son visage de celui de Sheldon:

— Vous êtes un parfait étranger. Vous appelez l'Agence. Que pensez-vous qu'ils allaient vous répondre?

— Je ne sais pas et je m'en fiche! répondit Sheldon malgré sa résolution.

— Vous pourriez être un agent étranger. Qu'en savent-ils?... Alors ils vous annoncent que j'ai été fichu à la porte!

— Allez-vous me lâcher oui ou non?

Sheldon commençait à se sentir gêné. De plus, il avait bien peur d'être étendu sur des crottes de poules.

— Pas encore, rétorqua Vince. En vous disant que j'étais timbré, ils ont fait à cent pour cent ce qu'ils avaient à faire. Le comprenez-vous?

— Si je dis oui, est-ce que vous allez me lâcher? négocia Sheldon.

— Si c'est un oui sincère.

Sheldon prit une profonde inspiration et, le plus sincèrement possible, déclara:

— Je le crois, Vince. Je crois qu'ils m'ont raconté une histoire.

— Je savais bien que vous comprendriez, répondit Vince en se relevant.

Sheldon se leva à son tour et essuya la fiente de poule sur sa chemise.

— Allons-y, déclara Vince.

— Absolument pas.

Vince était étonné:

— Quoi encore?

Sheldon se tenait debout, les pieds bien plantés sur le tapis crotté.

— Non, c'est non! Je ne veux plus rien savoir! . . .

— Je vous ai dit . . ., commença Vince

— Quelle différence cela fait-il? Que vous soyez, ou non, de l'Agence; que vous soyez sain d'esprit ou fou; pour moi, c'est pareil. Je ne veux plus m'occuper de cette affaire.

— Shel, c'est du tout cuit maintenant . . .

— Bien sûr, répondit Sheldon qui pensait tout le contraire.

— Mais oui, protesta Vince. Maintenant, on va aller voir le Général et lui remettre les plaques . . .

«Impossible de discuter avec ce type, pensa Sheldon. Il ne veut simplement pas écouter. Il ne comprend que l'action. Il veut de l'action, je vais lui en donner.»

Sheldon fit volte-face et courut, une fois encore, vers la porte de l'hôtel mais avec autant d'insuccès que la première fois. Presque immédiatement, le petit homme trapu l'avait, une fois de plus, envoyé au tapis. «S'il est avec la CIA, pensa Sheldon, on doit certainement leur donner un entraînement spécial.»

— Shel, dit Vince, comment pouvez-vous me faire une chose pareille?

— Si c'est du tout cuit, vous n'avez plus besoin de moi, n'est-ce pas? Allez en paix. Moi, je vais prendre un vol commercial pour rentrer à la maison; si le Département du Trésor m'attend, je leur dirai le peu que je sais. Peut-être auront-ils pitié de moi. Mais je ne supporterai plus qu'on me tire dessus. D'accord?

Désappointé, Vince baissa la tête.

— D'accord. Je peux comprendre, dit-il. Avec votre passé et tout le reste...

Un peu honteux, Sheldon proposa:

— Écoutez, si vous voulez, j'attendrai votre retour à l'hôtel et nous partirons à la maison tous les deux. Mais plus de coups de feu, plus de chasse à l'homme. À partir de maintenant, je suis un simple spectateur.

— C'est d'accord, répondit Vince en libérant Sheldon.

Ils secouèrent leurs crottes de poule ensemble, dans un silence gêné. Puis, tout à coup, Vince serra Sheldon dans ses bras.

— Ne partez pas à la maison sans moi, plaida-t-il d'une voix émue. Je n'ai pas envie d'être abandonné comme ça. Nous repartirons avec Billy et Bing. D'accord, Shel?

— D'accord, répondit l'autre. Est-ce que ce sera long?

— Non, je serai de retour dans une heure.

— Très bien.

Une petite voix dans la tête de Sheldon insinua que ce n'était peut-être pas «très bien»...

— C'est terriblement gentil de votre part, Shel. J'apprécie votre geste.

Les larmes aux yeux, Vince prit encore Sheldon dans ses bras puis, se retournant, il se dirigea vers la rue avec le petit sac noir.

Sheldon regarda partir son compagnon, Dieu seul sait où il allait, et tandis que Vince passait la porte, il se dirigea lentement vers la grande fenêtre du hall. Dès qu'il fut dehors, Vince aperçut le taxi sous le soleil aveuglant. Appuyé sur l'aile, le chauffeur accrocha le regard de Vince:

— Taxi, *Señor*? demanda-t-il.

— *Sí* répondit Vince. 501 United Fruit Boulevard.

— *Muy bien,* dit Alfonso en ouvrant la porte arrière de la voiture.

Tandis que Vince y montait, le chauffeur fit un signe de la tête en direction de Carlos et de Edgardo qui se tenaient près de la voiture noire, derrière le taxi.

Depuis la fenêtre du hall, Sheldon regardait Vince. Il le vit monter dans le taxi et remarqua le léger signe de tête qu'avait fait le chauffeur. Il suivit son regard et aperçut les deux hommes qui se dirigèrent immédiatement vers leur voiture. Ils souriaient, et tandis qu'ils ouvraient les portes, Sheldon nota qu'il y avait des armes sur le siège avant.

Il sortit en courant de l'hôtel et poursuivit le taxi qui venait de démarrer.

— Vince! arrête! . . .Vince! arrête!, cria-t-il tandis que le taxi prenait de la vitesse.

Il fit alors une chose qu'il n'avait jamais faite de sa vie: il sauta, à la course, sur le taxi qui filait devant lui. À l'intérieur du véhicule, il y eut un terrible bruit; Vince pensa: «un tremblement de terre» jusqu'à ce qu'il réalise que le bruit venait de dessus et non de dessous.

— Que se passe-t-il, nom de Dieu? demanda-t-il à son chauffeur également étonné.

Sur le toit, Sheldon rampait avec difficulté vers l'avant. Dans l'autre voiture, les deux hommes, surpris, le regardaient faire.

— *Es completamente loco*, constata Edgardo.

Carlos, qui conduisait, l'approuva. Edgardo savait que toutes les choses inexplicables de la vie pouvaient facilement s'expliquer, il se pencha donc par la portière, son fusil à la main.

Dans le taxi, Alfonso, incapable de découvrir l'origine du bruit, poursuivit sa route au milieu d'une circulation achalandée. Sur le toit, invisible pour les occupants du taxi, Sheldon rampait vers l'avant; il réussit à s'agripper d'une main au dôme du taxi. Entre-temps, les autres automobilistes, attirés par le spectacle, même s'ils étaient habitués à beaucoup de choses, klaxonnaient à qui mieux mieux. Alors, Edgardo, incapable de viser correctement Sheldon, rentra son arme dans la voiture et s'assit sagement.

— *Imposible*, annonça-t-il à Carlos.

Avec une force qui le surprit lui-même, Sheldon s'arc-boutta, hissa une partie de son corps par-dessus le dôme et réussit même à pencher sa tête dans le pare-brise.

— Shelley!! cria Vince, abasourdi à la vue du dentiste tête à l'envers.

Alfonso, lui, empoigna son pistolet. Aussitôt Vince attrapa le petit sac noir et tapa copieusement la tête du chauffeur avec. Alfonso glissa de côté et laissa le taxi rouler selon sa fantaisie. Sheldon apprécia le geste de Vince mais, n'ayant qu'un essuie-glace pour le retenir, les mouvements désordonnés du taxi commencèrent à l'inquiéter. Il n'eut guère le temps de se demander quoi faire, car la voiture finit par atterrir lamentablement au milieu d'un étalage de fruits-et-légumes et Sheldon se retrouva sur un immense tas d'oranges.

Vince sortit du taxi au moment même où Sheldon terminait son atterrissage forcé sur les fruits écrasés.

La voiture noire qui les suivait s'était

immobilisée; Carlos et Edgardo en jaillirent, les armes à la main.

— Ça va? demanda Vince, en essayant d'extirper Sheldon de cette marmelade de fruits.

— Je pense que oui, répondit ce dernier, bien qu'il n'en fusse pas certain.

Il allait se mettre à inventorier les os de son squelette lorsqu'il entendit des coups de feu. Il comprit très rapidement, il commençait à bien connaître Vince, qu'ils étaient la cible de ce tir.

Les deux hommes plongèrent derrière le taxi.

— Cette fois-ci, cria Vince, vous ne pourrez pas me blâmer; vous avez été volontaire!

Puis, ému, il l'embrassa:

— Vous avez été magnifique!

Il lâcha Vince.

— Allons-y!

Vince ouvrit la portière du taxi, débarqua Alfonso inconscient sans oublier de lui prendre, au passage, son pistolet. À l'abri du taxi, il ouvrit le feu contre ses poursuivants. Carlos et Edgardo se jetèrent au sol tandis que les spectateurs s'enfuyaient en criant. Vince mit le moteur en route et écrasa l'accélérateur au plancher. Jetant un rapide coup d'oeil dans le rétroviseur, il s'aperçut que la voiture noire les poursuivait. Enfilant des rues et des ruelles au hasard, il déboucha finalement sur une autoroute avec toujours, dans son sillage, les deux hommes qui en voulaient à leur peau. Là, ils vécurent une course frénétique, agrémentée d'un tintamarre de klaxons d'automobilistes frôlés par la mort ou atteints de diarrhée par la peur. Sautant d'une voie à l'autre et même, à l'occasion, changeant totalement de direction, Vince promena ses poursuivants dans une folle débandade. Dans la voiture noire, on s'exclamait en espagnol, invoquant plus souvent qu'à leur tour le nom de Dieu et de tous ses Saints, mais la Sainte Vierge ayant certainement fermé les yeux, la voiture noire rata une manoeuvre et trouva la fin de sa carrière dans une superbe explosion qui envoya, par la même occasion, ses deux occupants aux idées noires vers le Père éternel.

12

Sachant pertinemment qu'elle ne s'endormirait pas, Carol Kornpett n'avait pas mis son réveille-matin. À six heures quarante-cinq, les yeux toujours grand ouverts, elle décida de flâner encore un peu au lit et de se lever à sept heures.

À onze heures et dix, elle ouvrit un oeil et, alarmée, sauta rapidement du lit.

Elle pensa immédiatement à Sheldon. Il n'avait pas appelé; car certainement, le téléphone l'aurait réveillée. Jamais, depuis leur mariage, Sheldon n'avait découché. Qui pourrais-je appeler? se demanda-t-elle. Devrais-je appeler la police? Ou Vince

239

Ricardo? Devrais-je annuler le mariage?

Logiquement, c'est à Vince qu'il fallait téléphoner tout d'abord. Si elle n'obtenait pas satisfaction de lui, alors elle appellerait la police. Ensuite, elle déciderait quoi faire avec ce mariage.

Elle chercha son carnet d'adresses, revint s'asseoir sur son lit, trouva le numéro et décrocha le téléphone.

— Allo? demanda Jean Ricardo.

— Bonjour. Ce n'est que moi, répondit Carol d'une voix enjouée, pas très certaine d'obtenir l'information qu'elle cherchait. Je voulais juste vous dire bonjour.

— C'est très gentil de votre part, dit Jean. Tout va bien?

— Ça va, répondit Carol. Comment va le fiancé?

— Oh, il vient juste de sortir. J'espère qu'il n'est pas malade; il me semblait avoir les joues rouges.

«Le petit salaud est plutôt en chaleur», pensa Carol.

— Écoutez, dit-elle, optant pour une approche directe, est-ce que Vince est là?

— Non.

— Je voulais lui demander quelque chose, minauda Carol. Quand pensez-vous qu'il va revenir?

— Je ne sais pas. Je pense qu'il est parti pour la journée. Puis-je vous aider?

240

— Non.

La voix de Carol descendit d'un octave.

— Non, rien d'important.

— Comment va Sheldon? demanda Jean.

— Oh, il va très bien, répondit Carol en se croisant les doigts. Bon, j'ai un million de choses ...Je voulais seulement savoir comment cela allait de votre côté ...

— Comme d'habitude ...

— Alors, je vous verrai demain.

— Certainement! Je vous remercie d'avoir appelé, conclut Jean en se demandant ce que tout cela pouvait bien cacher.

À onze heures et demie, Carol descendit à la cuisine. Elle attendrait une heure de plus avant de prendre d'autres dispositions. À ce moment-là, le facteur serait passé et peut-être qu'elle aurait une lettre de Sheldon.

Sur la table de la cuisine, Barbara avait laissé une note, indiquant qu'elle allait chercher des chaussures, mais elle avait fait une croix sur le mot «chaussures» et l'avait remplacé par le mot «papa».

«Toutes les fiancées sont menteuses» signala Carol à la cafetière.

*   *   *

Pendant ce temps, le père de Barbara était fort loin et elle n'aurait jamais pu imaginer où.

Le taxi s'était arrêté devant une imposante demeure entourée de palmiers. Vince et Sheldon traversèrent l'espace de stationnement rempli de véhicules militaires, puis s'engagèrent sur d'immenses parterres de gazon.

Parvenus à l'entrée principale, Vince frappa à la porte. Après un moment, un oeil apparut dans le judas. Vince s'identifia et ils furent admis dans un gigantesque et somptueux hall et reçus par un aide de camp. Sheldon était très impressionné. Les salons qu'ils traversaient étaient décorés dans le style Mussolini à la sauce tropicale. Tout en suivant le militaire galonné, Sheldon murmura à Vince:

— Qui est ce type?

— Le Général?... Un homme très intéressant. Deux choses, Shel: ne faites aucune remarque au sujet de sa cicatrice...

— Quelle cicatrice?

— Vous la verrez, mais tâchez de ne pas la voir, si vous me comprenez... Deuxièmement, continua Vince, complimentez-le abondamment sur sa collection d'art.

Ils étaient arrivés devant une énorme porte de bois sculptée, sur laquelle l'aide de camp frappa deux coups secs. La porte s'ouvrit et le Général Garcia en personne apparut. Il était chauve et portait la barbe, une médaille se balançait à un ruban autour de son col de chemise et son uniforme était fraîchement repassé.

«Il ressemble à Castro, pensa Sheldon, lorsqu'il sort de chez le nettoyeur.» Sur sa joue droite, au-dessus de la barbe s'étalait une large cicatrice en forme de Z. Apercevant Vince, le militaire fit un grand sourire, ce qui plissa sa cicatrice en forme d'accordéon.

— Mon cher ami! s'écria le Général en prenant Vince dans ses bras.

— Général! répondit Vince tandis que Sheldon, involontairement, faisait allusion à la cicatrice.

Le sourire du Général disparut d'un seul coup, rendant au Z sa forme exacte.

— Quoi?

Vince s'empressa de faire les présentations:

— Général, je vous présente le Docteur Sheldon Kornpett qui a apporté à cette périlleuse mission un concours inestimable.

Le Général détailla Sheldon avec suspicion tandis que ce dernier était absolument incapable de détacher son regard de la cicatrice: «Zorro?» se demandait-il.

Le Général prononça le nom de Sheldon Kornpett comme s'il voulait, pour toujours, le graver dans sa mémoire.

— S'il vous plaît, Messieurs, entrez.

Il leva sa main gauche en signe d'accueil. Vince et Sheldon purent ainsi remarquer

244

qu'une petite marionnette était dessinée sur le pouce et l'index du Général.

— Avez-vous remarqué mon ami? Je vous présente le Señior Pepe, dit-il en rapprochant les deux doigts.

— Pouvons-nous inviter ces messieurs? demanda le Général à ses doigts.

— *Sí, sí*, répondit-il d'une voix aiguë en bougeant son pouce comme s'il s'agissait d'une petite bouche.

— Est-ce que tu aimes ces messieurs? demanda le Général d'une voix normale.

— Beaucoup, oui beaucoup, répondit la petite marionnette d'une voix de soprano.

«Si cet homme dirige ce pays, pensa Sheldon, je comprends ce que signifie l'expression République de Bananes.»

Le manège dura quelque temps, puis le Général baissa le poing et donna cours à son hilarité, indiquant ainsi que le spectacle était terminé. Finalement, ils entrèrent dans le bureau.

— Il est complètement fou! murmura Sheldon entre ses dents.

— Ne le sous-estimez pas, avertit Vince tandis qu'ils suivaient le Général.

Ils pénétrèrent dans un large bureau décoré de meubles du plus mauvais goût. Mais l'ameublement était surpassé par la collection d'art du Général: disposée sur des murs blancs, des chevalets ou dans des niches qui semblaient avoir été aménagées spécialement, chaque toile éclairée par une lampe électrique individuelle, il y avait une impressionnante collection de peintures à l'huile sur velours noir.

— Général, votre collection me coupe toujours le souffle, déclara Vince qui maîtrisait l'art de la réplique appropriée.

— Superbe, enchaîna Sheldon. Ce toréador est très... original.

Flatté, le Général sourit béatement et se dirigea vers un superbe velours noir profané par l'image d'un toréador luttant avec un taureau.

— Ce tableau m'a coûté cinquante mille dollars, annonça-t-il fièrement.

— C'est un vrai tordu, murmura Sheldon.

— Fermez-la! siffla rapidement Vince.

— Quant à ce tigre, je l'ai acquis récemment pour seulement vingt-cinq mille dollars.

Le Général n'en croyait pas sa chance.

— Je pense qu'il s'agit d'un chef-d'oeuvre, continua-t-il. Notez la plasticité de ce tableau, et sa perspective Renaissance.

— En effet, approuva Sheldon, les rayures du tigre sont bien réussies!

— C'est très vrai, Shel, reconnut Vince avec enthousiasme en s'apercevant que son compagnon avait enfin compris.

— C'est un chef-d'oeuvre, Général, affirma Sheldon, réalisant qu'il pouvait dire n'importe quoi, à la condition que ce soit flatteur.

Le Général considéra ses invités avec affection.

— Il y a si peu de gens qui savent apprécier les grandes oeuvres d'art, souligna-t-il avec chagrin.

— Il y a tellement de cons sur terre, admit Sheldon.

— Vous pouvez le dire, déclara le Général. J'ai demandé à cet artiste de dessiner un nouveau drapeau pour notre pays. Il a réussi quelque chose d'absolument renversant . . . Je vais vous le montrer.

Rapidement, le Général se retourna vers un mur qui, derrière son bureau, était aveuglé par un immense rideau. Avec la solennité de quelqu'un qui va dévoiler un Rembrandt jusqu'à présent inconnu, il tira sur un cordon et se rangea de quelques pas, pour laisser les *Americanos* admirer à leur aise.

Pour les deux hommes, le choc fut terrible. Après tout, ils n'étaient qu'un simple dentiste et un agent de la CIA maintenant défroqués.

— C'est . . . magnifico! parvint à émettre Vince, en faisant tout son possible pour ne pas éclater de rire. Il s'agissait, naturellement, d'une oeuvre sur velours noir représentant un portrait idéalisé du Général aux côtés d'une femme aux longs cheveux noirs pour qui le mot «topless» semblait inapproprié. Les seins,

fermement détaillés, avaient la taille de missi-
les balistiques intercontinentaux. L'attention
patriotique y était, c'est certain.

— Maintenant, ceci ...est un drapeau!
trompetta le Général sur un ton martial.

— S'agit-il de Madame la Générale, sur le
drapeau? demanda stupidement Sheldon au
Général, qui ne sembla pas choqué.

— Non, pas du tout, il s'agit d'une fille du
village. Une putain. Si ce n'était de l'Église,
dit-il avec irritation, ce drapeau flotterait déjà à
l'ONU!

— Quel dommage! s'exclama Vince. Mais,
Général, vous savez comme moi que le monde
est plein de réactionnaires. Tandis que des
gens comme vous ...

Abandonnant tout intérêt pour son nouveau drapeau, le Général tira le rideau et
s'adressant à ses doigts:

— Quoi? Vous avez soif?

— *Si, si*, répondit la marionnette de sa voix
de soprano.

— Général ... coupa Vince qui voulait en
arriver aux choses sérieuses.

— Les affaires, hein?

— Eh oui! Général! reprit Vince en souriant. Avez-vous l'argent?

Le Général, sans répondre, appuya sur un
bouton. Deux gardes de sécurité entrèrent
dans la pièce immédiatement. Le premier
tenait une mallette tandis que le second portait

248

deux petits paquets. Ils avaient l'air un peu vieux et très peu aptes à faire ce genre de métier.

— Ce sont les meilleurs gardes de sécurité du monde entier, affirma le Général.

Il fit claquer ses doigts et le premier des deux gardes ouvrit la mallette, révélant son contenu aux deux *Americanos*. Sheldon crut s'évanouir. La mallette était bourrée de liasses de billets de mille dollars. Jamais de sa vie, il n'avait vu autant d'argent réuni au même endroit, même pas au Monopoly.

Aussi froid que s'il examinait des concombres, Vince fit jouer quelques liasses du bout des doigts.

— Dix millions *exactamente*, annonça le Général.

— Et les autres dix? demanda Vince.

Le Général fit claquer ses doigts et le second garde tendit à Vince les deux petits paquets.

— Est-ce assez petit comme ça? demanda le Général.

— Parfait.

Vince en prit un qu'il glissa dans sa poche tandis qu'il lançait le second à Sheldon.

— Qu'est-ce que c'est? demanda Sheldon en tâtant le paquet.

— Cinq millions de dollars. Ne les perdez pas!

Sheldon avala difficilement.

— Cinq millions?

Vince tendit alors le petit sac noir au Général.

— Général, commença-t-il sur un ton officiel, j'ai le grand plaisir...

Mais il se tut lorsqu'il vit le barbu lui arracher le sac sans ménagement et l'ouvrir. Le Général y plongea la main et en sortit une plaque qu'il exposa à la lumière pour mieux la détailler.

— Merveilleux, murmura-t-il avec respect.

— Fabriquée par l'Oncle Sam lui-même, précisa Vince avec une voix de vendeur d'automobiles usagées.

— *Fantástico!* répéta le Général à bout de souffle.

Il appuya sur un autre bouton et la grande peinture du tigre disparut dans le plafond. Dans le mur, Sheldon et Vince aperçurent une énorme porte de coffre-fort.

— Voulez-vous voir? demanda le Général.

— Avec plaisir, répondit Vince enthousiaste. Vous aussi, Shel. C'est très éducatif.

Le Général se dirigea vers la porte de la voûte et y inséra une carte perforée. Des cadrans tournèrent, des lumières clignotèrent et lentement, la porte s'ouvrit.

— Voulez-vous entrer? demanda le Général en les invitant.

L'intérieur de l'immense voûte ressemblait à un musée, une collection de billets de banque

250

et de matrices disposée comme les pièces les plus précieuses de l'art moderne. Sur toutes les étagères, des étiquettes bilingues signalaient les pays de provenance. «Suiza-Suisse» et ainsi de suite pour l'Angleterre, la France, l'Allemagne de l'Ouest. Quant à l'étagère marquée «Estados Unidos-États-Unis», elle était vide. C'est là que le Général déposa religieusement les matrices avec, sur le visage, la satisfaction d'un homme qui a atteint le but de sa vie.

— C'est incroyable, déclara Vince. Général, je suis réellement impressionné.

— *Finito!* murmura le Général. On est prêt.

— Combien avez-vous, en tout, ici? demanda Sheldon fasciné.

— Trois cents milliards, affirma le Général sans broncher.

— C'est plus qu'assez, estima Vince.

— C'est suffisant, surenchérit Sheldon.

— Nous mettrons toutes les banques occidentales à genoux!

Le Général jubilait.

— Moi et mes bons amis d'Amérique!

— Je n'aurais jamais cru pouvoir être aussi fier, admit Sheldon.

— Dans soixante-douze heures, ajouta le Général, le système monétaire du monde entier fléchira comme un *taco* mouillé.

— Ça, c'est une belle image, Général... complimenta Vince.

De plus en plus excité, le Général laissa courir son imagination à haute voix.

— Le sang coulera dans les rues de Zurich, les banquiers allemands se jetteront sous les autobus, les veuves et les orphelins seront abandonnés sans un sou ... partout, ce sera la panique. L'émeute. Les gens se battront dans les rues. Se suicideront ...

— Fabuleux! souffla Vince.

— Et vous, mes amis, vous en aurez été les fiers instigateurs!

Sheldon approuva d'un signe de tête:

— Au moins, nous aurons quelque chose à raconter à nos petits-enfants.

Incapable de contenir sa joie, le Général embrassa ses bons amis les Américains. Sa cicatrice se transforma: de Z, elle devint $.

— Nous allons célébrer cette victoire!

«Je sais que c'est un escroc international, pensa Sheldon, pressé sur le coeur du général, mais c'est un brave type.»

Au son d'un choeur martial, le Général entraîna ses deux amis à un banquet en plein air. En fait, ce banquet eut lieu dans une petite arène située derrière la résidence du Général. Les lourdes tables de bois étaient chargées comme pour une réception d'ambassade. La vaisselle la plus fine et le cristal le plus étincelant avaient été sortis pour la circonstance. Partout, il y avait des fleurs, des liqueurs fines, de la musique.

«Bon, pensa le Général, ils ont droit à ce qu'il y a de mieux, vu les circonstances.» Comme s'il l'avait entendu réfléchir, Vince regarda sa montre encore une fois. Le Général se tourna vers son second invité, le plus stupide, qui semblait tout à fait heureux. «L'excitation du moment? Le Chianti? Ou seulement sa propre bêtise? se demandait le Général. Profitez-en, mes doux agneaux, je me sentirai d'autant mieux que vous aurez bien mangé.» Pendant ce temps, l'orchestre continuait à jouer des airs tantôt militaires, tantôt folkloriques.

— Et maintenant, mes amis, j'ai une petite surprise pour vous. Veuillez me suivre, je vous prie.

Le Général se leva de table.

Sheldon laissa tomber son os de poulet, vida son verre et se leva aussi, curieux de voir quelle nouvelle surprise le Général allait leur réserver. Vince se leva plus lentement, songeur, l'air anxieux.

— Vous savez, dit Sheldon à Vince, on a passé un après-midi merveilleux. Ce type est peut-être un dictateur, mais il a de belles manières...

Préoccupé, Vince répondit:

— Oh oui, il a de belles manières, c'est vrai.

Puis, il tendit l'oreille comme s'il avait entendu quelque chose.

— Shel, n'avez-vous pas entendu passer

un hélicoptère?

— Non. Pourquoi?

— Messieurs ...annonça le dictateur aux belles manières, désireux de passer à la surprise suivante.

Sheldon regarda leur hôte, debout près d'un chevalet sur lequel deux médailles brillaient, suspendues par un ruban. Sheldon était ravi:

— Oh! il va nous décorer.

Vince et lui s'approchèrent du Général. Pendant ce temps, l'orchestre avait attaqué un air de circonstance.

— Mes amis, commença le Général en prenant les médailles, je voudrais vous accorder la médaille de la Liberté du Général Garcia...

Sheldon, un peu ébloui par le soleil, se pencha pour mieux voir cette décoration sur laquelle étaient reproduits les mêmes symboles que ceux qu'ils avaient vus sur le nouveau drapeau: le Général aux côtés d'une femme nue.

— C'est un honneur extraordinaire que vous nous faites, déclara le dentiste, très excité.

— À mes merveilleux amis américains... déclara le Général en leur épinglant ces décorations. Mes braves amis américains qui vont mourir aujourd'hui en héros.

Au même moment, comme des diables jaillis d'une boîte, deux soldats s'approchèrent et passèrent les menottes à nos deux héros. Vince et Sheldon étaient stupéfaits, Sheldon certainement beaucoup plus que Vince.

— Messieurs, je vais vous dire quelque chose qui vient du plus profond de mon coeur... Je suis un pacifiste par nature, avec une profonde croyance de Quaker dans la sanctification de la vie humaine... Mais, je n'ai pas le choix: je dois vous tuer. *Vaya con Dios.*

Le Général conclut sur cette note religieuse avant d'embrasser les condamnés à mort sur les deux joues.

— Vous dites? demanda Sheldon avec une dernière lueur d'espoir.

Vince le détrompa aussitôt:

— Vous avez bien entendu!

Le tambour-major immobilisa sa baguette et, sans même attendre les applaudissements, il exécuta un impeccable tour à gauche, se dirigea vers ses hommes, exécuta un autre demi-tour et s'immobilisa à leur côté, dans le plus militaire des garde-à-vous possibles, face à Sheldon et à Vince.

— Peloton d'exécution, attention! ordonna-t-il.

13

Un profond changement s'opéra au sein du bataillon de musiciens. Aussi bien que chez Sheldon Kornpett. Ces artistes à l'attention devinrent subitement des assassins, ces musiciens se métamorphosèrent en meurtriers, et le second ténor se transforma en Caporal Pablo (Le Borgne) Lopez.

Sheldon n'eut même pas envie de perdre conscience, il était sûr de rêver. Encore. Il se pencha discrètement vers son compagnon et, du bout des lèvres, demanda:

— Qu'est-ce qu'on fait après?

— Il n'y a pas d'après, lui répondit Vince.

Et avec une honnêteté que Sheldon

regretta immédiatement, Vince admit:

— J'ai commis une erreur impardonnable.

Sheldon commençait à croire Vince Ricardo. Il sentit son estomac gargouiller.

— Allons, cessez vos conneries!... Dites-moi quelque chose.

— C'est la vérité, Shel. Comme si c'était écrit dans le ciel, continua Vince avec philosophie.

— Allons, Vince!... Qu'est-ce qu'on fait après?... Dites-moi franchement. Qu'est-ce que vous avez derrière la tête?

La voix du Lieutenant attira leur attention:

—*Presenten las armas!* cria-t-il dans le soleil qui n'était plus aussi chaud qu'auparavant, pensa Sheldon.

Il observa les soldats qui portèrent leur arme à la poitrine.

— Pourquoi ne crée-t-on pas une sorte de diversion? suggéra Sheldon.

— Comme quoi, par exemple?

— Pourquoi me le demandez-vous? demanda Sheldon, troublé. C'est vous, l'expert!

— Noblesse oblige, admit Vince. Alors, je vais commencer.

— Prêts! cria le Lieutenant.

Tous les fusils se levèrent à l'unisson.

— Général... appela Vince.

Lorsqu'il fut certain d'avoir capté son attention il ajouta:

260

— Puis-je dire quelque chose?

— Oui, accorda le Général Garcia.

— Général... épargnez la vie de cet homme, cria Vince en pointant du doigt Sheldon. Épargnez la vie de cet homme, Sheldon Kornpett... Cet homme est un très grand dentiste de New York, une ville où, vous le savez certainement, Général, des milliers d'immigrants espagnols ont un besoin urgent de prothèses dentaires. Sa mort, je le crains, mettra fin à leurs espoirs d'une meilleure santé buccale.

Le Général soupira avec regret, déçu que Vince n'ait rien trouvé de mieux.

— Ces Espagnols garderont un excellent souvenir de lui.

— C'est tout ce qu'on fait? demanda Sheldon ulcéré.

Il conclut:

— Je suis un homme mort.

— Je n'avais rien promis, commença Vince, interrompu par le Lieutenant qui hurla:

— En joue!

Sheldon fixa le canon des fusils:

— Toute ma vie. C'est ça. Quarante-trois ans. Je n'ai connu que quatre femmes et l'une d'entre elles a été ma femme... Son père, cet enfant de chienne, je ne lui ai jamais dit le fond de ma pensée. Maintenant, il est mort... Et moi aussi.

Vince supplia le Général du regard, mendiant une fin rapide à l'affolement de Sheldon. Il lui expliqua que Sheldon avait perdu les pédales. Ce dernier, empêtré dans ses propres problèmes, n'entendit guère la plaidoirie de Vince.

— Mon cabinet, tout mon équipement. Les abonnements aux magazines, pour quatre ou cinq ans. Je venais tout juste de les prendre... Ma BMW... je l'avais louée pour trente-six mois... Et les Allemands se fichent bien de ma mort...

— Général, n'auriez-vous pas un sédatif pour Shel? plaida Vince. Ce n'est pas bien, ce que vous faites.

Sheldon l'entendit.

— Pas de drogue. C'est défendu.

— Une aspirine, alors? demanda Vince.

Le Général fit claquer ses doigts et ordonna:

— *Bandannas!*

Au même moment, Sheldon se souvint de la voiture qui avait été repeinte et se demanda ce qu'ils feraient à Carol lorsqu'elle rendrait la voiture.

Deux soldats s'approchèrent, sortirent de leur poche des foulards et leur bandèrent les yeux.

— Vous devez fournir les cigarettes, leur rappela Vince.

Les deux soldats leur en collèrent chacun une au bec.

— Non merci, je ne fume pas.

Sheldon recracha la sienne.

Le Général fit un signe de la tête et le Lieutenant ordonna, pour la deuxième fois, la mise en joue.

— J'espère seulement que Dieu existe, dit Sheldon.

— Moi aussi, Shel. Et j'espère qu'il a le sens de l'humour.

Le Général fit un dernier signe de la tête au Lieutenant.

— Feu!

Une terrible explosion se fit entendre. Elle secoua la vaisselle encore sur les tables, ébranla les palmiers, délogea une myriade d'oiseaux et fit aboyer les chiens, très loin. Le tapage sembla beaucoup plus considérable que tout ce que les fusils du bataillon auraient pu créer.

Quoi qu'il en soit, la cible, Sheldon Kornpett, hurla:

— Je suis touché! et tomba dans la poussière de la petite arène.

Cherchant à localiser la douleur, il fit un rapide inventaire mental de ses bras, ses jambes, sa poitrine et réalisa qu'il n'avait pas mal.

— Peut-être que je n'ai pas été touché?

— Moi, je n'ai définitivement pas été touché, annonça à son tour Vince Ricardo d'un ton calme.

Puis il plongea à terre.

Les yeux bandés et les mains attachées, les deux hommes rampaient dans la poussière, souillant leurs belles médailles. Ainsi, ils ne purent remarquer que la chaleur de cette scène tropicale avait été envahie par une flotte de jeeps portant le mot «Interpol» sur les portières. Les troupes d'Interpol, à peine descendues des jeeps, arrosaient à la mitraillette les soldats du Général Garcia.

— Nom de Dieu! cria Sheldon, que se passe-t-il?

— Libérés sous caution, répondit Vince à son compagnon invisible. Restez à terre! Zigzaguez!

«Oh! non! pas encore!» pensa Sheldon en exécutant tout de même la manoeuvre.

Visiblement, l'orchestre militaire du Général avait passé plus de temps à étudier les arpèges que la mitraillette; les musiciens-combattants ne faisaient pas le poids devant les forces de l'Interpol. Remarquant que les soldats du Général étaient sur le point de rendre les armes, s'ils n'avaient pas déjà rendu leur dernier soupir, l'homme blond qui conduisait la jeep de tête se dirigea vers l'extrémité de l'arène. Il descendit de sa voiture, regarda sa montre et jeta un rapide coup d'oeil autour de lui.

Derrière lui, le Lieutenant-chef d'orchestre agitait un drapeau blanc tandis que ses souffleurs de trompettes abaissaient leurs armes.

Un autre groupe de l'Interpol fit prisonnier le Général et lui passa les menottes.

L'homme blond aperçut les deux Américains, attachés et aveuglés, qui rampaient, et il se dirigea vers eux.

— Vince?

— Barry?

— Tu peux te lever, dit Barry. C'est fini.

— Shel, on peut se lever, répéta Vince.

Les deux hommes se remirent sur leurs pattes et Barry leur ôta leur bandeau ainsi que leurs menottes.

— Où étiez-vous, nom de Dieu? demanda Vince. On a bien failli en crever!

— Tu sais, il y avait tellement de trafic, expliqua Barry.

— Vous saviez qu'ils devaient venir? demanda Sheldon qui ne savait plus s'il s'agissait de lard ou de cochon.

— Êtes-vous Sheldon Kornpett? demanda l'homme blond.

— C'est ça, répondit Sheldon.

Il était sûr de ça, au moins.

— Barry Lutz, rétorqua l'autre, en tendant la main.

— Le type à qui j'ai parlé au téléphone?

— Oui, je m'excuse, dit Lutz, mais maintenant, je suis certain que vous comprenez. Vince, où sont les plaques?

— Ils les a fichues dans la voûte derrière la peinture du tigre, répondit Vince. Vous savez

265

qu'on a failli crever?

Mais l'homme blond ne semblait pas s'inté-
resser à cette question. Il poursuivit:

— Je regrette beaucoup, Monsieur Kornpett, mais nous devions vous laisser dans une
ignorance totale.

Lutz interrogea Ricardo:

— Vince, où est l'argent?

Vince essuya la poussière qu'il avait dans
les yeux et fouilla rapidement l'arène du
regard. Il aperçut la mallette qui traînait par
terre, la ramassa et la tendit à Lutz.

— Voilà, il y a tout ce qu'il te faut ici!

— On en a d'autres..., commença Sheldon.

— Des billets de mille, en paquets de cinquante, coupa Vince d'une voix rude.

— Et il y en a d'autres... continua Sheldon
qui fut aussitôt interrompu.

— Oui, il y a d'autres détails que je n'ai pas
le temps de te raconter, Barry.

Vince fit sentir à Sheldon que la conversation était terminée.

Tandis que l'homme blond ouvrait la mallette, Sheldon allait ouvrir la bouche mais il la
referma rapidement. Fermement. Ses yeux
scintillaient de tous les côtés, il faisait un effort
désespéré pour rassembler ses pensées et
comprendre les événements.

— Merveilleux! s'exclama Lutz, en détaillant le contenu de la mallette.

266

Le Général Garcia, déchu et bleu de colère, se mit à crier:

— Il y a dix autres millions! Je lui en ai donné vingt! Pas dix, vingt!

— Bien sûr, Général! rétorqua Vince en souriant et en se frappant la tempe de l'index pour signaler à son ami Barry que le Général n'était pas en possession de tous ses moyens.

— C'est vrai! hurla encore le Général. Ce *bandido* a piqué dix millions!

—Bon. Allons-y, amenez-moi ce timbré au diable, ordonna Lutz aux agents de l'Interpol.

C'est un escroc! beugla le Général.

Sheldon sourit; un grand et merveilleux sourire. Il venait de comprendre. Lui, Sheldon Kornpett, possédait la moitié de la marmite. Deux minutes plus tôt, il faisait face à un peloton d'exécution, et tout à coup, à cause de circonstances incontrôlables, il était riche. «La vie, pensa-t-il, est un boulot intéressant.»

Lutz referma la mallette et, regardant droit dans les yeux les deux types qui étaient en face de lui, il déclara:

—Les gars, vous avez fait un travail fantastique!

Sheldon fut incapable de contrôler une vague de rire, qui le secoua des pieds à la tête.

— Ça va mieux? demanda Vince.

— Super! répondit le dentiste au milieu de son hilarité incontrôlable.

— Une forte impression, n'est-ce pas?

déclara Lutz avec chaleur, excusant la réaction de cet homme, un simple civil, qui venait d'échapper aux mâchoires de la mort.

Le rieur incontrôlable en arrivant à l'hystérie, ce qui embarassa Vince légèrement, car il craignait que l'hilarité de Sheldon ne devienne, pour eux, une menace. Il regarda sa montre.

— Écoute, dit-il à Barry, on aurait beaucoup aimé s'attarder mais, vois-tu, demain, pour nous, c'est un grand jour. Nos enfants se marient.

— Oui, j'en ai entendu parler.

— Quelle journée! s'exclama Sheldon sans être certain s'il voulait parler d'aujourd'hui ou de demain.

— Alors, je suis très heureux pour vous deux... répondit Lutz qui hésita un moment, comme s'il attendait quelque chose. Alors, je ne te verrai pas avant mercredi, dit-il à Vince.

— Mercredi?

— Mercredi prochain, lui rappela Lutz. On a rendez-vous au Pérou.

— Je ne crois pas, Bar.

Vince se mit en marche et Sheldon qui, finalement, avait cessé de rire, se mit à sa poursuite.

— Excuse-nous de filer ...mais nous avons un avion à prendre.

— Hé! Attends un instant! cria Lutz. Que veux-tu dire? Quittes-tu l'Agence?

Entre-temps, Vince et Sheldon étaient arrivés au taxi; ils se retournèrent et attendirent que Lutz soit près d'eux.

— C'est déjà fait, Bar, dit sincèrement Vince. Mon fils se marie, peut-être serai-je grand-père... Je suis fatigué, c'est terminé, conclut-il avec regret.

— Viens travailler dans un bureau, suggéra son collègue.

— Non, ce n'est pas pour moi, répondit Vince en secouant la tête. Je vais te dire autre chose: je ne crois plus en ce métier. Avant, c'était un peu comme de jouer aux cow-boys et aux indiens, maintenant... J'ai failli crever, hier, pour le système monétaire international... Ça rime à quoi, tout ça, hein?

— Je suis de son avis, soutint Sheldon. Je pense qu'il doit se retirer... pour la famille.

Lutz détailla longuement Vince.

— Tu pourras vivre avec ta pension?

— Je vais essayer, grogna Vince en regardant Sheldon.

Puis, ils se mirent à rire avec la liberté des enfants, la maturité des hommes et l'hystérie totale des vainqueurs ou de ceux qui ont gagné le gros lot.

Toujours en riant, ils grimpèrent dans le taxi et disparurent.

«Je ne peux pas le croire,» pensa Lutz, en les voyant disparaître. «Un vieux cheval de bataille comme Ricardo, prendre sa retraite?»

14

Des ouvriers préparaient la réception dans le jardin, disposaient des chaises et un autel, tandis que Carol, les doigts tremblants, appliquait ses faux-cils. Elle portait encore des bigoudis mais son maquillage était parfait; Barbara fit irruption dans la chambre de sa mère.

— À cause de toute cette panique, annonça-t-elle, j'ai oublié mes souliers.

Carol se dirigea vers son armoire et, à genoux, elle se mit à la recherche d'une paire de chaussures blanches qui pourraient aller à sa fille.

— Essaie ça, dit-elle en tendant à Barbara ce

qu'elle avait trouvé.

C'est alors que le téléphone sonna.

— J'y vais, dit Barbara.

Sortant à reculons de son armoire, Carol lui lança:

— J'y vais, toi, essaie tes chaussures.

Elle se jeta sur le téléphone.

— Si c'est ta tante Louise, je la tue.

Elle agrippa le récepteur.

— Allo?

— C'est moi. Je suis à l'aéroport, entendit-elle Shelley dire.

— Quel aéroport?

Puis, se souvenant de toute l'histoire, elle se mit à pleurer:

— Oh Shelley! Dieu merci!

— Ne pleure pas. Tu vas perdre tes faux-cils, dit-il.

— C'est déjà fait, pleura-t-elle en regardant Barbara se battre avec les chaussures.

— Trouve mes faux-cils! lui cria-t-elle puis:

— C'est ton père!

— Où est-il?

— Où es-tu? répéta Carol.

— Je suis toujours à l'aéroport.

— Shelley, je me suis fait tant de soucis . . . Où es-tu?

— Est-ce que tout est prêt pour le mariage?

— Oui, presque, répondit Carol automatiquement.

— Bon, parfait. J'arrive. Vince aussi va être

là.

— Es-tu avec lui? demanda Carol.

— Oui, tout va bien. Je te raconterai tout. Je t'aime, répondit Shelley, en raccrochant.

— Moi aussi, je t'aime, dit Carol au téléphone muet.

Elle se tourna vers Barbara.

— Tout va bien. Il est à l'aéroport. Il est avec Vince. Ils vont bientôt arriver. Où sont mes faux-cils?

* * *

Les invités devenaient nerveux. Ils avaient tous dit: «N'est-ce pas un jour merveilleux pour un mariage?» et: «Qu'aurait-on fait s'il avait plu?» Mais, depuis, ils attendaient. Ils avaient déjà fait plusieurs fois le tour du jardin en demandant: «Comment va la tante Martha?» et: «Vous souvenez-vous de Kevin? Il avait six ans et maintenant, il a une moustache.» Mais ils attendaient toujours. Ils s'étaient plusieurs fois assis dans les chaises louées et s'étaient penchés vers leurs voisins. Ils attendaient. Maintenant, ils en étaient à: «Que font-ils, que diable?» et «Bon Dieu, qu'il fait chaud à Teaneck!»

Le beau-frère de Sheldon, assis dans la seconde rangée de chaises, regarda sa montre et, se tournant vers sa femme, déclara:

— Ils ont quarante-cinq minutes de retard!

— Tu connais Sheldon, lui répondit Louise qui s'épongeait avec un Kleenex.

Elle regarda autour d'elle les invités en sueur.

— Tu parles! Si les gens célèbrent un mariage dans leur jardin, ils pourraient avoir la décence d'installer l'air climatisé.

Dans le salon, Barbara, habillée de pied en cap, était très nerveuse.

— On ne peut attendre davantage, dit-elle à sa mère.

Carol paraissait charmante, malgré la poussière qui trainait sur l'un de ses faux-cils.

Elle était aussi nerveuse que la mariée.

— Que font-ils? Ils m'ont appelée de l'aéroport il y a deux heures.

Dans la cuisine, le marié qui avait ôté son veston gris pour la troisième fois était, lui aussi, très nerveux.

— Que fait Vince? demanda-t-il à sa mère.

Jean Ricardo se remettait du rouge à lèvres.

— Pourquoi penses-tu que c'est la faute de ton père?

Son fils la regarda de haut.

— Évidemment, c'est sa faute.

Jean quitta la cuisine et se dirigea vers l'entrée en traversant le salon, juste au moment où Barbara, furieuse, s'écriait:

— Je ne lui pardonnerai jamais.

Jean décida qu'il était plus sage de ne pas demander à sa belle-fille le nom de celui à qui elle ne pardonnerait jamais. Elle demanda plutôt:

— Que pensez-vous que nous devrions faire?

À ce moment-là, elle entendit un vague bruit dans le lointain.

Barbara prit une décision.

— Allons-y. Peut-être seront-ils là pour le repas.

— C'est une honte, gémit Carol au bord des larmes.

Mais le bruit qu'entendait Jean se précisa dans ses oreilles, ce qui lui fit croire à un accès de haute pression. Mais, tout à coup, les trois femmes à la fois entendirent le même bruit et elles se précipitèrent à la fenêtre. Absolument sidérées, elles virent un hélicoptère atterrir sur la pelouse du jardin. Sheldon et Vince, impeccablement vêtus, en descendirent.

— Jésus-Christ! s'exclama Carol.

Dehors, tous les invités étaient debout, les yeux ronds comme des billes, les femmes tenant à deux mains leurs chapeaux pour les défendre du vent des rotors. Dans le cockpit de l'appareil, ils aperçurent un pilote chinois.

— Joyeux mariage! cria Bing Wong à Vince en chinois avant de décoller.

Les deux passagers se dirigèrent vers la maison, saluant de la main leurs invités.

— Excusez-nous, nous sommes un peu en retard. Mais on est là, déclara Sheldon à l'assemblée.

— Merci de nous avoir attendus, ajouta Vince.

Et les deux hommes embrassèrent leurs épouses respectives.

— Shelley, dit Carol, deux jours ...nous étions folles ...

— Tout est parfait, coupa-t-il, et, se tournant vers sa fille:

— Tu es la plus belle.

— Et toi, tu es ...

— Je suis fantastique, interrompit son père. Tu ne peux pas savoir comme je suis fantastique!

— On doit y aller, rappela alors Jean Ricardo.

— Donne au moins cinq minutes à l'orchestre pour s'installer, rétorqua Vince.

— Quel orchestre? demanda Barbara.

— L'Orchestre Philarmonique de New York, déclara Sheldon avec un grand sourire.

— Shelley . . .

Carol fut interrompue par la cacophonie des musiciens qui accordaient leurs instruments. Quant aux invités, ils en restèrent muets de surprise.

Attiré par le bruit, Tommy regarda par la fenêtre de la cuisine et, entendant des pas derrière lui, il se retourna et aperçut son père.

— Papa, où diable étais-tu?

Rompu par l'émotion, Vince prit son fils dans ses bras puis le repoussa pour le regarder avec fierté.

— Maintenant, tu es vraiment un homme, dit-il en arrangeant la cravate de Tommy. Tu te souviens quand on jouait au ballon sur Nagle Avenue?

— On n'a jamais joué au ballon sur Nagle Avenue. On a seulement parlé de jouer au ballon sur Nagle Avenue.

— Bien, peut-être que ceci te consolera.

Vince tendit à Tommy une enveloppe, une enveloppe très épaisse.

— De la part de Shelley et de la mienne.

Barbara en a une, elle aussi.

En attendant son père, Barbara examinait le contenu de son enveloppe, identique à celle que Tommy avait dans les mains.

— Papa, dit-elle d'une voix tremblante, il y a un million de dollars.

— Je sais, sourit Sheldon.

Vince sortit de la maison et les rejoignit. Il embrassa sa presque-belle-fille:

— Je pense que, finalement, j'ai réussi à faire impression sur mon fils.

— Papa, demanda doucement Barbara, tout vient des prothèses dentaires?

Avant même que Sheldon ait pu trouver une réponse satisfaisante, une longue voiture noire d'apparence officielle s'arrêta en face d'eux. Un homme en descendit, plongeant la mariée dans un grand embarras, parce qu'elle était certaine de connaître tous les invités à la cérémonie et aussi certaine de n'avoir jamais vu cet homme auparavant. L'apparition de ce dernier surprit également Vince Ricardo qui, bien entendu, connaissait Barry Lutz mais n'avait aucune idée de la raison de sa présence ici. Sheldon, voyant le visage fermé de Lutz, eut une petite idée sur la question. Ce vague pressentiment poussa l'heureux père dans une sorte de cauchemar, qui ressemblait tout à fait à ce qu'il avait récemment vécu.

Lutz s'immobilisa devant Sheldon, Vince et Barbara.

— Vince, dit-il, je suis choqué et déçu...

— Barry, c'est très simple...

— On a mal compté.

Sheldon pensa qu'on pouvait établir une bonne défense sur cet argument.

Barbara le regardait, en se demandant pourquoi il avait cet air-là.

— Papa...

— Barbara, il vaudrait peut-être mieux que tu rentres.

— Non, coupa Lutz, je veux que votre fille soit présente, Sheldon.

— Je vous en prie...

— Sheldon, je vous connais à peine, mais Vince...

Lutz se tourna vers celui des deux qu'il connaissait le mieux.

— Bar, veux-tu m'écouter?

— Après toutes ces années que nous avons passées ensemble, tu as osé faire une chose pareille.

Sheldon décida alors d'élaborer sa défense dès maintenant.

— Nous étions nerveux, si nerveux qu'on n'a pas pu tout compter...

— Mais, de quoi s'agit-il? demanda Barbara qui voulait comprendre.

— De quoi s'agit-il? répéta Lutz.

Sheldon, qui ne voulait pas voir le visage de Barbara, qui ne voulait pas que Lutz voit le sien, incapable de regarder Vince, baissa la tête dans la seule direction possible: ses chaussures. Elles étaient si bien cirées qu'il pouvait presque se voir dedans.

— Votre beau-père et moi, continua Lutz, on a travaillé ensemble pendant presque vingt ans. Et que fait-il, après vingt ans?

— Barry... commença Vince.

— Mais, Monsieur, on a tellement été bousculés, interrompit Sheldon. Ce n'est pas si grave, ça peut s'arranger...

— Après vingt ans, poursuivit Lutz, il ne m'invite pas au mariage de son propre fils.

Sheldon ferma les yeux et savoura un moment de grâce intérieure et de silence. Lorsqu'il fut certain de ne pas s'évanouir, il rouvrit les yeux et, se regardant dans ses chaussures, il constata que sa figure retrouvait une couleur normale.

— C'est ma faute, expliqua-t-il à Lutz. J'ai dit à Vince que nous avions invité cent vingt personnes.

Barbara regarda son père, une étrange expression dans les yeux. Il lui fit un signe de tête et elle se tourna vers l'étrange type.

— Sans doute, dit-elle, avons-nous été pris de court, car je me souviens d'avoir entendu Vince dire qu'il voulait vous inviter.

À ce moment, Sheldon fut si fier de Barbara qu'il l'embrassa furieusement.

— Vous savez ce que c'est, Bar ...avec la famille, et tout le reste, les oncles, les tantes,

. . . expliquait Vince avec beaucoup de gestes.

Pour la première fois depuis son arrivée, Lutz sourit franchement.

— Vince, tu ne comprends pas la plaisanterie.

Il se tourna vers Barbara.

— Voici, dit-il, en lui tendant une enveloppe. C'est un petit quelque chose des gars de l'Agence. Cinquante dollars en bons d'épargne.

— Oh! Barry . . .s'exclama Vince.

— Merci beaucoup, enchaîna Barbara.

— C'est un geste magnifique, ajouta son père.

— Je suis très touché, je . . .

Vince ne put terminer sa phrase. Il vit Barbara sortir l'enveloppe contenant le million et, d'un autre côté, il s'aperçut que Sheldon allait s'évanouir.

— Je vais mettre tout ça ensemble, dit la mariée en glissant les bons du trésor avec le million.

*   *   *

Lorsque l'Orchestre Symphonique de New York attaqua la Marche Nuptiale, la musique prit une dimension extraordinaire.

— Ils font trop de bruit, déclara Louise, la soeur de Sheldon, tandis qu'elle tournait la tête de tous les côtés à la fois pour apercevoir sa nièce en robe de mariée.

La mariée était magnifique mais alors, ainsi que le pensa Louise, il faut être laide comme un pou pour ne pas être belle le jour de son mariage. De son côté, dans ses chaussures trop petites, Barbara, radieuse, souriait au bras de son père, Sheldon Kornpett, dentiste et millionnaire. Lui aussi souriait avec bonheur. Et tandis qu'ils descendaient l'allée, ils étaient suivis par un Vince également radieux, escortant un futur marié ravi d'avoir à la fois réuni l'amour et la sécurité financière. Parvenus devant les marches, Sheldon laissa aller Barbara et s'assit sur sa chaise. Vince fit la même chose avec son fils et se laissa tomber sur une chaise près de Sheldon. Les deux heureux pères se dévoraient des yeux.

Dans la première rangée, Carol murmura à Jean Ricardo:

— C'est incroyable de voir comme Vince et Shelley sont devenus amis rapidement.

Les deux jeunes amoureux se faisaient face, le coeur plein d'amour, imaginant leur prochaine nuit de noces au Plaza. Derrière eux, leurs pères souriaient aux anges. Leur sourire se transformait rapidement en rire, indigne en de telles circonstances, mais si les deux hommes rirent, l'Orchestre Philarmonique de New York noya leurs échos et, c'est certain, personne ne s'en aperçut.

bien lu partout

Collection «Bien lu partout»

La collection *«Bien lu partout»* a été mise en marché au mois de septembre 1979. Cette première production de six volumes a été réalisée par la Librairie Beauchemin Limitée, avec l'aide d'une équipe de traducteurs hors pair et de consultants efficaces selon des principes de mise en marché dynamique, pour donner à ses lecteurs un produit de qualité supérieure.

Composée de produits tout spécialement recherchés aux États-Unis et au Canada anglais, cette collection où s'inscrivent des suspenses, des biographies et des romans à la portée de tous, a été conçue et est dirigée par Robert Savignac.

Dans la collection:

— Pour la sécurité de l'état, Ian Adams. (Roman)
End Game in Paris, traduit de l'anglais par Lise Laroc-
que-DiVirgilio.

— Cible: Le Pape, Barry Schiff and Hal Fishman. (Roman)
Vatican Target, traduit de l'américain par Jean Clouâtre.

— L'Infirmière, Peggy Anderson. (Biographie)
Nurse, traduit de l'américain par Micheline Bélanger-
Leuzy.

— Si la vie est un jardin de roses, qu'est-ce que je fais
dans les patates? Erma Bombeck. (Biographie)
If Life Is a Bowl of Cherries — What Am I doing in
the Pits? traduit de l'américain par Daniel Séguin.

— Désastre, Christopher Hyde. (Roman)
The Wave, traduit de l'anglais par Jacques de Roussan.

— Ne tirez pas sur le dentiste, David Rogers. (Roman)
The In-Laws, traduit de l'américain par Jean-Michel
Wyl.

Recherche des produits à l'étranger par André Préfontaine.

report was in a patient with *C. albicans* who had been treated with fluconazole for more than 600 days (Sanguineti *et al.* 1993). We, at the Chelsea and Westminster Hospital, have also experienced resistance although fortunately not in the ITU.

Ideally, removing the susceptibility to infection is the treatment aim—whether by antibiotic reduction of microbial burden, or by enhancement of host defences. Anti-retroviral treatment has improved the outlook in HIV infection and slowed the average decline in CD4 lymphocytes, but treatment régimes are myelosuppressive and absolute neutropenia is an unfortunate consequence. Boosting the neutrophil count in such patients is feasible and leads to fewer infections (Kuritzkes *et al.* 1998).

A variety of prophylactic régimes have been proposed, and lower dosage régimes (such as 400 mg once a week) appear as effective in preventing deep fungal infections but are not as good at preventing symptoms of mucocutaneous infection (Havlir *et al.* 1998). Nevertheless, lower dosing does control symptoms, but in over half *Candida* infection persisted based on positive detection of *Candida* antigenemia (Agresti *et al.* 1994). This is further emphasised by a species study showing that despite treatment re-infection in patients occurred with the original species 74% of the time (Sangeorzan *et al.* 1994). There was also a tendency for the minimum inhibitory concentration (MIC) to fluconazole to increase with time on treatment and for the colonising organism to shift to *Candida glabrata* and *Saccharomyces cerevisiae*. This relationship of resistance to azoles increasing with the duration of HIV infection and hence the higher probability of prior antifungal treatment is well established (Laguna *et al.* 1997). To complicate matters further, adopting a policy of either daily prophylaxis or intermittent treatment when symptoms of oropharyngeal candidiasis developed showed no difference in resistance rates in a prospective randomised study of 68 patients (Revankar *et al.* 1998).

What has to be of great concern is the pathogen shift caused by antifungal prophylaxis. A prospective study looking at vaginal candidiasis in HIV-positive women on prophylaxis or placebo with regular microbiological surveillance cultures showed a modest reduction in colonisation rates but a shift towards *C. glabrata* emergence within 6 months (Vazquez *et al.* 1999).

In HIV-positive patients there is a further benefit that may be obtained from using prophylactic azoles in that the incidence of cryptococcal meningitis is reduced. But, once again, there is no evidence of improvements in survival (Powderly *et al.* 1995; McKinsey *et al.* 1999). A placebo-controlled study of prophylaxis in advanced HIV confirmed that mucocutaneous infection rates were significantly reduced, as were systemic infection rates, but despite this survival was not improved. Patients in the prophylaxis group died less from fungal infection but tended to succumb to something else (Manfredi *et al.* 1997).

So where does this leave us in the argument for prophylaxis? In HIV-positive patients azoles reduce mucocutaneous infection rates. The symptoms can be extremely distressing and uncomfortable and there is some evidence that deep infection rates are consequently reduced as well, although survival is not enhanced. There may be added benefits in preventing other fungal infections such as *Cryptococcus* and histoplasmosis. But once again caution is necessary. In a placebo-controlled study of itraconazole prophylaxis, mycological analysis of the last samples, taken at the point when oropharyngeal infection was deemed to have occurred, revealed that not only did pathogen shift occur but over one third of the patients on prophylaxis had organisms resistant to itraconazole compared with 96% sensitivity in the placebo group (Goldman *et al.* 2000). In the end, prophylaxis is doomed to fail.

Solid organ transplant

Organ transplantation is associated with a particular vulnerability to fungal diseases. Some risk factors increase this propensity: In liver transplant patients, graft dysfunction, OKT3 use and the need for dialysis add to the risks. In lung transplantation allograft rejection, CMV infection and obliterative bronchiolitis make a fungal infection even more likely. Any transplant patient is likely to be at even more risk if graft failure entails increasing the immunosuppression.

Recent evidence suggests that itraconazole started before and continued after orthotopic liver transplantation reduced the fungal infection rate from 25% to 4% (Colby *et al.* 1999). Fluconazole is effective in reducing colonisation rates but promotes resistant species and for this reason it has been suggested that it is used only at higher doses and targeted to higher-risk patients (Singh 2000). A study in 212 orthotopic liver transplantation (OLT) patients compared fluconazole with placebo and appeared to show a reduced fungal infection rate at 6%; but there was an unusually high number of infections in this study and the infection rate in the treatment group was similar to the quoted rate in several other studies (Winston *et al.* 1999). Colonisation was also reduced to one third of the rate found in the placebo group. Once again there was no survival advantage and the fluconazole arm encountered more neurological complications, undoubtedly due to altered metabolism of cyclosporin.

Low-dose amphotericin prophylaxis appeared to be of benefit in OLT patients (see Tollemar *et al.* 1995). Also, 21 of 100 OLT patients identified as high risk received low-dose amphotericin prophylaxis and 10% developed *Aspergillus* infection (Varo *et al* 1998). Aerosolised amphotericin appears to be useful in preventing *Aspergillus* infection in heart–lung transplant patients (see Reichenspurner *et al.* 1997).

Antifungal prophylaxis in the critically ill

Invasive candidiasis is a rare occurrence in the general population (about 8 episodes per 100,000 per year), but is much commoner in hospitalised patients (0.5/1000 admissions). It complicates about 10 per 1000 admissions in critical care, where it represents 10–15% of all nosocomial infections. Most critical care unit fungal infections are due to *Candida*. Candidiasis remains difficult to diagnose and its associated mortality is as high as that of septic shock (40–60%). It has been shown that the risk of acquiring a fungal infection is related to the degree of colonisation and the severity of the illness by APACHE II scoring (Pittet *et al*. 1994). The colonising organism is usually the one responsible if subsequent systemic infection occurs (Voss *et al*. 1994). It also appears to be a covert problem often unrecognised by the clinician. Patients who died on the intensive care unit underwent post mortem evaluation to determine accuracy of documented cause of death. Clinicians' judgement was accurate in 81% of cases but the commonest missed diagnosis that may have contributed to the patient's demise was fungal infection (Roosen *et al*. 2000).

There are ample reasons for fungal infection to be such a problem in the intensive care setting: widespread antibiotic usage, central venous lines, total parenteral nutrition and epithelial breaches/breakdown. But the question is whether high-risk groups can be identified and whether antifungal prophylaxis is of any benefit. Given that degree of colonisation predicts likelihood of infection, it should follow that reducing the fungal reservoir would reduce the risk of infection. The literature in the critically ill patient is still in its infancy and focuses largely on the critically ill surgical patient. A recent study from Johns Hopkins University, which looked at enteral fluconazole prophylaxis, established a 55% reduction in risk of acquiring a fungal infection versus placebo (Pelz *et al*. 2001). There was, however, no difference in mortality between the two groups. A small study from Switzerland of 49 patients with recurrent gastrointestinal perforations or anastomotic breakdown, who were given placebo or fluconazole, showed a reduction in *Candida* peritonitis from 35% to 4% with fluconazole (Eggimann *et al*. 1999). Irrespective of the literature, prophylaxis and empiric therapy have been embraced, in some institutions at any rate. In a surgical ITU, fluconazole use was prophylactic in 61% of patients receiving it, empiric in 12% and directed to a documented fungal infection in only 27% (Berrouane *et al*. 1999).

Risk factors

Multiple antibiotic use, haemodialysis and disease severity are major risk factors for *Candida* infection (Wey *et al*. 1989). But it is not only the severity of the underlying disease that predisposes to risk of fungal infection, but the nature of the injury. Coma, chest injury and severe burns with inhalational injury seemed particular risk factors in a Japanese study of 505 'all source' intensive care patients (Tanaka *et al*. 1999).

In trauma patients many risk factors exist, but in a retrospective analysis of 459 patients of whom 20 developed *Candida* infection only total parenteral nutrition (TPN) was identified as an independent risk factor (Borzotta & Beardsley 1999). Microbiological factors also come into play: a study of nosocomial blood stream infections indicated that if *Candida* was the organism isolated then this independently had implications for a worse outcome (Pittet *et al*. 1997).

But is candidaemia merely another marker of illness severity? The above study seems to argue against this conclusion. But a Spanish group examining the interventions and outcomes in ITU patients with candidaemia demonstrated that bloodstream infection was more likely in patients with an APACHE score >20 (Nolla-Salas *et al.* 1997). However, delaying treatment also adversely affected mortality so the argument is somewhat circular: candidaemia means the patient is significantly less likely to survive, but it cannot be ignored. In a study of 106 candidaemic patients, 30 were not treated with antifungals. Sixty-three percent died but, interestingly, 37% survived with no long-term sequelae (Fraser *et al.* 1992). In spite of this most, if not all, physicians view candidaemia as an absolute indication to start antifungal treatment.

A further study of 153 patients admitted to the intensive care unit, in whom sepsis with positive blood cultures was diagnosed, looked at survival for up to one year. Only 33 patients survived past one year, and *Candida* infection was associated with a much lower survival than other forms of infection (Sasse *et al.* 1995).

Conclusion

There is a growing impetus to extend the groups of patients who are given antifungal prophylaxis in the ITU. Regardless of the robustness or otherwise of the available data, antifungal agents are increasingly being used. The availability of azoles has made the decision less consequential for unwanted adverse effects; many studies have demonstrated that the increasing incidence of non-*albicans* species exactly mirrors the increased use of azole. This is a new dawn in patient management—again.

References

Agresti MG, de Bernardis F *et al.* (1994). Clinical and mycological evaluation of fluconazole in the secondary prophylaxis of esophageal candidiasis in AIDS patients. An open, multicentre study. *European Journal of Epidemiology* 10(1), 17–22.

Ampel, NM (1996). Emerging disease issues and fungal pathogens associated with HIV infection. *Emerging Infectious Diseases* 2(2), 109–116.

Berrouane YF, Herwaldt LA *et al.* (1999). Trends in antifungal use and epidemiology of nosocomial yeast infections in a university hospital. *Journal of Clinical Microbiology* 37(3), 531–537.

Bohme A, Karthaus M *et al.* (1999). Antifungal prophylaxis in neutropenic patients with hematologic malignancies: is there a real benefit? *Chemotherapy* 45(3), 224–232.

Boogaerts MA, Verhoef GE *et al.* (1989). Antifungal prophylaxis with itraconazole in prolonged neutropenia: correlation with plasma levels. *Mycoses* 32 (Suppl 1), 103–108.

Borzotta AP & Beardsley K (1999). *Candida* infections in critically ill trauma patients: a retrospective case–control study. *Archives of Surgery* 134(6), 657–664; discussion 664–665.

Brunet F, Lanore JJ *et al.* (1990). Is intensive care justified for patients with haematological malignancies? *Intensive Care Medicine* 16(5), 291–297.

Colby W, Sharpe M *et al.* (1999). Efficacy of Itraconazole prophylaxis against systemic fungal infection in liver transplant recipients. In: *Program and Abstracts of the Thirty–Ninth Interscience Conference on Antimicrobial Agents and Chemotherapy. San Francisco, CA 1999:* 576. American Society for Microbiology, Washington, DC.

Costa SF, Marinho I *et al.* (2000). Nosocomial fungaemia: a 2–year prospective study. *Journal of Hospital Infection* **45**(1), 69–72.

De Laurenzi A, Matteocci A *et al.* (1996). Amphotericin B prophylaxis against invasive fungal infections in neutropenic patients: a single centre experience from 1980 to 1995. *Infection* **24**(5), 361–366.

de Vries–Hospers HG, Mulder NH *et al.* (1982). The effect of amphotericin B lozenges on the presence and number of *Candida* cells in the oropharynx of neutropenic leukemia patients. *Infection* **10**(2), 71–75.

Donnelly, JP (2000). Febrile neutropenia: antifungal prophylaxis. *Interantional Journal of Antimicrobial Agents* **16**(2), 127–130.

Donnelly JP, Starke ID *et al.* (1984). Oral ketoconazole and amphotericin B for the prevention of yeast colonization in patients with acute leukaemia. *Journal of Hospital Infection* **5**(1), 83–91.

Eggimann P, Francioli P *et al.* (1999). Fluconazole prophylaxis prevents intra–abdominal candidiasis in high-risk surgical patients. *Critical Care Medicine* **27**(6), 1066–1072.

Ekert H, Jurk IH *et al.* (1980). Prophylactic co-trimoxazole and lactobacilli preparation in neutropenic patients. *Medical and Pediatric Oncology* **8**(1), 47–51.

Ellis ME, Qadri SM *et al.* (1994). The effect of fluconazole as prophylaxis for neutropenic patients on the isolation of Candida spp. from surveillance cultures. *Journal of Antimicrobrial Chemotherapy* **33**(6), 1223–1228.

Fanci R, Campisi E *et al.* (1984). Fungal infections in hematological neoplastic disease: the possibility of chemoprophylaxis. *Chemioterapia* **3**(5), 310–315.

Fraser VJ, Jones M *et al.* (1992). Candidemia in a tertiary care hospital: epidemiology, risk factors, and predictors of mortality. *Clinical Infectious Diseases* **15**(3), 414–421.

Glasmacher A, Molitor E *et al.* (1998). Antifungal prophylaxis with itraconazole in neutropenic patients with acute leukaemia. *Leukemia* **12**(9), 1338–1343.

Goldman M, Cloud GA *et al.* (2000). Does long-term itraconazole prophylaxis result in in vitro azole resistance in mucosal *Candida albicans* isolates from persons with advanced human immunodeficiency virus infection? The National Institute of Allergy and Infectious Diseases Mycoses study group. *Antimicrobial Agents Chemotherapy* **44**(6), 1585–1587.

Gotzsche PC & Johansen HK (2000). Routine versus selective antifungal administration for control of fungal infections in patients with cancer. *Cochrane Database Syst Rev* **2**, CD000026.

Havlir DV, Dube MP *et al.* (1998). Prophylaxis with weekly versus daily fluconazole for fungal infections in patients with AIDS. *Clinical Infectious Diseases* **27**(6), 1369–1375.

Hoffken G (1989). Fungal infections during neutropenia: the role of prophylaxis. *Mycoses* **32** (Suppl. 1), 88–95.

Jones PG, Kauffman CA *et al.* (1984). Efficacy of ketoconazole v nystatin in prevention of fungal infections in neutropenic patients. *Archives of Internal Medicine* **144**(3), 549–551.

Kato Y, Hoshi Y *et al.* (1995). The effects of antifungal chemoprophylaxis and empiric therapy on invasive fungal infection in neutropenic children with malignant neoplasms. *Pediatric Hematology and Oncology* **12**(1), 1–18.

Kern W, Behre G *et al.* (1998). Failure of fluconazole prophylaxis to reduce mortality or the requirement of systemic amphotericin B therapy during treatment for refractory acute myeloid leukemia: results of a prospective randomized phase III study. German AML Cooperative Group. *Cancer* **83**(2), 291–301.

Krcmery Jr V, Mrazova M *et al.* (1999). Nosocomial candidaemias due to species other than *Candida albicans* in cancer patients. Aetiology, risk factors, and outcome of 45 episodes within 10 years in a single cancer institution. *Support Care Cancer* 7(6), 428–431.

Kuritzkes DR, Parenti D *et al.* (1998). Filgrastim prevents severe neutropenia and reduces infective morbidity in patients with advanced HIV infection: results of a randomized, multicentre, controlled trial. G–CSF 930101 Study Group. *Aids* 12(1), 65–74.

Laguna F, Rodriguez–Tudela JL *et al.* (1997). Patterns of fluconazole susceptibility in isolates from human immunodeficiency virus-infected patients with oropharyngeal candidiasis due to *Candida albicans*. *Clinical Infectious Diseases* 24(2), 124–130.

Maertens J & Boogaerts MA (1998). Anti-infective strategies in neutropenic patients. *Acta Clinica Belgica* 53(3), 168–177.

Manfredi R, Mastroianni A *et al.* (1997). Fluconazole as prophylaxis against fungal infection in patients with advanced HIV infection. *Archives of Internal Medicine* 157(1), 64–69.

Marr KA, Seidel K *et al.* (2000). Prolonged fluconazole prophylaxis is associated with persistent protection against candidiasis-related death in allogeneic marrow transplant recipients: long-term follow-up of a randomized, placebo-controlled trial. *Blood* 96(6), 2055–2061.

Mayer KH & DeTorres OH (1985). Current guidelines on the use of antibacterial drugs in patients with malignancies. *Drugs* 29(3), 262–279.

McKinsey DS, Wheat LJ *et al.* (1999). Itraconazole prophylaxis for fungal infections in patients with advanced human immunodeficiency virus infection: randomized, placebo-controlled, double-blind study. National Institute of Allergy and Infectious Diseases Mycoses Study Group. *Clinical Infectious Diseases* 28(5), 1049–1056.

Menichetti F, Del Favero A *et al.* (1999). Itraconazole oral solution as prophylaxis for fungal infections in neutropenic patients with hematologic malignancies: a randomized, placebo-controlled, double-blind, multicentre trial. GIMEMA Infection Program. Gruppo Italiano Malattie Ematologiche dell Adulto. *Clinical Infectious Diseases* 28(2), 250–255.

Meunier–Carpentier F, Cruciani M *et al.* (1983). Oral prophylaxis with miconazole or ketoconazole of invasive fungal disease in neutropenic cancer patients. *European Journal of Cancer and Clinical Oncology* 19(1), 43–48.

Morgenstern GR, Prentice AG *et al.* (1999). A randomized controlled trial of itraconazole versus fluconazole for the prevention of fungal infections in patients with haematological malignancies. U.K. Multicentre Antifungal Prophylaxis Study Group. *British Journal of Haematology* 105(4), 901–911.

Nolla–Salas J, Sitges–Serra A *et al.* (1997). Candidemia in non-neutropenic critically ill patients: analysis of prognostic factors and assessment of systemic antifungal therapy. Study Group of Fungal Infection in the ICU. *Intensive Care Medicine* 23(1), 23–30.

Pagano L, Antinori A *et al.* (1999). Retrospective study of candidemia in patients with hematological malignancies. Clinical features, risk factors and outcome of 76 episodes. *European Journal of Haematology* 63(2), 77–85.

Pelz RK, Hendrix CW *et al.* (2001). Double-blind placebo-controlled trial of fluconazole to prevent candidal infections in critically ill surgical patients. *Annals of Surgery* 233(4), 542–548.

Pittet D, Li N *et al.* (1997). Microbiological factors influencing the outcome of nosocomial bloodstream infections: a 6-year validated, population-based model. *Clinical Infectious Diseases* 24(6), 1068–1078.

Pittet D, Monod M *et al*. (1994). *Candida* colonization and subsequent infections in critically ill surgical patients. *Annals of Surgery* **220**(6), 751–758.

Powderly WG, Finkelstein D *et al*. (1995). A randomized trial comparing fluconazole with clotrimazole troches for the prevention of fungal infections in patients with advanced human immunodeficiency virus infection. NIAID AIDS Clinical Trials Group. *New England Journal of Medicine* **332**(11), 700–705.

Reichenspurner H, Gamberg P *et al*. (1997). Significant reduction in the number of fungal infections after lung-, heart–lung, and heart transplantation using aerosolized amphotericin B prophylaxis. *Transplant Proc* **29**(1–2), 627–628.

Revankar SG, Kirkpatrick WR *et al*. (1998). A randomized trial of continuous or intermittent therapy with fluconazole for oropharyngeal candidiasis in HIV–infected patients: clinical outcomes and development of fluconazole resistance. *American Journal of Medicine* **105**(1), 7–11.

Roosen J, Frans E *et al*. (2000). Comparison of premortem clinical diagnoses in critically ill patients and subsequent autopsy findings. *Mayo Clin Proc* **75**(6), 562–567.

Salonen JH, Richardson MD *et al*. (2000). Fungal colonization of haematological patients receiving cytotoxic chemotherapy: emergence of azole-resistant *Saccharomyces cerevisiae*. *Journal of Hospital Infection* **45**(4), 293–301.

Sangeorzan JA, Bradley SF *et al*. (1994). Epidemiology of oral candidiasis in HIV-infected patients: colonization, infection, treatment, and emergence of fluconazole resistance. *American Journal of Medicine* **97**(4), 339–346.

Sanguineti A, Carmichael JK *et al*. (1993). Fluconazole-resistant *Candida albicans* after long-term suppressive therapy. *Archives of Internal Medicine* **153**(9), 1122–1124.

Sasse KC, Nauenberg E *et al*. (1995). Long-term survival after intensive care unit admission with sepsis. *Critical Care Medicine* **23**(6), 1040–1047.

Schaffner A & Frick PG (1985). The effect of ketoconazole on amphotericin B in a model of disseminated aspergillosis. *Journal of Infectious Diseases* **151**(5), 902–910.

Schaffner A & Schaffner M (1995). Effect of prophylactic fluconazole on the frequency of fungal infections, amphotericin B use, and health care costs in patients undergoing intensive chemotherapy for hematologic neoplasias. *Journal of Infectious Diseases* **172**(4), 1035–1041.

Schaison G, Baruchel A *et al*. (1990). Prevention of gram-positive and *Candida albicans* infections using teicoplanin and fluconazole: a randomized study in neutropenic children. *British Journal of Haematology* **76** (Suppl. 2), 24–26.

Schmidt–Westhausen A, Schiller RA *et al*. (1991). Oral *Candida* and Enterobacteriaceae in HIV–1 infection: correlation with clinical candidiasis and antimycotic therapy. *Journal of Oral Pathology & Medicine* **20**(10), 467–472.

Shepp DH, Klosterman A *et al*. (1985). Comparative trial of ketoconazole and nystatin for prevention of fungal infection in neutropenic patients treated in a protective environment. *Journal of Infectious Diseases* **152**(6), 1257–1263.

Singh N (2000). Invasive mycoses in organ transplant recipients: controversies in prophylaxis and management. *Journal of Antimicrobial Chemotherapy* **45**(6), 749–755.

Tanaka H, Huruhata T *et al*. (1999). Fungal infection in patients with serious disease. Risk analysis of fungal infection. (In Japanese.) *Nippon Ishinkin Gakkai Zasshi* **40**(3), 135–142.

Tollemar J, Hockerstedt K *et al*. (1995). Liposomal amphotericin B prevents invasive fungal infections in liver transplant recipients. A randomized, placebo-controlled study. *Transplantation* **59**(1), 45–50.

van Burik JH, Leisenring W *et al*. (1998). The effect of prophylactic fluconazole on the clinical spectrum of fungal diseases in bone marrow transplant recipients with special attention to hepatic candidiasis. An autopsy study of 355 patients. *Medicine (Baltimore)* **77**(4), 246–254.

Varo E, Tome S *et al*. (1998). Fungal infection prophylaxis in high risk liver transplant recipients. In: *Program and Abstracts of the Thirty-Ninth International Conference on Antimicrobial Agents and Chemotherapy. San Diego, CA 1998:* 490. American Society for Microbiology, Washington, DC.

Vazquez JA, Sobel JD *et al*. (1999). Evolution of vaginal Candida species recovered from human immunodeficiency virus-infected women receiving fluconazole prophylaxis: the emergence of *Candida glabrata*? Terry Beirn Community Programs for Clinical Research in AIDS (CPCRA). *Clinical Infectious Diseases* **28**(5), 1025–1031.

Viscoli C, Girmenia C *et al*. (1999). Candidemia in cancer patients: a prospective, multicentre surveillance study by the Invasive Fungal Infection Group (IFIG) of the European Organization for Research and Treatment of Cancer (EORTC). *Clinical Infectious Diseases* **28**(5), 1071–1079.

Voss A, Hollis RJ *et al*. (1994). Investigation of the sequence of colonization and candidemia in nonneutropenic patients. *Journal of Clinical Microbiology* **32**(4), 975–980.

Vreugdenhil G, Van Dijke BJ *et al*. (1993). Efficacy of itraconazole in the prevention of fungal infections among neutropenic patients with hematologic malignancies and intensive chemotherapy. A double blind, placebo controlled study. *Leuk Lymphoma* **11**(5–6), 353–358.

Wey SB, Mori M *et al*. (1989). Risk factors for hospital-acquired candidemia. A matched case-control study. *Archives of Internal Medicine* **149**(10), 2349–2353.

Wingard JR, Vaughan WP *et al*. (1987). Prevention of fungal sepsis in patients with prolonged neutropenia: a randomized, double-blind, placebo-controlled trial of intravenous miconazole. *American Journal of Medicine* **83**(6), 1103–1110.

Winston DJ, Chandrasekar PH *et al*. (1993). Fluconazole prophylaxis of fungal infections in patients with acute leukemia. Results of a randomized placebo-controlled, double-blind, multicentre trial. *Annals of Internal Medicine* **118**(7), 495–503.

Winston, DJ, Pakrasi A *et al*. (1999). Prophylactic fluconazole in liver transplant recipients. A randomized, double-blind, placebo-controlled trial. *Annals of Internal Medicine* **131**(10), 729–737.

Withington S, Chambers ST *et al*. (1998). Invasive aspergillosis in severely neutropenic patients over 18 years: impact of intranasal amphotericin B and HEPA filtration. *Journal of Hospital Infection* **38**(1), 11–18.

Wolff SN, Fay J *et al*. (2000). Fluconazole vs low-dose amphotericin B for the prevention of fungal infections in patients undergoing bone marrow transplantation: a study of the North American Marrow Transplant Group. *Bone Marrow Transplantation* **25**(8), 853–859.

Young GA, Bosly A *et al*. (1999). A double-blind comparison of fluconazole and nystatin in the prevention of candidiasis in patients with leukaemia. Antifungal Prophylaxis Study Group. *European Journal of Cancer* **35**(8), 1208–1213.

PART 3

Diagnosis of SFI and resistance to therapy

Chapter 7

Achieving diagnostic accuracy in the identification of fungal infections: the need for standardised approaches to the development and use of molecular methods

Richard Barton

Introduction

The identification of a fungal infection in an immunocompromised or otherwise debilitated individual is critical to their welfare and survival, yet it remains a challenging task. Reliable, robust and sensitive diagnostic methods are important not just in the management of individual patients but in the evaluation of the effectiveness of preventative strategies and antifungal drug trials.

A systemic fungal infection in a susceptible patient often presents with non-specific signs and symptoms. For example, a patient undergoing a bone marrow transplant may suffer from a swinging pyrexia refractory to one or more anti-bacterial regimes. There is an assumption that such patients are likely to have a systemic infection with *Aspergillus* or *Candida* and empirical antifungal therapy is initiated on this basis. However, there is often little clear evidence of whether or not such patients are genuinely infected. Furthermore, patients may develop infections even in the absence of these non-specific signs. The traditional tools of microbiology are not always useful: blood culture is about 70% sensitive at best to diagnose systemic candidosis (Jones 1990).

Aspergillus is rarely isolated from the blood of patients with invasive aspergillosis, and isolation from other sites such as brochoalveolar lavage (BAL), although useful, is not sensitive (Yu *et al.* 1986). Antibody detection is generally not helpful in patients at risk for systemic fungal infections whose antibody responses are generally poor (Hopwood and Evans 1991), though recent experience in the antibody diagnosis of *Candida* infections (Sendid *et al.* 1999) is starting to challenge this long-held view.

New diagnostic test

Thus in the past ten years several new approaches to the identification of infection have been investigated. Although traditional X-ray imaging methods are often, though not always, uninformative, computerised tomography (CT) and magnetic resonance imaging (MRI) have been shown to be highly effective in the diagnosis of fungal infections. Chest CT scans of patients with invasive aspergillosis will often reveal the surprisingly specific air crescent or halo signs associated with lesions (Caillot *et al.* 1997). In immunocompromised patients the avenue of fungal antigen detection for the diagnosis of a systemic fungal infection has been pursued for many years. The development of a serum galactomannan test that detects a cell wall antigen of *Aspergillus* species represented a significant advance in the laboratory diagnosis of invasive aspergillosis (Stynen *et al.* 1995). With the development of an enzyme-linked immunosorbent assay (ELISA) rather than latex agglutination format, a series of studies have confirmed the usefulness of the test in the detection of invasive aspergillosis in immunocompromised patients, with sensitivities of typically greater than 90% (Maertens *et al.* 1999). The fact that the test is a standard, commercially produced kit with proven acceptable inter-laboratory reproducibility (Verweij *et al.* 1998) means that it is ideal for the comparative evaluation of other tests. However, there are still many whose experience is of positive results occurring too late to initiate successful therapy.

Molecular diagnosis

Molecular diagnosis has become the term used to describe the identification of infection by the detection of microbial nucleic acid in clinical specimens. In practice, this typically involves the polymerase chain reaction (PCR) amplification and detection of DNA. The molecular diagnosis of fungal infections was first reported by Buchman *et al* (1990) by the amplification of the P450 demethylase gene of *Candida albicans* so as to diagnose systemic candidosis in surgical patients. Since then, there have been increasing numbers of reports of the use of the molecular approach for diagnosing candidiasis and particularly for invasive aspergillosis. Most reports are extremely encouraging, with 100% of known cases of systemic fungal infections being identified in many instances (see, for example, Morace *et al.* 1997). The work of Einsele *et al.* (1997) in Tubingen has shown that persistent positive results can correlate with a poor prognosis in patients with invasive aspergillosis, that quantitative measures of the signal can be used to monitor progress (Loeffler *et al.* 1998), and that this type of test can be applied to screening bone marrow transplant (BMT) patients (Hebart *et al.* 2000). Unfortunately, these success stories have always been confined to the systems and protocols of single laboratories.

Variations in method

Even with the use of PCR as the key method in molecular diagnosis there are many variables when any two tests published in the literature are compared. Firstly, there is the choice of specimen. Although blood is becoming a standard, whole blood, serum or plasma may be used. A recent paper from the Einsele laboratory has indicated that by using their methods whole blood is a better specimen than plasma for the diagnosis of invasive aspergillosis (Loeffler *et al.* 2000a). The opposing view has been suggested by workers on animal models of candidosis (Bougnoux *et al.* 1999). Secondly, there are several approaches for the extraction of DNA from clinical specimens. Commercial kits have become popular, whereas others use 'in house' reagents. Breaking open the fungal cell walls, the initial important step, may be done by using physical methods such as agitation with glass beads, or enzymically (Loeffler *et al.* 1997). Physical methods of disruption are often labour intensive, whereas the use of enzymes may introduce contamination (Loeffler *et al.* 1999). Thirdly, there is the choice of oligonucleotide primers used to amplify up a sequence of DNA. Typically, this target sequence has been some part of one of the ribosomal RNA genes, though other targets have been tested including mitochondrial DNA (Bretagne *et al.* 1998) and single copy genes such as the aspartyl proteinase gene (Tang *et al.* 1993). Finally, there are several approaches to the detection of PCR products. Traditionally, products are visualised after electrophoresis on an agarose gel with ethidium bromide staining. However, to increase sensitivity and specificity, such gels can be blotted and subject to hybridisation with specific probes (Einsele *et al.* 1997). More rapidly, hybridisation can be done on products spotted onto membrane directly or bound to a plastic micro-titre well and by using quantitative ELISA-type detection (Fletcher *et al.* 1998). A different approach to enhancing sensitivity and specificity is the use of an additional pair of nested primers, internal to the site of the original pair in a second round of PCR (Williamson *et al.* 2000). Finally, clinical laboratories are increasingly turning to real-time PCR detection where the product is detected during the reaction spectrofluorometrically by using various formats of fluorescent labelling (Loeffler *et al.* 2000b).

Making comparisons

To select the most efficient approaches to the diagnosis of fungal infections, comparative studies of techniques are required. However, comparison of two of the few such studies reported shows how problematic this currently is. Studies by two laboratories (Bretagne *et al.* 1998, Williamson *et al.* 2000) report comparisons of the *Aspergillus* galactomannan ELISA and PCR tests in patients with haematological malignancies and/or bone marrow transplants. A comparison of the results is shown in Table 7.1. It is clear from this comparison that both studies achieved a similar, if low, sensitivity for the antigen test. However, the PCR results are entirely discrepant with the Bretagne study, finding only a little over half the patients and 10% of specimens positive for this test, and Williamson *et al.* (2000) having a 100% sensitivity at patient level. The antigen test used was the same: the Platelia serum galactomannan test; however, the two studies used different PCR tests. Table 7.2 shows the differences between the two tests for extraction methods, oligonucleotide primers, types of PCR format and detection methods. Thus, it is perhaps unsurprising that such discrepancies between the results of PCR tests are being obtained. It is therefore very difficult to assess the absolute value of PCR-based diagnostic tests, or their performance relative to tests like the antigen test, without a widely accepted and validated set of standards being adopted by laboratories carrying out molecular diagnostic work.

Table 7.1 Comparisons of two tests in two publications

| | Sensitivity (%) | | | |
| | Antigen | | PCR | |
Study	patient	sample	patient	sample
Bretagne et al. (1998)	68	44	55	10
Williamson et al. (2000)	50	18	100	61

Table 7.2 Comparison of PCR test details in two publications

Publication	Extraction	Primer target	PCR	Detection
Williamson et al. (2000)	Lyticase + commercial DNA tissue DNA kit	rRNA genes	nested	Ethidium bromide stained gel
Bretagne et al. (1998)	Commercial blood DNA kit	Mitochondrial DNA	Taqman	Real-time spectrophotometer

Standards in mycological molecular testing

One of the difficulties in defining a standard diagnostic method for systemic fungal infections is in obtaining sufficient numbers of rigorously diagnosed cases to work on. There has always been general acceptance that if there was histological evidence of fungal invasion of tissue, deep-seated infection was proven. Short of this, a wide range of often nebulous and ill-defined categories of proof of infection with assorted clinical and laboratory criteria were used by different groups and authors (Ascioglu et al. 2001). The European Organisation for Research and Treatment of Cancer (EORTC), with the US Mycoses Study Group (MSG), have now produced a set of guidelines for placing patients in categories of proof of infection (http://www.asperillus. man.ac.uk/secure/diagnosis/defin1.html), which if widely adopted should provide a framework for all studies of diagnostic tests in addition to those on the prevention and treatment of fungal infections. However, even with these official criteria, it is only in large teaching hospitals with extensive transplant programmes that there will be sufficient numbers of patients at even the probable level to allow the evaluation of a test. Currently, there are many groups, particularly in Europe, who have published studies of molecular tests by using a variety of approaches with differences in specimen type, DNA extraction methodology, PCR format and detection methods. The results often suggest that DNA detection is the optimal approach for the sensitive and early diagnosis of fungal infections. However, until there is further agreement between laboratories on standards, these difficulties in assessing the results of molecular tests will continue.

Conclusions

Clearly, there needs to be a large co-operative, multi-centre study to start to harmonise approaches to the molecular diagnosis of fungal infections. Although the experience of individual laboratories may lead to a reluctance to adopt a set of standard techniques, side-by-side comparisons of two or more methods using a set of standards from patients with known infections in defined evidence categories should lead to a greater consensus. The next challenge will be, however, to use the results of PCR tests in the management of patients. Although it is likely that in most settings positive results will lead to the earlier initiation of therapy, the reduction in the empirical use of antifungal agents after negative results will depend upon the outcome of evidence from extensive, carefully planned trials.

References

Ascioglu S, de Pauw BE, Donelly JP, Collette L (2001). Reliability of clinical research on invasive fungal infections: a systematic review of the literature. *Medical Mycology* **39**, 35–40.

Bretagne S, Costa J-M, Bart-Delabesse E, Dhedin N, Rieux C, Cordonnier C (1998). Comparison of serum galactomannan antigen detection and competitive polymerase chain reaction for diagnosing invasive aspergillosis. *Clinical Infectious Diseases* **26**, 1407–1412.

Bougnoux ME, Dupont C, Mateo J *et al.* (1999). Serum is more suitable than whole blood for diagnosis of systemic candidiasis by nested PCR. *Journal of Clinical Microbiology* **37**, 925–929.

Buchman TG, Rossier M, Merz WG, Charache P (1990). Detection of surgical pathogens by in vitro DNA amplification. Part 1. Rapid identification of *C. albicans* by in vitro amplification of a fungus-specific gene. *Surgery* **108**, 338–347.

Caillot D, Casanovas O, Bernard A, Couaillault G, Dumas M, Guy H (1997). Improved management of invasive pulmonary aspergillus's in neutropaenic patients using early thoracic computerised tomographic scan and surgery. *Journal of Clinical Oncology* **15**, 139–147.

Einsele H, Hebart H, Roller G *et al* (1997). Detection and identification of fungal pathogens in blood by using molecular probes. *Journal of Clinical Microbiology* **35**, 1353–1360.

Fletcher HA, Barton RC, Verweij P, Evans EGV (1998). The detection of *Aspergillus fumigatus* PCR products by a micro titre plate-based DNA hybridisation assay. *Journal of Clinical Pathology* **51**, 617–620.

Hebart H. Löffler J, Meisner C *et al.* (2000). Early detection of *Aspergillus* infection after allergenic stem cell transplantation by polymerase chain reaction screening. *Journal of Infectious Diseases* **181**, 1713–1719.

Hopwood V & Evans EGV (1991). Serological tests in the diagnosis and prognosis of fungal infection in the compromised patient. In *Fungal Infections in the Compromised Patient,* 2nd edn (ed. D.W. Warnock & M.D. Richardson), pp. 312–353. John Wiley, Chichester.

Jones JM (1990). Laboratory diagnosis of invasive candidiasis. *Reviews in Clinical Microbiology* **3**, 32–45.

Loeffler J, Hebart H, Schumacher U, Reitze H, Einsele H (1997). Comparison of different methods for extraction of DNA of fungal pathogens from cultures and blood. *Journal of Clinical Microbiology* **35**, 3311–3312.

Loeffler J, Hebart H, Sepe S, Schumacher U, Klingebiel T, Einsele H (1998). Detection of PCR-amplified fungal DNA by using a PCR–ELISA system. *Medical Mycology 36.* 275–279.

Loeffler J, Hebart H, Bialek R *et al*. (1999). Contaminations occurring in fungal PCR assays. *Journal of Clinical Microbiology* **37**, 1200–1202.

Loeffler J, Hebart H, Brauchle U, Schumacher U, Einsele H (2000a). Comparison between plasma and whole blood specimens for detection of *Aspergillus* DNA by PCR. *Journal of Clinical Microbiology* **38**, 3830–3833.

Loeffler J, Henke N, Hebart H *et al*. (2000b). Quantification of fungal DNA by using fluorescence resonance energy transfer and the light cycler system. *Journal of Clinical Microbiology* **38**, 586–590.

Maertens J, Verhaegen J, Demuynk H *et al*. (1999). Autopsy-controlled prospective evaulation of serial screening for circulating galactomannan by a sandwich enzyme-linked immunosorbet assay for haematological patients at risk for invasive aspergillosis. *Journal of Clinical Microbiology* **37**, 3223–3228.

Morace G, Sanguinetti M, Posterado B, Cascio GL, Fadda G (1997). Identification of various medically important *Candida* species in clinical specimens by PCR-restriction enzyme analysis. *Journal of Clinical Microbiology* **35**, 667–672.

Sendid B, Tabouret M, Poirot JL, Mathieu D, Fruit J, Poulain D (1999). New enzyme immunoassays for sensitive detection of circulating *Candida albicans* mannan and antemundane antibodies: useful combined test for diagnosis of systemic candidoses. *Journal of Clinical Microbiology* **37**, 1510–1517.

Stynen D, Goris A, Sarfati J, Latge JP (1995). A new sensitive sandwich ELISA to detect galatofuran in patients with invasive aspergillusis. *Journal of Clinical Microbiology* **33**, 1553–1558.

Tang CM, Holden DW, Aufauvre-Brown A, Cohen J (1993). The detection of *Aspergillus* spp. by the polymerase chain reaction and its evaluation in brochoalveolar lavage fluid. *American Review of Respiratory Diseases* **148**, 1313–1317.

Verweij PE, Erjavec Z, Sluiters W *et al*. for the Dutch Interuniversity working party for invasive mycoses (1998). Detection of antigen in sera of patients with invasive aspergillusis: intra and interlaboratory reproducibility. *Journal of Clinical Microbiology* **36**, 1612–1616.

Williamson ECM, Leeming JP, Palmer HM *et al*. (2000). Diagnosis of invasive aspergillosis in bone marrow transplant recipients by polymerase chain reaction. *British Journal of Haematology* **108**, 132–139.

Yu V, Muder L, Poorsattar A (1986). Significance of isolation of *Aspergillus* from the respiratory tract in diagnosis of invasive aspergillosis. Results from a three-year prospective study. *American Journal of Medicine* **81**, 249–254.

Chapter 8

The evolution and development of resistance to antifungal therapies: current status and future predictions

Elizabeth M Johnson

Introduction

Until the late 1980s resistance to antifungal drugs was a rare occurrence being limited to a few documented cases of resistance to polyene drugs, including the systemically active amphotericin B, and well documented primary and secondary resistance to 5-flucytosine. Since then, although antifungal drug resistance has not proved to be as problematical as that experienced with some antibacterial agents, increasing use of antifungal compounds has resulted in the selection and induction of resistant strains and may have contributed to a shift in the spectrum of organisms causing infection.

Both intrinsic and innate antifungal drug resistance are encountered and the need for accurate and predictive susceptibility testing with antifungal agents is becoming more acute owing to the increasing numbers of agents becoming available for the systemic treatment of fungal infection. Faced by an unprecedented choice of agents clinicians will need to be guided on the most appropriate agent for a given infection. Although the drug's pharmacokinetic properties will be crucial so too will be its ability to suppress or kill the infecting organism, so relative susceptibility to each agent is one of the factors that should be considered. Although overt resistance detected by *in vitro* testing will not be a definitive predictor of treatment failure its presence should mediate against the use of an agent in favour of one with greater activity.

Emergent resistance in some yeast species, seen predominantly with flucytosine and fluconazole, has been linked to inappropriate prescribing practices for specific infections in certain patient groups. Modification of treatment strategies and control of underlying disease have reduced the incidence of emergent resistance in recent years. Intrinsic resistance, which is generally consistent and predictable, is encountered in an increasing number of yeast and mould species as the spectrum of organisms causing invasive disease broadens. Elucidation of resistance mechanisms has helped to explain the evolution of resistance within a given isolate and in populations, and may lead to the rational development of new broad spectrum antifungal agents.

Antifungal susceptibility testing

Clinical resistance describes a failure of therapy and may be due to several reasons. Whereas *in vitro* resistance is failure of the drug to suppress growth of the test organism under certain specific growth conditions. Antifungal susceptibility testing has evolved over the last few years to include standardisation of tests against yeasts (National Committee for Clinical Laboratory Standards 1997) and moulds (National Committee for Clinical Laboratory Standards 2002). Tentative breakpoints are available for most of the systemic agents. Although acknowledging that most of the data for *in vivo* correlation have been gathered from a restricted clinical situation, namely oropharyngeal candidosis in HIV-positive individuals, there is evidence to suggest that results of testing do have some correlation with outcome (Ghanoum *et al.* 1996; Rex *et al.* 1997). However, the results of *in vitro* testing can only be used as a guide; there is an intricate interplay of many factors which determine the outcome of a given infection (Table 8.1).

Table 8.1 Factors affecting the outcome of infection

* The site of the infection
* The extent of dissemination
* Virulence of the infecting strain
* The underlying disease
* The pharmacokinetic and penetrative properties of the therapeutic agent
* Possible interactions with any concomitant therapies
* Susceptibility of the infecting strain to the antifungal agent

Treatment of infection with an agent to which an organism demonstrates *in vitro* susceptibility should more often lead to resolution of the infection but can be no guarantee of a successful outcome. However, if *in vitro* testing is to be of any benefit then there should be a clear link between resistance of an organism to an agent *in vitro* and failure of treatment with that agent. Again, this association will not be absolute as infection can resolve spontaneously making the activity of an antifungal agent or lack of it immaterial. In practice, breakpoints for antifungal agents often also incorporate a category for organisms that are intermediate or susceptible-dependent-upon-dose as there is some evidence to suggest that with these organisms success will depend on ensuring higher blood or tissue concentrations of the drug (Rex *et al.* 1997). Standardisation and reliability of susceptibility testing with antifungal agents has been recognised as having achieved the same status as antibacterial testing but should not be relied on as a definitive predictor of outcome (Odds 2000).

Resistance

Two forms of antifungal drug resistance are recognised: primary or innate resistance in which the organism is intrinsically resistant without ever having been exposed to the agent, and secondary, emergent or acquired resistance in which a previously susceptible strain becomes resistant during the course of treatment. Clinical resistance can arise by one or more of the mechanisms outlined in Table 8.2 (Bart-Delabesse *et al.* 1993; Sangeorzan 1994).

Table 8.2 Mechanisms of clinical resistance

- Infection with an innately resistant organism
- Selection of a pre-existing resistant sub-population because of selection pressure of antifungal therapy
- Transient gene expression leading to epigenetic resistance
- Genetic alteration leading to emergent resistance in a previously susceptible strain
- Replacement with a more resistant species

Innate resistance, although troublesome, is largely predictable and merely reduces the known spectrum of activity of a given antifungal agent. A greater cause for concern is an agent or a treatment regimen that has the propensity to induce resistance in a previously susceptible strain as this can adversely affect the outcome of therapy in a much less predictable manner. Characteristics of therapy that can lead to the development of resistance include: prolonged therapy or prophylaxis especially with sub-therapeutic levels in the face of persistent infection, and the use of fungistatic as opposed to fungicidal drugs particularly in immunocompromised patients.

Mechanisms of resistance

Most studies on the mechanisms of antifungal drug resistance have been conducted on yeast isolates (reviewed by Vanden Bossche *et al.* 1994a,b; Sanglard *et al.* 1998; White *et al.* 1998). Several mechanisms of resistance have been recognized (Table 8.3) and it is well established that one or more mechanisms may be operating within a given strain (Lopez-Ribot *et al.* 1999). Stepwise acquisition of different resistance mechanisms has also been documented resulting in strains with gradually reducing susceptibility to a particular agent (Lopez-Ribot *et al.* 1998).

Table 8.3 Mechanisms of resistance to antifungal agents

- Absent or decreased uptake due to changes in the cell wall or cell membrane
- Increased catalase production by cells which reduces oxidative damage
- Mutation or absence of an enzyme required to alter the drug into its active form
- Mutation of the target enzyme
- Overproduction of the target enzyme
- Increased efflux due to activation or increased production of membrane pumps

The major mechanism of azole resistance in *Candida albicans* appears to be through active efflux of the drug mediated by two different classes of membrane active pumps (Sanglard *et al.* 1995; White 1997; White *et al.* 1998): the ATP-binding cassette transporters (ABC) encoded by CDR genes which pump all azoles, and the major facilitator superfamily (MFS) transporters encoded by MDR genes which pump fluconazole exclusively (Sanglard *et al.* 1995, 1996; White 1997). This accounts for the lack of cross-resistance to other azoles demonstrated by some fluconazole-resistant strains.

Epidemiology of antifungal drug resistance

Amphotericin B

Resistance to the polyene group of antifungals is more often intrinsic than emergent and both forms are rare (Vanden Bossche *et al.* 1994b; White *et al.* 1998). The potential for *Aspergillus* species to develop resistance to amphotericin B has been demonstrated by induction of resistance in conidia subjected to ultraviolet radiation (Manavathu *et al.* 1998), and in strains passaged in increasing drug concentrations (Seo *et al.* 1999). Nevertheless, emergent resistance does not appear to be a major contributory factor in the failure of therapy for invasive aspergillosis (Moosa *et al.* 2002). This contradicted an earlier paper which suggested that amphotericin B resistance may be an important factor in the poor response of invasive aspergillosis to therapy (Lass-Flörl *et al.* 1998) and that susceptibility testing is a reliable predictor of clinical outcome. It is clear that, as yet, we do not have susceptibility tests that can reliably detect amphotericin B resistance and that *in vitro* resistance does not necessarily correlate with failure in animal models of infection (Odds *et al.* 1998; Johnson *et al.* 2000; Mosquera *et al.* 2001). With infections such as invasive aspergillosis, delay in diagnosis and therefore institution of prompt antifungal therapy together with the poor underlying immunological status of the host mediate towards an unfavourable outcome. Moreover, the *in vitro* – *in vivo* correlation data are limited due to the infrequent isolation of *Aspergillus* species from patients undergoing therapy. Clearly investigation is required of a greater number of isolates from patients who have intransigent infections despite prolonged amphoteicin B therapy.

There are reports of resistance in *Trichosporon* species (Walsh *et al.* 1990). There are also reports of innate amphotericin B resistance among strains of *Candida lusitaniae*: 20% of this yeast species may demonstrate *in vitro* resistance, and in some strains of *Candida guilliermondii* (Powderley *et al.* 1988; Rex *et al.* 1995a). However, the clinical impact of such resistance is limited by the infrequency of invasive infections caused by these organisms.

Amphotericin B has a broad spectrum of activity and few moulds demonstrate innate resistance but this has been documented for *Aspergillus terreus* with as many as 98% of isolates demonstrating *in vitro* resistance (Sutton *et al.* 1999). However, results of *in vitro* testing of *Aspergillus* species with amphotericin B do not necessarily correlate with outcome in animal models of infection (Johnson *et al,* 2000). There are also some emerging pathogens such as *Fusarium* spp.,

Scedosporium spp. and some of the Zygomycetes that demonstrate innate resistance to amphotericin B and cause recalcitrant infections (Lutwick *et al.* 1976; Berenguer *et al.* 1997; Johnson *et al.* 1998). There does appear to be a greater success rate in treating these infections with lipid forms of amphotericin B, which achieve higher tissue concentrations of the drug (Ng & Denning 1995; Walsh *et al.* 1998).

5-fluorocytosine (flucytosine)

It is well established that intrinsic resistance to flucytosine is encountered in isolates of *Candida* spp. and *Cryptococcus neoformans* and that there is the potential for the rapid development of resistance during treatment (Bennett 1977; Bennet *et al.* 1979; Scholer and Polak 1984; Van den Bossche *et al.* 1994a,b). Flucytosine is no longer used as mono-therapy due to the propensity for the emergence of resistance, the incidence of which has not been an issue since its common use in combination with amphotericin B. It is still prudent to check for the presence of innate resistance before embarking on a course of combination therapy with this drug particularly with isolates of *Candida tropicalis* or *Candida krusei* where levels of innate resistance as high as 23% have been reported (Pfaller *et al.* 1998a). The use of flucytosine with amphotericin B has been shown to be synergistic in treating cryptococcal meningitis and is also of value in the treatment of certain invasive infections with *Candida* species (Bennett *et al.* 1979; Francis & Walsh 1992; Saag *et al.* 2000). There are also recent reports of benefits of its use in combination with fluconazole (Larsen *et al.* 1994; Mayanja-Kizzi *et al.* 1998).

Azole antifungal drugs

Resistance to the azole group of antifungal drugs is complex and frequent reports of intrinsic and emergent resistance have been seen with pathogenic yeasts (reviewed by Johnson & Warnock 1995). The first cases of azole resistance were encountered during prolonged ketoconazole therapy for the uncommon condition chronic mucocutaneous candidosis (Rosenblatt *et al.* 1980; Horsburgh & Kirkpatrick 1983; Warnock *et al.* 1983). However, resistance to the azole group did not become a significant clinical problem until numerous reports of fluconazole resistance among oral isolates from HIV-infected patients with oropharyngeal candidosis (reviewed by Rex *et al.* 1995b). In these patients emergent resistance among isolates of *C. albicans* appeared to be linked to prescribing practices involving long-term low-dose fluconazole therapy in patients with low CD4 counts (Ruhnke *et al.* 1994; Johnson *et al.* 1995a; Maenza *et al.* 1996). In some patients the gradual emergence of increasing resistance was documented as well as the isolation of species with intrinsic or rapidly emergent resistance such as *Candida glabrata* (Bart-Delabesse *et al.* 1993; Millon *et al.* 1994; Ruhnke *et al.* 1994; Johnson & Warnock 1995). There were also reports of spread of azole-resistant isolates from HIV-infected individuals to their partners (Barchiesi *et al.* 1995; Sangeorzan *et al.* 1994) although these did not appear to be a problem unless there was a reduction in the partner's CD4 count.

Fluconazole-resistant isolates of *C. albicans* from cases of recalcitrant oropharyngeal candidosis were not necessarily cross-resistant to itraconazole (Barchiesi *et al.* 1994; Rhunke *et al.* 1994; Johnson *et al.* 1995b) and clinical successes were documented with itraconazole oral solution in HIV-related candidosis unresponsive to other azole therapy (Cartledge *et al.* 1994). Since the introduction of highly active antiretroviral therapy (HAART) to treat the underlying immune deficiency, the incidence of acquired fluconazole resistance among isolates of *C. albicans* has decreased among AIDS patients as fewer patients develop recalcitrant oral and oropharyngeal candidosis (Martins *et al.* 1998).

Emergence of azole resistance during short-term therapy in patients with invasive disease is rare. However, there have been reports (Marr *et al.* 1997; White *et al.* 1998), and in a recent surveillance study of candidaemia isolates in the USA levels of fluconazole and itraconazole resistance in 178 *C. albicans* isolates were reported to be 9.6% and 10.7% respectively (Pfaller *et al.* 1998b). Currently levels of azole resistance among isolates of *C. albicans* in the UK are low. Applying the same NCCLS methodology as used in the Pfaller study, the rates of resistance among 1721 clinical *C. albicans* isolates referred to the PHLS Mycology Reference Laboratory were 1.3% for fluconazole and 1% for itraconazole (author's unpublished data).

The use of azole drugs in therapy or prophylaxis has been implicated in the emergence of infections with *Candida krusei* which is a yeast species that is innately resistant to fluconazole and *Candida glabrata* which often demonstrates *in vitro* resistance and in which resistance is liable to emerge more rapidly because of its haploid nature (Warnock *et al.* 1988; Wingard *et al.* 1991, 1993; Rex *et al.* 1995b; Abi-Said *et al.* 1997; Pfaller *et al.* 1998a). Some reports have described the failure of fluconazole to control vaginal infection with *C. glabrata*, an infection that appears to be increasing in incidence (Arilla *et al.* 1992; White *et al.* 1993). *Candida tropicalis* is another species in which some isolates appear to demonstrate innate resistance to azoles (Johnson *et al.* 1995b; Pfaller *et al.* 1998a).

There have also been reported cases of emergent fluconazole resistance in relapse isolates of *Cryptococcus neoformans* from AIDS patients on long-term fluconazole therapy (Paugam *et al.* 1994; Birley *et al.* 1995). However, despite widespread use of this agent as life-long maintenance therapy in HIV-infected patients treated for cryptococcal meningitis emergent resistance has not generally proved to be a significant clinical problem.

It is rare to find *in vitro* resistance in mould isolates from species that are usually susceptible. However, resistance to itraconazole has been documented in isolates of *Aspergillus fumigatus* that have failed to respond to therapy (Chryssanthou 1997; Denning *et al.* 1997) and have subsequently been shown to be refractory to itraconazole therapy in a murine model of infection (Denning *et al.* 1997).

Organisms causing recalcitrant infections

The greatest problem with resistance in mould isolates is that of innate resistance, thus reducing the spectrum of activity of antifungal agents. The Zygomycetes cause aggressive, rapidly progressive infections that require prompt diagnosis and treatment for a successful outcome. The major causative organisms of zygomycosis are: *Rhizopus arrhizus*, *Absidia corymbifera*, *Rhizopus microsporus* and *Mucor circinelloides*, which differ in their susceptibilities to amphotericin B and the azoles. It is therefore important to identify the species causing infection and if possible obtain a susceptibility profile for the infecting strain to help direct the most appropriate management. The innate *in vitro* resistance encountered in isolates of *Scedosporium prolificans* to all the currently available antifungal agents has been reflected by the failure of therapy and the high mortality associated with infection with this organism. In a recent publication from Spain 16 cases of *S. prolificans* infection were documented, 14 of which were fatal despite treatment (Berenguer *et al.* 1997). There has been some success in treating infections with the closely related *Scedosporium apiospermum* with itraconazole (Liu *et al.* 1997) to which it is more often susceptible *in vitro*. Another challenge has been in the management of patients with infections due to *Fusarium* species; these most commonly occur in immunocompromised patients during a period of neutropenia. Few agents show good *in vitro* activity against this genus and a successful outcome is often linked to quantitative and qualitative recovery of the patient's neutrophils.

Future predictions

It is likely that there will be increasing demonstration of innate resistance as the full spectrum of activity of new antifungal agents becomes established and the list of emerging fungal pathogens encountered in immunocompromised patients broadens. Attention should be focused on those organisms such as *Scedopsorium prolificans* which appear to be resistant *in vitro* and *in vivo* to all available antifungal agents, including some of the more recent developmental agents, to establish precise reasons for the lack of activity. Perhaps stimulation of the host response by the concomitant use of cytokine therapy will prove to be a useful approach in immunocompromised patients with such infections.

Emergent resistance is most often encountered when an agent is used for a prolonged period of time at a sub-therapeutic dose in the face of persistent infection. Sensible prescribing practices including a switch to an agent with a different mode of action if the infection does not appear to be responding should help to curtail the development of emergent resistance. Some of the newer antifungal agents are fungicidal *in vitro* and are thus less likely to induce resistance than those that are fungistatic.

Although there may be cross-resistance within a given class of antifungal compounds this has not been found to be invariably so. There are yeasts that are resistant to fluconazole due to activation or increased activity of the MDR membrane pumps but which remain susceptible to itraconazole and voriconazole. Innate cross-resistance between agents with different modes of action is seen rarely, emergent cross-resistance during a course of therapy would be extremely unlikely. The increasing use of combination therapy with agents with different modes of action maximizes the potential benefits of their different pharmacokinetic properties and the emergence of resistance to both agents simultaneously would be an unlikely event.

There are theoretical reservations regarding the use in combination of some antifungal agents and studies should be conducted to ensure that drugs are synergistic or additive rather than antagonistic. The major current concern is with the use of the azole group of agents, which inhibit the biosynthesis of ergosterol required for structure and function of the fungal cell membrane, and concomitant or sequential use of amphotericin B which targets the membrane ergosterol to form transmembrane pores. Therefore the prior use of an azole will theoretically reduce the number of binding sites for amphotericin molecules. In practice, there are many conflicting data from *in vitro* studies some of which do suggest antagonism, whereas others indicate indifference or even synergy. This confused picture is also reflected in animal studies. In clinical practice the reports suggesting benefit of combination therapy with amphotericin B and an azole outnumber those indicating an adverse outcome. Moreover there is now common usage of prophylactic azole therapy in an attempt to prevent fungal infection in high-risk patients, breakthrough infection or suspected infection in such individuals is frequently treated with amphotericn B as empirical or definitive treatment.

Conclusion

In summary, emergent antifungal drug resistance is not the problem that it was in the early 1990s when fluconazole was widely used to control oropharyngeal candidosis in HIV-positive individuals and inappropriate prescribing practices led to the widespread emergence of resistance in previously susceptible isolates of *C. albicans*. Despite the use of fluconazole as suppressive maintenance therapy in HIV-infected individuals who have had cryptococcal meningitis there has not been a notable problem of emergent resistance in *C. neoformans* and resistance is rarely encountered in relapse isolates. Current resistance problems are mainly associated with innate resistance in certain species, particularly yeasts, and highlight the need for accurate speciation of infecting organisms. The most important consequence of azole resistance may have been an epidemiological shift away from *C. albicans* as the major yeast pathogen towards other less susceptible yeast species.

There are currently some groups of organisms that can produce particularly intractable infections. It is important in cases of infection with these organisms to consider the feasibility of surgical debridement and the potential of adjuvant cytokine therapy. The introduction of antifungal compounds with unique modes of action, such as the echinocandin caspofungin, should serve to broaden the spectrum of antifungal activity and decrease the likelihood of the development of cross-resistance.

References

Abi Said D, Anaissie E, Uzun O, Raad I, Pinzcoeski H, Vartivarian S (1997). The epidemiology of haematogenous candidiasis caused by different *Candida* species. *Clinical Infectious Diseases* **24**, 1122–1128.

Arilla MC, Carbonero JL, Schneider J *et al.* (1992). Vulvovaginal candidiasis refractory to treatment with fluconazole. *European Journal of Obstetrics, Gynecology and Reproductive Biology* **44**, 77–80.

Barchiesi F, Colombo AL, McGough DA, Fothergill AW, Rinaldi MG (1994). In vitro activity of itraconazole against fluconazole-susceptible and -resistant *Candida albicans* isolates from oral cavities of patients infected with human immunodeficiency virus. *Antimicrobial Agents and Chemotherapy* **38**, 1530–1533.

Barchiesi F, Hollis RJ, Del Poeta M *et al.* (1995). Transmission of fluconazole-resistant *Candida albicans* between patients with AIDS and oropharyngeal candidiasis documented by pulsed-field gel electrophoresis. *Clinical Infectious Diseases* **21**, 561–564.

Bart-Delabesse E, Boiron P, Carlotti A, Dupont B (1993). *Candida albicans* genotyping in studies of patients with AIDS developing resistance to fluconazole. *Journal of Clinical Microbiology* **31**, 2933–2937.

Bennett JE (1977). Flucytosine. *Annals of Internal Medicine* **86**, 319–322.

Bennett JE, Dismukes WE, Duma RJ *et al.* (1979). A comparison of amphotericin B alone and combined with flucytosine in the treatment of cryptococcal meningitis. *New England Journal of Medicine* **301**, 126–131.

Berenguer J, Rodriguez-Tudela JL, Richard C *et al.* (1997). Deep infections caused by *Scedosporium prolificans*: a report on 16 cases in Spain and a review of the literature. *Medicine* **76**, 256–265.

Birley HDL, Johnson EM, McDonald P *et al.* (1995). Azole drug resistance as a cause of clinical relapse in AIDS patients with cryptococcal meningitis. *International Journal of STD and AIDS* **6**, 353–355.

Cartledge JD, Midgley J, Youle M, Gazzard BG (1994). Itraconazole cyclodextrin solution – effective treatment for HIV-related candidosis unresponsive to other azole therapy. *Journal of Antimicrobial Chemotherapy* **33**, 1071–1073.

Chryssanthou E (1997). In vitro susceptibility of respiratory isolates of *Aspergillus* species to itraconazole and amphotericin B: acquired ressitance to itraconazole. *Scandanavian Journal of Infectious Diseases* **29**, 509–512.

Denning DW, Venkateswarlu K, Oakley KL *et al.* (1997). Itraconazole resistance in *Aspergillus fumigatus*. *Antimicrobial Agents and Chemotherapy* **41**, 1364–1368.

Francis P & Walsh TJ (1992). Evolving role of flucytosine in immunocompromised patients: new insights into safety, pharmacokinetics, and antifungal therapy. *Clinical Infectious Diseases* **15**, 1003–1018.

Ghannoum MA, Rex JH & Galgiani JN (1996). Mini review. Susceptibility testing of fungi: current status of correlation of in vitro data with clinical outcome. *Journal of Clinical Microbiology* **34**, 489–495.

Horsburgh CR & Kirkpatrick CH (1983). Long-term therapy of chronic mucocutaneous candidiasis with ketoconazole experience with twenty-one patients. *American Journal of Medicine* **74**(Suppl. 1B), 23–29.

Johnson EM & Warnock DW (1995). Leading article: Azole drug resistance in yeasts. *Journal of Antimicrobial Chemotherapy* **36**, 751–755.

Johnson EM, Davey KG, Szekely A, Warnock DW (1995b). Itraconazole susceptibilities of fluconazole susceptible and resistant isolates of five *Candida* species. *Journal of Antimicrobial Chemotherapy* **36**, 787–793.

Johnson EM, Oakley KL, Radford SA *et al.* (2000). Lack of correlation of in vitro amphotericin b susceptibility testing with outcome in a murine model of *Aspergillus* infection. *Journal of Antimicrobial Chemotherapy* **45**, 85–93.

Johnson EM, Szekely A, Warnock DW (1998). In-vitro activity of voriconazole, itraconazole and amphotericin B against filamentous fungi. *Journal of Antimicrobial Chemotherapy* **42**, 741–745.

Johnson EM, Warnock DW, Luker J *et al.* (1995a). Emergence of azole drug resistance in *Candida* spp. from HIV-infected patients receiving prolonged fluconazole therapy for oral candidosis. *Journal of Antimicrobial Chemotherapy* **35**, 103–114.

Larsen RA, Bozzette SA, Jones B *et al.* (1994). Fluconazole combined with flucytosine for cryptococcal meningitis in persons with AIDS. *Clinical Infectious Diseases* **19**, 741–745.

Lass-Flörl C, Kofler G, Kropshofer G *et al.* (1998). *In-vitro* testing of susceptibility to amphotericin B is a reliable predictor of clinical outcome in invasive aspergillosis. *Journal of Antimicrobial Chemotherapy* **42**, 497–502.

Liu YF, Zhao XD, Ma CL *et al.* (1997). Cutaneous infection by *Scedosporium apiospermum* and its successful treatment with itraconazole. *Clinical and Experimental Dermatology* **22**, 198–200.

Lopez-Ribot JL, McAtee RK, Lee LN *et al.* (1998). Distinct patterns of gene expression associated with development of fluconazole resistance in serial *Candida albicans* from human immunodeficiency virus-infected patients with oropharyngeal candidosis. *Antimicrobial Agents and Chemotherapy* **42**, 2932–2937.

Lopez-Ribot JL, McAtee RK, Perera S *et al.* (1999). Multiple resistant genotypes of *Candida albicans* coexist during episodes of oropharyngeal candidiasis in human immunodeficiency virus-infected patients. *Antimicrobial Agents and Chemotherapy* **43**, 1621–1630.

Lutwick LI, Galgiani JN, Johnson RH, Stevens DA (1976). Visceral fungal infections due to *Petriellidium boydii* (*Allescheria boydii*). In vitro drug sensitivity studies. *American Journal of Medicine* **61**, 632–640.

Maenza JR, Keruly JC, Moore RD *et al.* (1996). Risk factors for fluconazole-resistant candidiasis in human immunodeficiency virus-infected patients. *Journal of Infectious Diseases* **173**, 219–225.

Manavathu EK, Alangaden GJ, Chandrasekar PH (1998). *In-vitro* isolation and antifungal susceptibility of amphotericin B-resistant mutants of *Aspergillus fumigatus*. *Journal of Antimicrobial Chemotherapy* **41**, 615–619.

Marr KA White TC, van Burik JH, Bowden RA (1997). Development of fluconazole-resistant *Candida albicans* in a patient undergoing bone marrow transplantation. *Clinical Infectious Diseases* **25**, 908–910.

Martins MD, Lozano-Chiu M, Rex JH (1998). Declining rates of oropharyngeal candidiasis and oral carriage of *Candida albicans* associated with trends towards reduced rates of carriage of fluconazole-resistant *C. albicans* in human immunodeficiency virus-infected patients. *Clinical Infectious Diseases* **27**, 1291–1294.

Mayanja-Kizza H, Oishi K, Mitarai S *et al.* (1998). Combination therapy with fluconazole and flucytosine for cryptococcal meningitis in Ugandan patients with AIDS. *Clinical Infectious Diseases* **26**, 1362–1368.

Millon L, Manteaux A, Reboux G *et al.* (1994). Fluconazole-resistant recurrent oral candidiasis in human immunodeficiency virus-positive patients: persistence of *Candida albicans* strains with the same genotype. *Journal of Clinical Microbiology* **32**, 1115–1118.

Moosa M-YS, Alangaden GJ, Manavathu E, Chandrasekar PH (2002).Resistance to amphotericin B does not emerge during treatment for invasive aspergillosis. *Journal of Antimicrobial Chemotherapy* **49**, 209–213.

Mosquera J, Warn PA, Morrissey J *et al.* (2001). Susceptibility testing of *Aspergillus flavus*: inoculum dependence with itraconazole and lack of correlation between susceptibility to amphotericin B *in vitro* and outcome *in vivo*. *Antimicrobial Agents and Chemotherapy* **45**, 1456–1462.

National Committee for Clinical Laboratory Standards (1997). *Reference Method for Broth Dilution Antifungal Susceptibility Testing of Yeasts. Approved Standard M27-A*. Villanova, PA: NCCLS.

National Committee for Clinical Laboratory Standards (2002). *Reference Method for Broth Dilution Antifungal Susceptibility Testing of Filamentous Fungi. Approved Standard M38-A*. Villanova, PA: NCCLS.

Ng TTC & Denning DW (1995). Liposomal amphotericin B (AmBisome).therapy in invasive fungal infections: evaluation of United Kingdom compassionate use data. *Archives of Internal Medicine* **155**, 1093–1098.

Odds FC (2000). In vitro susceptibility testing of antifungal agents: are the results of relevance to clinical decision making? In: *UK Advances in Clinical Practice Series 2001: The Effective Prevention and Management of Systemic Fungal Infection in Haematological Malignancy.* (ed. Prentice A, Rogers T, Miles A), pp. 111–116. London: Aesculapius Medical Press.

Odds FC, Van Gerven F, Espinell-Ingroff A *et al.* (1998). Evaluation of possible correlations between antifungal susceptibilities of filamentous fungi *in vitro* and antifungal treatment outcomes in animal infection models. *Antimicrobial Agents and Chemotherapy* **42**, 282–288.

Paugam A, Dupuoy-Camet J, Blanche P *et al.* (1994). Increased fluconazole resistance of *Cryptococcus neoformans* isolated from a patient with AIDS and recurrent meningitis. *Clinical Infectious Diseases* **19**, 975–976.

Pfaller MA, Jones RN, Messer SA *et al.* (1998a). National surveillance of nosocomial blood stream infection due to species of *Candida* other than *Candida albicans*: frequency of occurrence and antifungal susceptibility in the SCOPE Program. *Diagnostic Microbiology and Infectious Diseases* **30**, 121–129.

Pfaller MA, Jones RN, Messer SA *et al.* (1998b). National surveillance of nosocomial blood stream infection due to *Candida albicans*: frequency of occurrence and antifungal susceptibility in the SCOPE Program. *Diagnostic Microbiology and Infectious Diseases* **31**, 327–332.

Powderley WG, Kobayashi GS, Herzig GP, Medoff G (1988). Amphotericin B-resistant yeast infection in severely immunocompromised patients. *American Journal of Medicine* **84**, 826–832.

Rex JH, Cooper CR, Merz WG, Galgiani JN, Anaisse EJ (1995a). Detection of amphotericin B-resistant *Candida* isolates in a broth-based system. *Antimicrobial Agents and Chemotherapy* **39**, 906–909.

Rex JH, Pfaller MA, Galgiani JN *et al.* (1997). Development of interpretive breakpoints for antifungal susuceptibility testing – conceptual framework of in vitro and *in vivo* correlation data for fluconazole, itraconazole and *Candida* infections. *Clinical Infectious Diseases* **24**, 235–247.

Rex JH, Rinaldi MG & Pfaller MA (1995b). Resistance of *Candida* species to fluconazole. *Antimicrobial Agents and Chemotherapy* **39**, 1–8.

Rhunke M, Eigler A, Tennagen I *et al.* (1994). Emergence of fluconazole-resistant strains of *Candida albicans* in patients with recurrent oropharyngeal candidosis and human immunodeficiency virus infection. *Journal of Clinical Microbiology* **32**, 2092–2098.

Rosenblatt HM, Byrne W, Ament ME *et al.* (1980). Successful treatment of chronic mucocutaneous candidiasis with ketoconazole. *Journal of Paediatrics* **97**, 657–660.

Saag MS, Graybill RJ, Larsen RA *et al.* (2000). Practice guidelines for the management of cryptococcal disease. *Clinical Infectious Diseases* **30**, 710–718.

Sangeorzan JA, Bradley SF, He X *et al.* (1994). Epidemiology of oral candidiasis in HIV-infected patients: colonization, infection, treatment, and emergence of fluconazole resistance. *American Journal of Medicine* **97**, 339–346.

Sanglard D, Ischer F, Koymans L, Bille J (1998). Amino acid substitutions in the cytochrome P-450 lanosterol 14α-demethylase (CYP51A1), from azole resistant *Candida albicans* clinical isolates contribute to resistance to azole antifungal agents. *Antimicrobial Agents and Chemotherapy* **42**, 241–253.

Sanglard D, Ischer F, Monod M, Bille J (1996). Susceptibilities of *Candida albicans* multidrug transporter mutants to various antiufngal agents and other metabolic inhibitors. *Antimicrobial Agents and Chemotherapy* **40**, 2300–2305.

Sanglard D, Kuchler K, Ischer F *et al.* (1995). Mechanisms of resistance to azole antifungal agents in *Candida albicans* isolates from AIDS patients involve specific multidrug transporters. *Antimicrobial Agents and Chemotherapy* **39**, 2378–2386.

Scholer HJ & Polak A (1984). Resistance to systemic antifungal agents. In: *Antimicrobial Drug Resistance* (ed. Bryan LE), 393–460. Academic Press, Orlando, Florida.

Seo K, Akiyoshi H & Ohnishi Y (1999). Alteration of cell wall composition leads to amphotericin B resistance in *Aspergillus flavus. Microbiology and Immunology* **43**, 1017–1025.

Sutton DA, Sanche SE, Revankar SG *et al.* (1999). In vitro amphotericin B resistance in clinical isolates of *Aspergillus terreus,* with a head-to-head comparison to voriconazole. *Journal of Clinical Microbiology* **37**, 2343–2345.

Van den Bossche H, Marichal P, Odds FC (1994a). Molecular mechanisms of drug resistance in fungi. *Trends in Microbiology* **2**, 393–400.

Van den Bossche H, Warnock DW, Dupont B *et al.* (1994b). Mechanisms and clinical impact of antifungal drug resistance. *Journal of Medical and Veterinary Mycology* **32**, 189–202.

Walsh TJ, Melcher GP, Rinaldi MG *et al.* (1990). *Trichosporon beigelii,* an emerging pathogen resistant to amphotericin B. *Journal of Clinical Microbiology* **28**, 1616–1622.

Walsh TJ, Hiemenz JW, Siebel N, Anaissie EJ (1998). Amphotericin B lipid complex for invasive fungal infections: analysis of safety and efficacy in 556 cases. *Clinical Infectious Diseases* **26**, 1383–1396.

Warnock DW, Burke J, Cope NJ *et al.* (1988). Fluconazole resistance in *Candida glabrata. Lancet* **ii**, 1310.

Warnock DW, Johnson EM, Richardson MD, Vickers CFH (1983). Modified response to ketoconazole of *Candida albicans* from a treatment failure. *Lancet* **i**, 642–643.

White DJ, Johnson EM, Warnock DW (1993). Management of persistent vulvovaginal candidosis due to azole-resistant *Candida glabrata*. *Genitourinary Medicine* **69**, 112–114.

Wingard JR, Merz WG, Rinaldi MG *et al.* (1991). Increase in *Candida krusei* infection patients with bone marrow transplantation and neutropenia treated prophylactically with fluconazole. *New England Journal of Medicine* **325**, 1274–1277.

Wingard JR, Merz WG, Rinaldi MG *et al.* (1993). Association of *Torulopsis glabrata* infection with fluconazole prophylaxis in neutropenic bone marrow transplant patients. *Antimicrobial Agents and Chemotherapy* **37**, 1847–1849.

White TC (1997). Increased mRNA levels of ERG16, CDR, and MDR1 correlate with increases in azole resistance in *Candida albicans* isolates from a patient infected with human immunodeficiency virus. *Antimicrobial Agents and Chemotherapy* **41**, 1482–1487.

White TC, Marr KA, Bowden RA (1998). Clinical, cellular and molecular factors that contribute to antifugal drug resistance. *Clinical Microbiological Reviews* **11**, 382–402.

PART 4

Evidence and opinion for medical intervention in SFI

Defining the place of novel antifungal agents in current clinical practice: a review of trial data and a discussion of the evidence for efficacy and effectiveness of new triazoles and candins

J Peter Donnelly

Introduction

After a considerable lull and several false starts, the antifungal armamentarium will be expanded by new triazoles and candins for treating invasive fungal infectious diseases (IFID). Before considering them individually, it is worth reviewing the requirements for new drugs to gain a licence.

Prerequisites for licensure

The past decade has witnessed a change in the expectations clinicians have of an antifungal agent. From being more or less resigned to having to use amphotericin B desoxycholate to treat IFIDs, clinicians have grown used to the ease and safety afforded by fluconazole, and now expect much more of new antifungal drugs. The optimum drug should possess a broad spectrum of activity against yeasts and moulds, be fungicidal and effective in a wide range of clinical settings, should capable of being given orally and parenterally and be well tolerated. In addition, there should be sufficient evidence that the drug is effective clinically and safe.

At the time of writing none of the drugs available meet all these requirements. Amphotericin B is poorly tolerated and can only be given parenterally and although the lipid formulations of the drug are less toxic they can still only be given intravenously (Table 9.1). Moreover there are no proper randomised controlled trials to show these drugs are more effective than the original desoxcholate formulation. There are also four distinct settings in which antifungal drugs are considered: namely, prophylaxis, empirical treatment, pre-emptive therapy and specific treatment. Apart from liposomal amphotericin B (AmBisome) which has been shown to be equally effective but safer than desoxycholate amphotericin B (Walsh *et al.* 1999) there is no conclusive evidence from large clinical trials for any other indication or formulation of amphotericin B. Fluconazole meets all the requirements of an antifungal drug except that its spectrum of activity does not include moulds. On the

Table 9.1 Strengths and weakness of established antifungal drugs

Current drugs	Uses	Strengths	Weaknesses
Amphotericin B	Empirical Specific	Broad-spectrum Cheap	Toxicity, no oral form, optimum dose and duration unknown Efficacy low.
AmBisome	Empirical Specific	Broad-spectrum Safe	No oral form, optimum dose and duration unknown Efficacy low
Fluconazole	Prophylaxis Empirical Specific	Safe Effective Oral and parenteral forms	Some drug interactions. Limited spectrum optimum dose and duration unknown
Itraconazole	Prophylaxis Empirical Specific	Broad-spectrum Safe Oral and parenteral forms	Drug interactions common. Optimum dose and duration unknown Efficacy not established

other hand, itraconazole goes a long way to meeting the requirements, except that the parenteral form has only recently been made available and there are no trials of specific treatment that demonstrate its efficacy in treating probable or proven IFIDs. However, the drug proved as effective as amphotericin B for empirical treatments but safer (Boogaerts *et al.* 2001). It is also licensed for use for pulmonary and extrapulmonary aspergillosis, in patients who are intolerant of or who are refractory to therapy with amphotericin B. However, it is not licensed as first-line therapy, and with the drug nearing the end of its patent protection it is unlikely that a study will be mounted to provide sufficient evidence for this purpose.

Clinical need and regulatory requirements

At first glance, these may seem the same. There is a clinical need for effective drugs that exhibit a spectrum of activity that encompasses the opportunistic fungi, that is fungicidal and can be given to prevent or pre-empt and to treat established disease. The drugs should be safe and well tolerated and be capable of being given orally and parenterally. However although the clinicians want to reach these goals simultaneously, the manufacturers tend to proceed along a pipeline and aim to be granted a licence for a few indications initially to be able to launch the drug onto the market and then generate revenue. For instance, an indication for empirical use for presumed IFID in patient populations at risk is attractive because safety can be demonstrated and the large population of patients treated can be recruited relatively easily and quickly. By contrast, proving efficacy in proven IFIDs is fraught with difficulties because the patient population is much smaller and scattered, requiring considerable logistics and time. The patients ultimately entered often do not reflect the intended population because women and children are usually excluded from participating, as are those who are considered too ill or who have severe organ dysfunction and those who simply refuse to participate. This raises the question of how one can generalise from the results of registration studies. The body of evidence supporting antifungal drugs for systemic IFIDs is actually limited to 8356 patients (Rex *et al.* 2001) (Table 9.2). Once on the market a drug is more often than not prescribed off-label, i.e. not strictly in accordance with the use for which it gained a licence. Hence, a broader group of patients is exposed to the drug, thereby increasing the risk that unexpected serious side effects will occur by chance alone. This is probably why, despite a very ambitious and comprehensive trial programme, the serious liver toxicity that eventually led to trovafloxacin being suspended in 1998 from the market in Europe was not foreseen (http://www.emea.eu.int/pdfs/human/press/pus/1804699EN.pdf).

Table 9.2 Successfully completed, relatively large prospective, randomized, clinical trials of antifungal agents for treatment of patients with invasive mycoses

Disease	Drugs compared	No. of subjects
Aspergillosis		
Invasive aspergillosis	AmBisome, 1 mg/kg versus 4 mg/kg	87
	Amphotec, Amphocil versus Fungizone	103
Allergic bronchopulmonary aspergillosis	Itraconazole versus placebo	55
Candidiasis		
Candidaemia, adults without neutropenia	Fungizone versus fluconazole	237
	Fungizone versus fluconazole	106
	Fluconazole with/without Fungizone	236
Invasive candidiasis, patients with cancer	Fungizone versus Abelcet	231
Candiduria	Fluconazole versus placebo	316
Cryptococcal meningitis		
Primary therapy, non-AIDS	Fungizone with/without flucytosine	78
	Fungizone + flucytosine, 4 wk versus 6 wk	91
Primary therapy, AIDS	Fungizone versus fluconazole	194
	Fungizone with/without flucytosine, followed by consolidation with fluconazole versus itraconazole	408
Prevention of relapse, AIDS	Fungizone versus fluconazole	218
	Fluconazole versus itraconazole	108
	Fluconazole versus placebo	61
Primary prophylaxis, AIDS	Fluconazole versus clotrimazole	428

cont'd

Table 9.2 cont'd

Fungal infections during neutropenia		
Primary prophylaxis	Miconazole versus placebo	208
	Fluconazole versus placebo	301
		356
		257
	Itraconazole versus placebo	405
	Itraconazole versus fluconazole	581
	Aerosolized Fungizone versus placebo	382
Initial treatment of fever	Fluconazole versus placebo	843
Treatment of persistent fever	AmBisome versus Fungizone	687
	AmBisome (2 doses) versus Fungizone	338
	Amphotec, Amphocil versus Fungizone	213
	AmBisome versus Abelcet	244
	Fluconazole versus Fungizone	112
Systemic fungal infection	Fungizone versus itraconazole	40
Fungal infections following liver transplantation	AmBisome versus placebo	77
	Fluconazole versus nystatin	143
	Fluconazole versus placebo	212

Adapted from Rex *et al.* (2001).

Lessons learned from itraconazole development

Itraconazole was discovered in 1978 and gained a license for use in 1992, but only for oral capsules as a parenteral form was considered desirable but not essential. However, it became clear that absorption was erratic, particularly among the patients most in need of the drug, and so several attempts were made to overcome this. Like its forerunner, miconazole and to a lesser extent ketoconazole, itraconazole is particularly insoluble in water An oral solution was eventually developed by suspending the drug in β-hydroxypropyl-cyclodextrin. This formulation was a marked improvement and it gained a licence for use in 1997. Early attempts at developing a parenteral form foundered, but eventually a product was made by using the same β-hydroxypropyl-cyclodextrin; this was licensed for use in 1999, more than 20 years after the drug's discovery and also near the end of its patent protection. Around the same time a nanocrystal version was made but this project also faltered. Further development of the drug has ceased completely. Other companies seem to have learned from this experience but whether each will be successful in developing an oral and a parenteral form remains to be seen; however, it is clear that this requirement has shaped future developments definitively.

New triazoles

There are three new triazoles progressing towards registration (Figure 9.1). Voriconazole is a derivative of fluconazole but unlike its forerunner it is insoluble in water. Therefore it has to be suspended in a similar manner as itraconazole if it is to be suitable for parenteral administration, namely sulfobutyl ether β-cyclodextrin. Ravuconazole is also related to fluconazole and is similar to voriconazole except that only an oral form of the drug is available at present. By contrast, posaconazole is similar to itraconazole, has no parenteral formulation but putatively possesses better pharmacological characteristics such as longer half-life than does itraconazole. Whether or not this will translate into improved clinical efficacy remains to be seen.

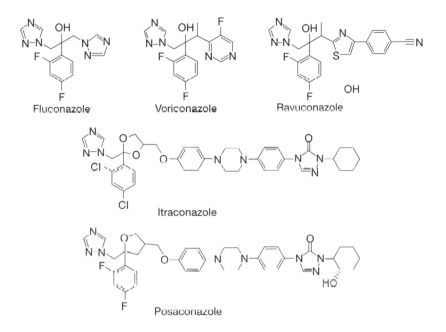

Figure 9.1 Structures of approved and investigational triazoles. Voriconazole and ravuconazole resemble fluconazole, whereas posaconazole is structurally related to itraconazole

Voriconazole

Efficacy

Voriconazole can be given both parenterally and orally and a dose has already been defined: 3 mg/kg/twice daily i.v. for 7–21 days followed by 200 mg orally twice daily. It has been under investigation for empirical therapy of the febrile neutropenic patient and specific treatment of aspergillosis and candidiasis. It has completed its phase III and is awaiting licensing by the FDA. Voriconazole is effective in treating aspergillosis

(Denning *et al.* 2002). The drug also compares favourably with the current standard regimen amphotericin B desoxycholate for the treatment of proven and probable invasive aspergillosis (primarily pulmonary) because 76 of 144 (53%) patients treated with voriconazole in a large randomised trial responded satisfactorily after 12 weeks therapy with 102 (71%) surviving, compared with 42 of the 133 (32%) treated initially with amphotericin B of whom 77 (58%) survived (Herbrecht *et al.* 2001).

Voriconazole and AmBisome were also equally effective for empirical therapy (Walsh *et al.* 2002). The response rates were low, being 108 of 415 (26%) for voriconazole and 131 of 422 (31%) for AmBisome; fever resolved during neutropenia in only 137 (33%) and 152 (36%) of episodes but the survival rates were 87% and 90% respectively. There were fewer severe infusion-related reactions related to voriconazole and less nephrotoxicity than was encountered with the polyene, but transient visual changes affected almost a quarter of those treated with the triazole.

Voriconazole is also effective as fluconazole in treating patients for oesophageal candidiasis achieving a cure rate of 113 of 155 (98.3%) compared 134 of 141 (95.0%) for the latter. Both drugs were generally well tolerated but again 16% of patients treated with voriconazole experienced mild reversible visual abnormalities. Indeed, visual disturbance seems characteristic of voriconazole, but, as yet, there has been no impact on long-term use, and this side effect may only prove important to ambulatory patients who should not drive or use machinery while affected (Tomaszewski *et al.* 2001).

Drug interactions

Voriconazole is both a substrate and an inhibitor of three key hepatic microsomal isoenzymes (cytochrome P450 3A4, 2C9 and 2C19) that are responsible for the metabolism of many commonly prescribed drugs. Co-administration of voriconazole with warfarin increases prothrombin time approximately 2-fold (Ghahramani *et al.* 2000b). So close monitoring of prothrombin time is recommended while both drugs are being administered together. Similarly, blood levels of cyclosporin and tacrolimus increase during treatment, with voriconazole requiring dosage adjustment when these increase excessively (Ghahramani *et al.* 2000h; Singh *et al.* 2001; Wood *et al.* 2001c). By contrast, voriconazole increases exposure to sirolimus (rapamycin) approximately 10-fold and is therefore contraindicated. Concentrations of prednisolone are also increased by about 33% although the clinical significance is unknown (Ghahramani *et al.* 2000d).

Voriconazole can increase plasma concentrations of phenytoin, and because this compound has a narrow therapeutic index, close monitoring of plasma levels with dose adjustment as necessary should be considered when the two drugs are given together (Ghahramani *et al.* 2000g). Voriconazole also increases the concentration of lovastatin and other statins as well as benzodiazepines, augmenting their therapeutic effects and, hence, the risk of toxicity. It may therefore be necessary to adjust the dose of these drugs.

Rifabutin and phenytoin are both inducers of cytochrome P450 isoenzymes and significantly decrease voriconazole levels (Ghahramani *et al.* 2000c). The non-nucleoside reverse transcriptase inhibitor nevirapine is also an inducer of CYP450 isoenzymes and has the potential to reduce voriconazole levels. The dose of voriconazole should be increased to 5 mg/kg b.d. i.v. or 400 mg b.d. orally (200 mg b.d. orally for subjects weighing less than 40 kg) to ensure voriconazole concentrations reach acceptable levels. It is likely that voriconazole will increase the plasma concentrations of ritonavir and with the narrow therapeutic index of the protease inhibitor, alternative treatment is recommended. By contrast, erythromycin, delavirdine, ritonavir and omeprazole are potent inhibitors of cytochrome P450 isoenzymes and may significantly increase voriconazole levels, requiring the dose of voriconazole to be reduced (Ghahramani *et al.* 2000f; Wood *et al.* 2001b).

There is no evidence of any interaction between voriconazole and mycophenolic acid (mofetil), digoxin or indinavir (Ghahramani *et al.* 2000a,e; Wood *et al.* 2001a).

Drug administration

The experience with itraconazole highlighted the need to ensure that the pharmacokinetics of triazole drugs do not differ from those found in less extreme patient populations. The pharmacokinetics of voriconazole among patients at risk of developing fungal infections were found to be consistent with those reported in healthy volunteers showing the same nonlinearity, rapid absorption and accumulation (Blummer *et al.* 2001). Because children have a higher elimination capacity of voriconazole than do adults on a body weight basis, the drug will have to be given at doses of 4 mg/kg/ b.d. to children to achieve similar exposure to that found among adults receiving 3 mg/kg b.d. (Walsh *et al.* 2001). Patients with moderate hepatic cirrhosis should receive the same loading dose of voriconazole but half the daily dose of normal subjects thereafter (Tan *et al.* 2001).

Posaconazole

Efficacy

Posaconazole is a close relative of itraconazole and seems destined to follow a similar course, as the drug is only available orally and efforts to develop a parenteral form have floundered. Like ravuconazole, the drug need only be given once daily because of its long half-life, but again the scope for clinical studies is limited. Studies of prophylaxis and treatment of candidiasis and for the prevention of aspergillosis are underway.

Oral therapy of proven oropharyngeal candidiasis with 50, 100, 200 and 400 mg/d posaconazole proved at least as effective as 100 mg/d fluconazole among 437 patients infected with HIV, with success being achieved in 77–87% for posaconazole groups and 89% for fluconazole (Vazquez *et al.* 2000). Mycological eradication rates were also similar, being 36–40% and 50% respectively. Except for nausea, which affected 17% of those given fluconazole compared with 5–9% of those given posaconazole, adverse reactons were few, mild and similar in all groups. Posaconazole suspension is also equally well tolerated and as effective as fluconazole in the treatment of proven oropharyngeal candidiasis (Nieto *et al.* 2000). The oral suspension of posaconazole has been given to 51 patients, of whom 47% had leukaemia, for proven or probable IFID (25 aspergillosis, 7 candidiasis, 5 fusariosis and 14 other infections) (Hachem *et al.* 2000). Patients started with 200 mg q.d.s. while in hospital, switching over to 400 mg b.d. after discharge. Favourable response rates after 4 weeks' therapy were 8/15 (53%) for aspergillosis, 3/4 (75%) for candidiasis, 3/4 (75%) for fusariosis and 6/7 (85%) for others, and the drug was well tolerated.

Drug interactions

As with itraconazole and voriconazole, posaconazole interacts with the cytochrome P450 isoenzymes. Co-administration of posaconazole with phenytoin results in significantly increased exposure to the latter drug (Courtney *et al.* 2001b). Hence the triazole should not be given to those receiving phenytoin. By contrast, the clearance of posaconazole increases 2-fold in the presence of rifabutin, hence these two drug should not be given together (Courtney *et al.* 2001c). If posaconazole is being given during treatment with cyclosporin, the dose of the latter should be reduced by 30% for heart transplant recipients, and monitoring of cyclosporin drug concentrations for dosage adjustments is recommended (Courtney *et al.* 2001a).

Drug administration

Too little is known to determine what the optimum dose and duration are, and it is not yet known whether this will be different for special-patient populations.

Ravuconazole

Efficacy

Ravuconazole, also a relative of fluconazole, is only proceeding through phase II trials. A parenteral form is being developed, but the drug is only available for trials in an oral form, limiting the scope of clinical studies. Its long half-life means once daily dosing will be recommended.

Ravuconazole given 400 mg orally once daily was as effective as fluconazole given 200 mg orally once daily for proven oesophageal candidiasis because 31/36 (86%) patients given the newer triazole were cured compared with 14/18 (78%) who had been given fluconazole (Beale *et al.* 2001). However, the cure rate for those given ravuconazole increased to 93% (26/28) once those taking rifampin had been excluded because the plasma concentrations of the drug were found to have been reduced by half. There also appears to be a dose–response relationship with ravuconazole. Three groups of 7–9 patients infected with HIV who had oropharyngeal candidiasis were allocated randomly to receive ravuconazole: 50 mg or 200 mg once daily on days 1–5; or 400 mg on day 1 and placebo on days 2–5 taken within 2 h of having a meal (Marino *et al.* 2001). Logistic regressions of clinical response (cured + improved) indicated that concentrations greater than 0.35 mg/L (equivalent to the protein-binding-adjusted minimum inhibitory concentration (MIC)) resulted in a greater than 80% probability of a favourable clinical response, and that concentrations exceeding 1.5 mg/L resulted in a similar probability of cure. This suggests that plasma concentrations of ravuconazole and MICs of the drug for the pathogenic strain might help determine both the dose and dosage schedule.

Drug interactions

Drug interactions similar to those found for the other triazoles might be expected for ravuconazole but the results of a sequential ascending dose study in which subjects were assigned to receive 50, 100, 200 or 400 mg orally once daily for 14 days showed the ratio of 6-β-hydroxycortisol/cortisol remained unchanged, indicating that it does not induce cytochrome P450 isoenzymes (Grasela *et al.* 2000). Moreover, ravuconazole appears to be a less potent inhibitor of cytochrome P450 3A4 when given concomitantly with simvastatin, which is a very sensitive substrate for the enzyme whereas other triazoles can induce a 10-fold increase in the area under the concentration curve (AUC) of simvastatin (Mummaneni *et al.* 2000).

Drug administration

Because ravuconazole has a long half-life and there is little variability between subjects, it may prove beneficial for treating conditions requiring long-term administration (Olsen et al. 2000). However, this has yet to be confirmed in clinical studies.

The candins

Caspofungin

One of the most interesting developments has been the discovery of the glucan synthesis inhibitors (Figure 9.2), the candins, which have been likened to penicillin in that they both inhibit the synthesis of the cell wall, for which there is no counterpart in the human host. Consequently they are relatively well tolerated and should prove the safest of the antifungal agents. One of the candins, caspofungin, has already gained a limited licence for salvage treatment of pulmonary invasive aspergillosis. Two other relatives, micafungin and anidulafungin, are at the early phases of their development. Like the new triazoles, these drugs are being explored for their efficacy in treating IFIDs due to *Candida* species and *Aspergillus* moulds. They will not prove effective in treating cryptococcosis because the yeasts involved are naturally resistant. However, the candins are active against *Pneumocystis carinii*, which may prove advantageous in certain clinical settings.

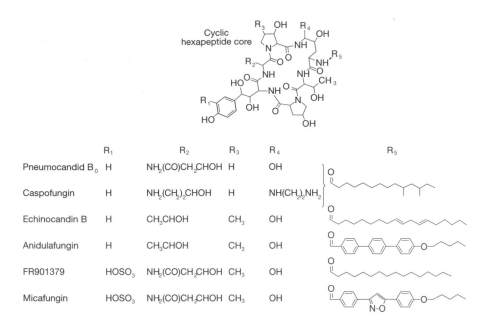

Figure 9.2 Structures of natural and semi-synthetic glucan-synthesis inhibitors. Echinocandin B is the archetype of this class of antifungal agents

Efficacy

Caspofungin gained a licence for the single indication of salvage treatment of invasive aspergillosis on the basis of a multicentre non-comparative phase II study. This seems at first curious, but because the outlook for patients who were refractory or intolerant to polyenes was considered so dismal any drug offering a better outcome was welcome. The evidence considered by the FDA Advisory group relied mainly on the outcome of treatment of 63 immunocompromised adults of whom 45 (65%) had proven invasive aspergillosis and 18 (29%) probable disease. Treatment with caspofungin was started with a loading dose of 70 mg caspofungin followed by 50 mg once daily for up to 162 days for a mean of 31 days (Maertens *et al.* 2000). Only 14 (22%) of the patients were neutropenic at baseline, but 41 (65%) had been treated for haematological malignancies with chemotherapy or a haematopoietic stem cell transplant (HSCT). A favourable response (complete and partial response) was achieved in 26 (41%) of the 63 patients at the time therapy was discontinued of whom 19 (36%) had been refractory to previous antifungal therapy. Overall, HSCT recipients, those with pre-existent neutropenia and those taking high-dose corticosteroids, responded well, but every patient with persistent neutropenia failed to respond. These results were in line with those obtained from a historical control group of patients with comparable diagnoses.

Intravenous caspofungin at a dose of 50 and 70 mg/day for 14 days was compared with amphotericin B desoxycholate 0.5 mg/kg of body weight/day for the treatment of endoscopically proven oesophageal candidiasis. A favourable response was seen for 38 (83%) of the 46 recipients treated with 50 mg/day caspofungin, 25 (89%) of the 28 recipients treated with 70 mg/day drug and 36 (67%) of the 54 recipients treated with amphotericin B. Caspofungin is also as effective as amphotericin B desoxycholate for treating oropharyngeal and oesophageal candidiasis although there was apparently a dose–response (Villanueva *et al.* 2001a). Only 25 of 34 (74%) patients treated with 35 mg/day responded favourably compared with 31 of 34 (91%) treated with 50 mg/day and 29 of 35 (83%) treated with 70 mg/day. Only 22 (62%) of the 35 patients treated with amphotericin B responded as well. Caspofungin given 50 mg/day also proved as effective and well tolerated as 200 mg/day fluconazole given intravenously in treating oesophageal candidiasis, with favourable response rates being 82% and 85% respectively (Villanueva *et al.* 2001b). Hence the recommended daily dose of 50 or 70 mg is not unreasonable (data on file).

Drug interactions

Caspofungin is neither a substrate for, nor an inhibitor of, the cytochrome P450 enzyme system. The kinetics of neither the candin nor itraconazole are significantly altered by co-administration of the drugs, which may prove an advantage should combination therapy be indicated. Similarly, there are no untoward interactions between caspofungin and amphotericin B or mycophenolic acid. Plasma concentrations and AUC of tacrolimus are reduced by approximately 20% when caspofungin is given but the dose of the immunesuppressant need not be altered unless levels become unacceptably low. Concentrations of cyclosporin are not affected by co-administration of caspofungin but concomitant treatment with the two drugs leads to an increase in the AUC of the candin of about a third. The clinical importance of this interaction has yet to be established but because there have been reports of transient increases in serum transaminases to three times the upper limit of normal, concomitant use of cyclosporin and caspofungin is not recommended.

Drug administration

Treatment with caspofungin looks destined to remain straightforward even for the elderly (Stone *et al.* 2000). One exception is those with moderate hepatic insufficiency for whom the daily dose should be reduced to 35 mg daily following the 70 mg loading dose (Stone *et al.* 2001).

Conclusions

The newer drugs can and do work, albeit in clinical trials which reflect only a limited segment of the potential beneficiaries. The question is how well will they work in practice given the nature of the patients likely to be treated. More knowledge is necessary about dosing and duration of treatment (Table 9.3) and there is still much to learn about how and when to use the drugs. The principal weakness of the candins is the lack of an oral form. To overcome this they will most likely be used the same way as amphotericin B and its lipid formulations, namely, for empirical, pre-emptive and specific therapy. Then, once a favourable response is obtained, treatment will be continued orally with the triazoles. Assuming posaconazole and ravuconazole gain approval, they will probably be used for primary prophylaxis and follow-up or maintenance therapy (also referred to as secondary prophylaxis). An alternative approach would be to make a triazole like voriconazole the core or first-line treatment simply because of equal efficacy, better toleration and the provision of flexible administration allowing the drug to be delivered by whatever route for as long as the patient is at risk. The candins, most likely caspofungin, will then be reserved for cases where the triazoles are not considered suitable. As the needs of patients continue to evolve and the population at risk of developing IFID continues to expand, the place of each of the antifungal agents may need to be redefined. Only time will tell. However, one thing is certain. None of the novel antifungal agents is likely to be cheap and so the current concerns about the economics of lipid formulations of amphotericin B will

Table 9.3 Strengths and weaknesses of the newer antifungal drugs

Drug	Uses	Potential strengths	Potential weaknesses
Voriconazole	Empirical Specific	Broad-spectrum Effective Safe Oral and parenteral forms	Drug interactions common. Optimum dose and duration unknown in special populations
Posaconazole	Prophylaxis Specific	Broad-spectrum Effective Safe	Drug interactions common. No parenteral form. Optimum dose and duration unknown in special populations
Ravuconazole	Prophylaxis Specific	Broad-spectrum Effective Safe Oral and parenteral form likely possibly fewer drug interactions than other triazoles	Optimum dose and duration unknown in special populations
Caspofungin	Treatment	Broad-spectrum Effective Safe	No oral form Optimum dose and duration unknown in special populations

provide a useful rehearsal for focusing attention on gaining a better balance between diagnosis and treatment than has been achieved, or even possible, hitherto.

References

Beale B, Queiroz-Telles F, Banhegyi D, Li N, Pierce PF (2001). Randomized, double-blind study of the safety and antifungal activity of ravuconazole relative to fluconazole in esophageal candidiasis. In *Proceedings of the 41st Interscience Conference on Antimicrobial Agents and Chemotherapy, Chicago, IL, USA, December 16–19, 2001*, abstract no. J-1621, 392.

Blummer JL, Yanovitch S, Schlamm H, Romero A (2001). Pharmacokinetics (PK) and safety of oral voriconazole (V) in patients at risk of fungal infections: a dose escalation study. In *Proceedings of the 41st Interscience Conference on Antimicrobial Agents and Chemotherapy, Chicago, IL, USA, December 16–19, 2001*, abstract no. A-15.

Boogaerts M, Winston DJ, Bow EJ *et al.* (2001). Intravenous and oral itraconazole versus intravenous amphotericin b deoxycholate as empirical antifungal therapy for persistent fever in neutropenic patients with cancer who are receiving broad-spectrum antibacterial therapy a randomized, controlled trial. *Annals of Internal Medicine* **135**, 412–422.

Courtney RD, Statkevich P, Laughlin M, Lim J, Clement RP, Batra VK (2001a). Effect of posaconazole on the pharmacokinetics of cyclosporine. In *Proceedings of the 41st Interscience Conference on Antimicrobial Agents and Chemotherapy, Chicago, IL, USA, December 16 19, 2001*, abstract no. A 27, 4.

Courtney RD, Statkevich P, Laughlin M *et al.* (2001b). Potential for a drug interaction between posaconazole and phenytoin. *Proceedings of the 41st Interscience Conference on Antimicrobial Agents and Chemotherapy, Chicago, IL, USA, December 16 19, 2001*, abstract no. A-28, 4.

Courtney RD, Statkevich P, Laughlin M *et al.* (2001c). Potential for a drug interaction between posaconazole and rifabutin. *Proceedings of the 41st Interscience Conference on Antimicrobial Agents and Chemotherapy, Chicago, IL, USA, December 16–19, 2001*, abstract no. A-29, 4.

Denning DW, Ribaud P, Milpied N *et al.* (2002). Efficacy and safety of voriconazole in the treatment of acute invasive aspergillosis. *Clinical Infectious Diseases* **34**, 5.

Ghahramani P, Purkins L, Kleinermans D, Love ER, Nichols DJ (2000a). No significant pharmacokinetic interactions between voriconazole and indinavir. In *Proceedings of the 40th Interscience Conference on Antimicrobial Agents and Chemotherapy, Toronto, Ontario, Canada, September 17 20, 2000*, abstract no. 848, 24.

Ghahramani P, Purkins L, Kleinermans D, Nichols DJ (2000b). Voriconazole potentiates warfarin-induced prolongation of prothrombin time. In *Proceedings of the 40th Interscience Conference on Antimicrobial Agents and Chemotherapy, Toronto, Ontario, Canada, September 17–20, 2000*, abstract no. 846, 24.

Ghahramani P, Purkins L, Kleinermans D, Nichols DJ (2000c). Effects of rifampicin and rifabutin on the pharmacokinetics of voriconazole. In *Proceedings of the 40th Interscience Conference on Antimicrobial Agents and Chemotherapy, Toronto, Ontario, Canada, September 17–20, 2000*, abstract no. 844, 23.

Ghahramani P, Purkins L, Kleinermans D, Nichols DJ (2000d). The pharmacokinetics of voriconazole and its effect on prednisolone disposition. In *Proceedings of the 40th Interscience Conference on Antimicrobial Agents and Chemotherapy, Toronto, Ontario, Canada, September 17–20, 2000*, abstract no. 842, 23.

Ghahramani P, Purkins L, Kleinermans D, Nichols DJ (2000e). Voriconazole does not affect the pharmacokinetics of digoxin. 849. In *Proceedings of the 40th Interscience Conference on Antimicrobial Agents and Chemotherapy, Toronto, Ontario, Canada, September 17–20, 2000*, abstract no. 849, 25.

Ghahramani P, Purkins L, Kleinermans DJ, Nichols DJ (2000f). Effect of omeprazole on the pharmacokinetics of voriconazole. In *Proceedings of the 40th Interscience Conference on Antimicrobial Agents and Chemotherapy, Toronto, Ontario, Canada, September 17–20, 2000*, abstract no. 843, 23.

Ghahramani P, Purkins L, Love ER, Eve MD, Fielding A, Nichols DJ (2000g). Drug interactions between voriconazole and phenytoin. In *Proceedings of the 40th Interscience Conference on Antimicrobial Agents and Chemotherapy, Toronto, Ontario, Canada, September 17–20, 2000*, abstract no. 847, 24.

Ghahramani P, Romero AJ, Lant AF, Allen MJ (2000h). The effect of voriconazole on the pharmacokinetics of cyclosporin. In *Proceedings of the 40th Interscience Conference on Antimicrobial Agents and Chemotherapy, Toronto, Ontario, Canada, September 17–20, 2000*, 845, 24.

Grasela DM, Olsen SJ, Mummaneni V et al. (2000). Ravuconazole: multiple ascending oral dose study in healthy subjects. In *Proceedings of the 40th Interscience Conference on Antimicrobial Agents and Chemotherapy, Toronto, Ontario, Canada, September 17–20, 2000*, abstract no. 939, 22.

Hachem RY, Raad II, Afif CM et al. (2000). An Open, Non-Comparative Multicenter Study to Evaluate Efficacy and Safety of Posaconazole (SCH 56592) in the Treatment of Invasive Fungal Infections (IFI) Refractory (R) to or Intolerant (I) to Standard Therapy (ST). In *Proceedings of the 40th Interscience Conference on Antimicrobial Agents and Chemotherapy, Toronto, Ontario, Canada, September 17–20, 2000*, abstract no. 1109, 372.

Herbrecht R, Denning DW, Kern WV et al. (2001). Open, randomised comparison of voriconazole (VRC) and amphotericin B (AMB) followed by other licensed antifungal therapy (OLAT) for primary therapy of invasive aspergillosis. In *Proceedings of the 41st Interscience Conference on Antimicrobial Agents and Chemotherapy, Chicago, IL, USA, December 16–19, 2001*, abstract no. J-680, 378.

Maertens J, Raad I, Sable CA et al. (2000). Multicenter, Noncomparative study to evaluate safety and efficacy of caspofungin (CAS) in adults with invasive aspergillosis (IA) refractory (R) or intolerant (I) to amphotericin B (AMB), AMB lipid formulations (Lipid AMB), or azoles. *Proceedings of the 40th Interscience Conference on Antimicrobial Agents and Chemotherapy, Toronto, Ontario, Canada, September 17–20, 2000*, abstract no. 1103, 371.

Marino M, Mummaneni V, Norton J, Hadjilambris O, Pierce P (2001). Ravuconazole exposure–response relationship in HIV+ patients with oropharyngeal candidiasis. *Proceedings of the 41st Interscience Conference on Antimicrobial Agents and Chemotherapy, Chicago, IL, USA, December 16–19, 2001*, abstract no. J-1622, 393.

Mummaneni V, Geraldes M, Hadjilambris OW, Ouyang Z, Uderman H (2000). Effect of ravuconazole on the pharmacokinetics of simvastatin in healthy subjects. In *Proceedings of the 40th Interscience Conference on Antimicrobial Agents and Chemotherapy, Toronto, Ontario, Canada, September 17–20, 2000*, abstract no. 841, 23.

Nieto L, Northland R, Pittisuttithum R et al. (2000). Posaconazole equivalent to fluconazole in the treatment of oropharyngeal candidiasis. In *Proceedings of the 40th Interscience Conference on Antimicrobial Agents and Chemotherapy, Toronto, Ontario, Canada, September 17–20, 2000*, abstract no. 1108, 372.

Olsen SJ, Mummaneni V, Rolan P, Norton J (2000). Ravuconazole single ascending oral dose study in healthy subjects. In *Proceedings of the 40th Interscience Conference on Antimicrobial Agents and Chemotherapy, Toronto, Ontario, Canada, September 17–20, 2000*, abstract no. 838, 22.

Rex JH, Walsh TJ, Nettleman M *et al.* (2001). Need for alternative trial designs and evaluation strategies for therapeutic studies of invasive mycoses. *Clinical Infectious Diseases* **33**, 95–106.

Singh N, Zhang S, Gayowski T, Venkataramanan R (2001). Voriconazole inhibition of tacrolimus metabolism after liver transplantation and in human liver microsomes. In *Proceedings of the 41st Interscience Conference on Antimicrobial Agents and Chemotherapy, Chicago, IL, USA, December 16–19, 2001*, abstract no. A-21, 2.

Stone JA, Ballow CH *et al.* (2000). Single dose caspofungin pharmacokinetics in healthy elderly subjects. *40th Interscience Conference on Antimicrobial Agents, Toronto, Ontario, Canada, American Society of Microbiology, Washington DC*. Abstract no. 853.

Stone J, Holland S, Li S *et al.* (2001). Effect of hepatic insufficiency on the pharmacokinetics of caspofungin. In *Proc. 41st ICAAC, Chicago, IL, USA*, abstract no. A-14, 1.

Tan KKC, Wood N, Weil A (2001). Multiple-dose pharmacokinetics of voriconazole in chronic hepatic impairment. In *Proceedings of the 41st Interscience Conference on Antimicrobial Agents and Chemotherapy, Chicago, IL, USA, December 16–19, 2001*, abstract no. A-16, 1.

Tomaszewski K & Purkins L (2001). Visual effects with voriconazole. In *Proceedings of the 41st Interscience Conference on Antimicrobial Agents and Chemotherapy, Chicago, IL, USA, December 16–19, 2001*, abstract no. A-639, 20.

Vazquez JA, Northland R, Miller S, Dickinson G, Wright G (2000). Posaconazole compared to fluconazole for oral candidiasis in HIV-positive patients. In *Proceedings of the 40th Interscience Conference on Antimicrobial Agents and Chemotherapy, Toronto, Ontario, Canada, September 17–20, 2000*, abstract no. 1107, 372.

Villanueva A, Arathoon EG, Gotuzzo E, Berman RS, DiNubile MJ, Sable CA (2001a). A randomized double-blind study of caspofungin versus amphotericin for the treatment of candidal esophagitis. *Clinical Infectious Diseases* **33**, 1529–1535.

Villanueva A, Gotuzzo E, Arathoon E *et al.* (2001b). The efficacy, safety, and tolerability of caspofungin vs. fluconazole in the treatment of esophageal candidiasis. In *Proceedings of the 41st Interscience Conference on Antimicrobial Agents and Chemotherapy, Chicago, IL, USA, December 16–19, 2001*, abstract no. J-675, 376.

Walsh TJ, Finberg RW, Arndt C *et al.* (1999). Liposomal amphotericin B for empirical therapy in patients with persistent fever and neutropenia. National Institute of Allergy and Infectious Diseases Mycoses Study Group. *New England Journal of Medicine* **340**, 764–771.

Walsh TJ, Arguedas A, Driscoll T *et al.* (2001). Pharmacokinetics of intravenous voriconazole in children after single and multiple dose administration. In *Proceedings of the 41st Interscience Conference on Antimicrobial Agents and Chemotherapy, Chicago, IL, USA, December 16–19, 2001*, abstract no. A-17, 2.

Walsh TJ, Pappas P, Winston DJ *et al.* (2002). Voriconazole compared with liposomal amphotericin B for empirical antifungal therapy in patients with neutropenia and persistent fever. *New England Journal of Medicine* **346**, 225–234.

Wood N, Abel S, Fielding A, Nichols DJ, Bygrave E (2001a). Voriconazole does not affect the pharmacokinetics of mycophenolic acid. In *Proceedings of the 41st Interscience Conference on Antimicrobial Agents and Chemotherapy, Chicago, IL, USA, December 16–19, 2001*, abstract no. A-24, 3.

Wood N, Tan K, Allan R, Fielding A, Nichols DJ (2001b). Effect of voriconazole on the pharmacokinetics of omeprazole. In *Proceedings of the 41st Interscience Conference on Antimicrobial Agents and Chemotherapy, Chicago, IL, USA, December 16–19, 2001*, abstract no. A-19, 2.

Wood N, Tan K, Allan R, Fielding A, Nichols DJ (2001c). Effect of voriconazole on the pharmacokinetics of tacrolimus. In *Proceedings of the 41st Interscience Conference on Antimicrobial Agents and Chemotherapy, Chicago, IL, USA, December 16–19, 2001*, abstract no. A-20, 2.

Chapter 10

Combination chemotherapy and aggressive approaches to the management of systemic fungal infection: the evidentiary basis of current strategies and regimens

Rosemary A Barnes

Introduction

Standard approaches to the management of systemic fungal infection are based on the use of amphotericin B imposed on a background of 'protocol-driven' prophylaxis, empirical and pre-emptive antifungal therapies in patients considered at-risk. There is little evidence from randomised trials to support this approach (Johansen and Gotzsche 2001) and the continued rise in the incidence of infections and the considerable mortality in immunocompromised patients have led to a re-evaluation and the introduction of more aggressive treatments.

Immunocompromised patients with systemic infection may need a combination of fungicidal drugs, immunomodulation and surgery.

Combination therapy

The principle of using synergistic or additive antibiotics in combination for the treatment of bacterial infection is well established, particularly when dealing with serious infection in immunocompromised hosts. Extrapolation of the principle to the treatment of fungal infection appears logical especially since the number of broad-spectrum antifungal agents available is increasing. Lipid preparations of amphotericin, newer triazole agents, echinocandins, and potentially synergistic combinations incorporating flucytosine or terbinafine have been used successfully. However, not all drugs are fungicidal against all species and the results of *in vitro* susceptibility testing do not always accurately reflect clinical outcome. Animal models may show different pharmacokinetics. Decisions must be based on the individual patients, infecting species and site of infection.

Amphotericin B plus flucytosine

There is good evidence to support the use of this combination in the treatment of cryptococcal disease, with improvements in cure rates and time to sterilisation of cerebrospinal fluid when compared with amphotericin B alone (Bennett *et al.* 1979) and reduced relapse rates compared with fluconazole (Larsen *et al.* 1990).

In other fungal infections, data are more limited and there are few randomised control trials. Amphotericin B and flucytosine are often advocated for the treatment of candidal infections in neonates and for candida endocarditis. Despite demonstration of *in vitro* synergy, good tissue penetration and activity against some problem *Candida* species (e.g. *C. glabrata and C. lusitaniae)*, there is little evidence that combinations of flucytosine are more effective than monotherapy (Abele-Horn *et al.* 1996). Current guidelines from the Infectious Diseases Society of America (Rex *et al.* 2000) categorise the evidence for usage in candidaemia or acute disseminated candidosis as CIII (i.e. poor evidence to support a recommendation; evidence based on expert opinion, clinical experience and descriptive studies).

In invasive aspergillosis the evidence for combination flucytosine therapy is even weaker. Little or no activity of flucytosine against moulds can be demonstrated and although some historical successes are reported (Denning and Stevens 1990), the evidence for efficacy is absent (Stevens *et al.* 2000). Theoretical benefits from reduced amphotericin B toxicity due to the ability to administer lower dosages have not been demonstrated clinically and the risk of myelosuppression often outweighs any potential benefit.

Azole plus flucytosine combinations

Combining flucytosine with an azole to avoid the toxicities associated with amphotericin B treatment may seem attractive but there are little data to support the practice. In candida oesophagitis no benefit was seen following the combination of itraconazole and flucytosine compared with fluconazole alone (Barbaro *et al.* 1996).

Amphotericin B and azole combinations

Theoretical considerations suggest that the combination of a cidal antifungal that binds to ergosterol (e.g. amphotericin B) and a fungistatic agent that reduces ergosterol synthesis (e.g. azoles) could potentially display antagonism through reduction in ergosterol binding sites and reduced polyene activity. *In vitro* evidence suggests this may be the case and there is no rational basis for this combination in practice. Standardised methodologies (e.g. The National Committee for Clinical Laboratory Standards (NCCLS) approved microbroth dilution method) cannot identify interactions because minimum inhibitory concentrations (MICs) tend to distribute over a very narrow range leading to a clustering effect that can mask significant interactions. E-testing methodologies clearly demonstrate inhibition between azoles, including newer triazole agents and amphotericin B (Lewis and Kontoyiannis 2001). Time-kill studies show little interaction when the two agents are given simultaneously but show antagonism when azole treatment precedes the polyene (Lewis *et al.* 1998). With lipophilic azoles such as ketoconazole and itraconazole the effect may be marked and prolonged possibly through adsorption onto the cell surface (Scheven and Schwegler 1995). Animal studies support the *in vitro* results with antagonism demonstrated between amphotericin and fluconazole or itraconazole in mouse and rabbit models (Sanati et al. 1997; Le Monde *et al.* 2000). In the only clinical trail conducted in patients with candidaemia, the combination of fluconazole plus amphotericin B was not antagonistic when compared with fluconazole plus placebo but an effect on amphotericin B was not investigated (Rex *et al.* 2001).

Other combinations

Terbinafine is an allylamine compound widely used for the treatment of superficial dermatophyte infections. However, *in vitro* susceptibility data suggest it may have a broader spectrum of activity and could be of use in the treatment of candidosis and other systemic mycoses (Balfour and Faulds 1992). Synergy with azoles and amphotericin has been demonstrated (Jessup *et al.* 2000) and preliminary clinical studies confirm this, but further experience is needed (Hay 1999). Anecdotal data suggest that this could provide a useful strategy for the treatment of resistant species of fungi (Ghannoum and Elewski 1999).

New antifungal drugs in development include the echinocandins, which inhibit β-(1,3)-glucan synthesis. *In vitro* studies suggest some synergy with polyenes but because caspofungin is the only licensed member of the group and has only recently become available for clinical use, information is limited.

Immunomodulation

Patients with systemic infection display marked immune dysfunction. In addition, the immune response may be modulated by the fungus itself and at the level of the antigen-presenting cell.

Cytokines

Protective immune responses to fungal infection (Figure 10.1) are dependent on a Th1-type response that requires the concerted effect of pro-inflammatory cytokines including interferon-γ, tumour necrosis factor-α (TNF), Interleukin (IL)-12 and IL-6 in the relative absence of Th2 type cytokines such as IL-4, IL-10 and transforming growth factor-β (Romani 2000). T-cell responses in mice with candidosis are dose dependent: low levels of infection lead to Th1 responses and high levels to Th2 responses. Neutralisation of interferon-γ and IL-12 leads to a Th2 response whereas the addition of recombinant IL-2 or soluble IL-4 receptors or IL-10 monoclonal antibodies is protective (Mencacci *et al.* 2000). Clinical data are limited but interferon-γ is established as a useful agent in the prevention of fungal and other infections in patients with chronic granulomatous disease (Gallin *et al.* 1991). It is effective in mouse models of disseminated candidosis (Van der Meer *et al.* 1998) and has been used in a few anecdotal cases of chronic infection in man (Poynton *et al.* 1998).

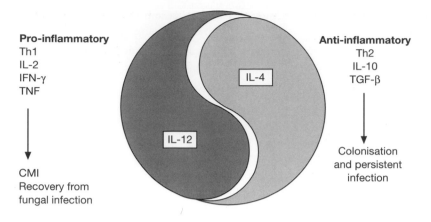

Figure 10.1 Th1/Th2 polarisation

Growth factors

Growth factors have the potential to increase phagocyte numbers and act as immunomodulators. Our understanding of the mechanisms involved is limited and although no survival benefit has been demonstrated, amelioration of chemotherapy-induced neutropenia has significantly reduced the incidence of febrile neutropenia (Oncology Assoc. 1996). Granulocyte macrophage – colony stimulating factor (GM–CSF) has the broadest range of activities for stimulating phagocytes and fungicidal killing capacity, followed by macrophage-colony stimulating factor (M-CSF) and granulocyte-colony stimulating factor (G-CSF) (Bodey *et al.* 1993; Stevens *et al.* 1998). Growth factors and antifungal agents (including lipid preparations) may act synergically and this may convert the fungistatic activity of many azole agents into a fungicidal one (Natarajan *et al.* 1998).

Most studies have involved G-CSF. However, the anti-inflammatory effects of this growth factor including decreased tumour necrosis factor and IL-12 and increased IL-10 production (Hartung *et al.* 1995) may be significant, and such treatment could be detrimental in chronic fungal infection. Clinical evidence suggests that G-CSF post-transplantation can induce long-lasting Th2-type responses associated with defective immunity against fungal infection (Volpi *et al.* 2001). Growth factors with pro-inflammatory activity such as GM–CSF are more attractive. In a small, randomised trial of the addition of GM–CSF to systemic antifungal treatment (predominantly liposomal amphotericin) in patients with proven and CT-diagnosed probable fungal infection, GM–CSF treated patients showed a significant survival benefit (Table 10.1) over patients receiving standard therapy alone (CH Poynton, Cardiff, personal communication). Other pro-inflammatory cytokines may also have a role (Cenci *et al.* 1997) and aggressive therapeutic strategies should consider ways of overcoming the defects in the host immune response (Romani 2001).

Table 10.1 Role of GM–CSF in response of patients with proven invasive fungal infection (IFI)

	Antifungal	Antifungal + GM-CSF
Fatal IFI	13	6
Recovery from IFI	7	14
Total	20	20

$p = 0.025$
(CH Poynton, Cardiff, personal communication)

Granulocyte transfusions

Granulocyte transfusions are also undergoing re-evaluation, with the ability to prime unrelated donors with G-CSF overcoming many of the earlier limitations of this treatment (Hubel *et al*. 2001). Fungal infections in particular may be an indication for such adjunctive therapy (Clarke *et al*. 1995; Casadevall and Pirofski 2001) and phase II studies have shown a benefit in candidaemia patients (Price *et al*. 2000).

Surgery

Surgery has been recommended as adjuvant therapy particularly in aspergillosis and zygomycoses. Usage is limited by the concerns of high peri-operative morbidity and mortality associated with the presence of neutropenia and thrombocytopenia in many of the patients involved. Recent reports have not borne this out and surgery undoubtedly has a place in management with acceptable operative morbidity and improved survival rates. A recent study of lung resection in 28 neutropenic, thrombocytopenic patients with suspected pulmonary aspergillosis (Habicht *et al*. 1999) reported a surprisingly low rate of complications. Mean blood loss was around 300 ml and stay on the intensive care unit was brief (mean one day). There was no intra-operative mortality and long-term survival was 55%. Earlier studies support this data (Caillot *et al*. 1997; Robinson *et al*. 1995; Salerno *et al*. 1998; Wong *et al*. 1992; Young *et al*. 1992) and show a survival rate that compares more than favourably with medical treatment (Table 10.2).

Table 10.2 Lung resection for suspected pulmonary fungal infection. Outcomes from six reported studies

	Number of patients (%)
Peri-operative mortality	10/113 (13)
Fungal relapse	10/101* (10)
Long-term survival (11–32 months)	57%

*, Number of cases of fungal infection confirmed at lung resection.
Data compiled from Caillot *et al*. (1997), Habicht *et al*. (1999), Robinson *et al*. (1995), Salerno *et al*. (1998), Wong *et al*. (1992), Young *et al*. (1992).

Even multilobular disease may not be a contraindication to surgery as removal of a dominant focus may improve survival. It is likely reduction of fungal load is immunmodulatory and can switch immune responses in much the same way as pro-inflammatory cytokines (Mencacci *et al.* 2000).

A further consideration is the proximity of fungal lesions to major blood vessels as determined by computerised tomography (CT) scanning and the inherent risk of pulmonary haemorrhage. As fatal haemorrhage can occur at any time, even in patients who appear to be responding, surgery may be considered in those felt to be at risk (Figure 10.2). Also, in patients in whom stem cell transplantation is planned, surgical removal of focal disease before transplant is recommended (Yeghen *et al.* 2000).

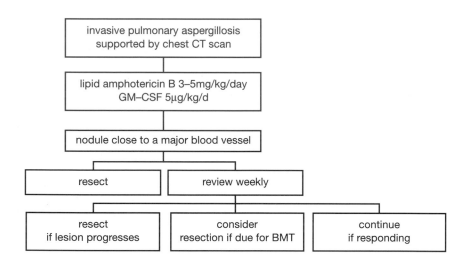

BMT, bone marrow transplantation

Figure 10.2 Management of invasive pulmonary aspergillosis in patients with haematological malignancies (adapted from Yeghen *et al.* 2000)

Conclusions

Aggressive combination regimens are being used increasingly. However, few if any randomised trials have been conducted. The evidentiary basis relies largely on comparison with historical controls and results must be interpreted with this in mind.

References

Abele-Horn M, Kopp A, Sternberg U *et al.* (1996). A randomized study comparing fluconazole with amphotericin B/5-flucytosine for the treatment of systemic *Candida* infections in intensive care patients. *Infection* **24**, 426–432.

Balfour JA & Faulds D (1992). Terbinafine: a review of its pharmacodynamic and pharmacokinetic properties and therapeutic potential in superficial mycoses. *Drugs* **43**, 259 284.

Barbaro G, Barbarini G, Di Lorenzo G (1996). Fluconazole versus itraconazole – flucytosine association in the treatment of oesophageal in AIDS patients. A double-blind, multicentre, placebo-controlled study. The candida esophagitis multicentre Italian study (CEMIS) group. *Chest* **110**, 1507–1514.

Bennett JE, Dismukes WE, Duma RJ et al. (1979). A comparison of amphotericin B alone and combined with flucytosine in the treatment of cryptoccal meningitis. *New England Journal of Medicine* **301**, 126–131.

Caillot D, Casasnovas O, Bernard A et al. (1997). Improved management of invasive pulmonary aspergillosis in neutropenic patients using early thoracic computed tomographic scan and surgery. *Journal of Clinical Oncology* **15**, 139–147.

Casadevall A & Pirofski LA (2001). Adjunctive immune therapy for fungal infections. *Clinical Infectious Diseases* **33**, 1048–1056.

Bodey GP, Anaissie E, Gutterman J, Vadhan-Raj S (1993). Role of granulocyte-macrophage colony-stimulating factor as adjuvant therapy for fungal infection in patients with cancer. *Clinical Infectious Diseases* **17**, 705–707.

Cenci E, Mencacci A, Del Sero G, Bistoni F, Romani L (1997). Induction of protective Th1 responses to *Candida albicans* by antifungal therapy alone or in combination with an Interleukin-4 antagonist. *Journal of Infectious Diseases* **176**, 217–226.

Clarke K, Szer J, Shelton M, Coghlan D, Grigg A (1995). Multiple granulocyte transfusions facilitating successful unrelated bone marrow transplantation in a patient with very severe aplastic anemia complicated by suspected fungal infection. *Bone Marrow Transplantation* **16**, 723–726.

Denning DW, Stevens DA (1990). Antifungal and surgical treatment of invasive aspergillosis: review of 2,121 published cases. *Reviews Infectious Diseases* **12**, 1147–1201.

Gallin JI, Malech HL, Weening RS et al. The International Chronic Granulomatous Disease Cooperative Study Group (1991). A controlled trial of interferon gamma to prevent infection in chronic granulomatous disease. *New England Journal of Medicine* **324**, 509 516.

Ghannoum MA & Elewski B (1999). Successful treatment of fluconazole-resistant oropharyngeal candidiasis by a combination of fluconazole and terbinafine. *Clinical Diagnosis and Laboratory Immunology* **6**, 921–923.

Habicht JM, Reichenberger F, Gratwohl A et al. (1999). Surgical aspects of resection for suspected invasive pulmonary fungal infection in neutropenic patients. *Annals of Thoracic Surgery* **68**, 321–325.

Hartung T, Docke W-D, Gantner F et al. (1995). Effect of granulocyte colony-stimulating factor treatment on ex vivo blood cytokine response in human volunteers. *Blood* **85**, 2482–2489.

Hay R (1999). Therapeutic potential of terbinifine in subcutaneous and systemic mycoses. *British Journal of Dermatology* **141** (Suppl. 56), 36–40.

Hubel K, Dale DC, Liles WC (2001). Granulocyte transfusion therapy: update on potential clinical applications. *Current Opinion in Hematololgy* **8**,161–164.

Jessup CJ, Ryder NS, Ghannoum MA (2000). An evaluation of the in vitro activity of terbinafine. *Medical Mycology* **38**, 155–159.

Johansen HK & Gotzsche PC (2003). Amphotericin B versus fluconazole for controlling fungal infections in neutropenic cancer patients (Cochrane Review). In: *The Cochrane Library,* issue 1. Oxford: Update Software.

Larsen RA, Leal MA, Chan LS (1990). Fluconazole compared with amphotericin B plus flucytosine for cryptococcal meningitis in AIDS. A randomized trial. *Annals of Internal Medicine* **113**, 183–187.

Lewis RE, Kontoyiannis DP (2001). Rationale for combination antifungal therapy *Pharmacotherapy* **21**, 149s–164s.

Le Monde, Washum KE, Smedema ML, Schnizlein-Bick C, Kohler SM, Wheat LJ (2000). Amphotericin B combined with itraconazole or fluconazole for treatment of histoplasmosis. *Journal of Infectious Diseases* **182**, 545–550.

Lewis RE, Lund BC, Klepser ME, Ernst EJ, Pfaller MA (1998). Assessment of antifungal activites of fluconazole and amphotericin administered alone and in combination against a C.albicans using a dynamic in vitro mycotic infection model. *Antimicrobial Agents and Chemotherapy* **42**, 1382–1386.

Mencacci A, Cenci E, Bacci A, Bistoni F, Romani L (2000). Host immune reactivity determines the efficacy of combination immunotherapy and antifungal chemotherapy in candidiasis. *Journal of Infectious Diseases* **181**, 686–694.

Natarajan U, Randhawa N, Brummer E *et al.* (1998). Effect of granulocyte-macrophage colony-stimulating factor on candidacidal activity of neutrophils, monocytes or monocyte-derived macrophages and synergy with fluconazole. *Journal of Medical Microbiology* **47**, 359–363.

Oncology Assoc. (1996). Update of recommendations for the use of hematopoietic colony stimulating factors: Evidence-based clinical practice guidelines. *Journal of Clinical Oncology* **14**, 1957–1960.

Poynton CH, Barnes RA, Rees J (1998). Interferon gamma in the treatment of deep-seated fungal infection in acute leukemia. *Clinical Infectious Disease* **26**, 239–240.

Price TH, Bowden RA, Boeckh M *et al.* (2000). Phase I/II trial of neutrophil transfusions from donors stimulated with G-CSF and dexamethasone for treatment of patients with infections in hematopoietic stem cell transplantation. *Blood* **95**, 3302–3309.

Rex JH, Pappas PG, Karchmer AW *et al.* and the Candidemia Study Group (2001). Randomized and blinded multicenter trial of high-dose fluconazole (F) + placebo (P) vs. F + amphotericin B (A) as treatment of candidemia in non-neutropenic patients [Abstract J-681a]. In: *Abstracts of the 41st Interscience Conference on Antimicrobial Agents and Chemotherapy, Chicago, USA, December 16–19, 200.*

Rex JH, Walsh TJ, Sobel JD *et al.* (2000). Practice guidelines for the treatment of candidiasis. *Clinical Infectious Diseases* **30**, 662–678.

Robinson LA, Reed EC, Galbraith TA *et al.* (1995). Pulmonary resection for invasive aspergillus infections in immunocompromised patients. *Journal of Thoracic Cardiovascular Surgery* **109**, 1182–1197.

Romani L (2000). Innate and adaptive immunity in Candida albicans infections and saprophytism. *Journal of Leucocyte Biology* **68**, 175–179.

Romani L (2001). Host immune reactivity and antifungal chemotherapy: the power of being together. *Journal of Chemotherapy* **13**, 347–353.

Salerno CT, Ouyang DW, Pederson TS *et al.* (1998). Surgical therapy for pulmonary aspergillosis in immunocompromised patients. *Annals of Thoracic Surgery* **65**, 1415–1419.

Sanati H, Ramos CF, Bayer AS, Ghannoum MA (1997). Combination therapy with amphotericin B and fluconazole against invasive candidiasis in neutropenic-mouse and infective-endocarditis rabbit models. *Antimicrobial Agents and Chemotherapy* **41**, 1345–1348

Scheven M & Schwegler F (1995). Antagonistic interactions between azoles and AmB with yeasts depend on azole lipophilia for special test conditions in vitro. *Antimicrobial Agents and Chemotherapy* **39**, 1779–1783.

Stevens DA, Kan VL, Judson MA *et al.* (2000). Practice guidelines for diseases caused by Aspergillus. *Clinical Infectious Diseases* **30**, 696–709.

Stevens DA, Walsh TJ, Bistoni F *et al.* (1998). Cytokines and mycoses. *Medical Mycology* (Suppl.) **36**, 174–182.

Van der Meer JWM, Vogels MTE, Netea MG, Kullberg BJ (1998). Proinflammatory cytokines and treatment of disease. *Annals of the New York Academy of Sciences* **856**, 243–251.

Volpi I, Perruccio K, Tosti A *et al.* (2001). Postgrafting administration of granulocyte colony-stimulating factor impairs functional immune recovery in recipients of human leukocyte antigen haplotype-mismatched hematopoietic transplants. *Blood* **97**, 2514–2521.

Wong K, Waters CM, Walesby RK (1992). Surgical management of invasive pulmonary aspergillosis in immunocompromised patients. *European Journal of Cardiothoracic Surgery* **6**, 138–143.

Yeghen T, Kibbler CC, Prentice HG *et al.* (2000). Management of invasive pulmonary aspergillosis in hematology patients: a review of 87 consecutive cases at a single institution. *Clinical Infectious Diseases* **31**, 859–868.

Young VK, Maghur HA, Luke DA *et al.* (1992). Operation for cavitating invasive pulmonary aspergillosis in immunocompromised patients *Annals of Thoracic Surgery* **53**, 621–624.

PART 5

Economic evaluation, service deficiencies and clinical errors in SFI

Chapter 11

Pharmacoeconomics: an evaluation of the treatment options for fungal infection. A review of available data of direct relevance to clinical decision making.

Christopher Dalley and Adrian Newland

Introduction

Limited monetary resources and an increase in the cost of healthcare and pharmaceuticals in excess of inflation have led to a more rigorous appraisal of the financial pressures associated with the provision of care to patients. This necessity has led to the relatively new speciality that is pharmacoeconomics. Pharmacoeconomics is concerned with research methods that focus on the identification and measurement of costs and benefits related to the use and abuse of pharmaceuticals.

The application of pharmacoeconomics is founded upon the same principles that apply to all healthcare economics. Consequently several key concepts are central to pharmacoeconomic evaluation and include efficiency, opportunity costs, and marginal costs. Efficiency is a measure of the ability to obtain benefit or 'health gain' from a drug given limited resources. Opportunity costs can be defined as the benefit foregone when selecting one drug over the next best alternative and can be measured in monetary terms or in terms of time. Marginal costs or incremental analysis is a monetary assessment of therapeutic alternatives by comparing their difference in cost against the difference in effectiveness, i.e. 'how much more can be justified to secure a desirable outcome'.

The pharmacoeconomic 'cost' arising from drug therapy relates not only to acquisition cost but also to all implications of drug therapy including time lost from work, expenditure resulting from the management or delay in the instigation of treatment due to drug toxicity. These 'costs' can be defined as follows.

Direct costs arise directly from healthcare and include items such as drugs, consumables, staff and capital costs.

Indirect costs are experienced by the patient, the patient's family or friends. Often difficult to measure, they may include loss of earnings, loss of productivity, leisure time, or cost of travel to hospital.

Intangible costs are related to illness and are often difficult to evaluate in monetary terms, thus 'quality of life' measures often used. These costs include the pain, distress and anxiety suffered by the patient, family and or friends.

The methodologies used in pharmacoeconomic study may vary depending upon the nature of the problem being examined; however, the most widely applied methods include cost–benefit analysis, cost-minimisation analysis, cost-of-illness studies and cost–utility analysis. Cost–benefit analysis is generally well understood for the management of infection. In this type of analysis, the costs of treatment and outcome, beneficial or otherwise, are expressed in monetary terms. However, this type of analysis may ignore numerous intangible benefits that are difficult to measure in monetary terms such as patient anxiety, which may well be of fundamental importance to the patient.

If the parameters by which the benefits of different therapies are not directly comparable, a cost–utility analysis can be undertaken. In this type of analysis outcome is measured in terms of patient well being (utility), and a measurement is created that encompasses the benefits of the different therapies. One such measurement unit proposed for this purpose is the quality adjusted life year (QALY) (Calman 1987; Torrance and Feeney 1989). In essence, a treatment that adds one year of good health is more desirable than one that adds one year of poor health. Typically in cost–utility analysis, outcomes may be evaluated not only in monetary terms but also subjectively as impact on the patient: for example, an antifungal agent may be appraised in terms of added treatment costs, but by using a cost–utility analysis adverse reactions could be compared for impact on patient well-being.

Cost-effective analysis is frequently used to refer to all forms of pharmacoeconomic analysis. However, it specifically refers to outcome analysis in which health benefit is defined and measured in 'natural' units such as percentage of patients cured, and the costs are measured in monetary terms. It is important to remember that a drug defined as the most cost-effective may not necessarily be the least costly, because a therapeutic agent may be considered to be of greater cost-effectiveness if more expensive than an alternative, but with an additional benefit thought to be worth the extra expenditure.

The simplest form of pharmacoeconomic evaluation relies upon the direct comparison of drugs by acquisition cost; this is termed cost-minimisation analysis. This type of analysis is only justifiable if the drugs have equal efficacy, side-effect profiles or complication rates. Thus cost-minimisation analysis can be deployed in the evaluation of generically equivalent drugs for which patient outcomes have been shown to be equivalent.

Fungal infection and its treatment

The frequency of invasive fungal infections has increased considerably over the past 30 years. Patients with haematological malignancy who have received myelosuppressive or immunosuppresive therapy as a result of bone marrow or peripheral blood stem cell transplantation are at particularly high risk (Bodey *et al.* 1992; Meyer 1990). The two most common invasive fungal infections that affect these patients are candidiasis and aspergillosis (Groll *et al.* 1996). Unfortunately both of these infections are difficult to diagnose in the immunocompromised patient because their clinical manifestations, particularly in the early stages of infection, are often similar to bacterial infections, and because of the lack of rapid diagnostic tests for both *Candida* and *Aspergillus*. Therefore because the mortality associated with untreated invasive fungal infection is high, empirical systemic antifungal therapy is routinely started after 3 to 5 days of febrile neutropenia unresponsive to antibiotics.

Amphotericin B is a macrocyclic polyene antifungal agent derived from *Streptomyces nodus*. It has been the drug of choice for invasive fungal infections since the early 1950s. The drug is a rod-shaped lipophilic molecule that acts on the cell membrane by binding to sterols such as ergosterol. By so doing it induces cell death by increasing cell membrane permeability with resultant loss of intracellular potassium. It has the documented efficacy against *Candida* and *Aspergillus* and many other fungal infections. Unfortunately, amphotericin has a very narrow therapeutic window and its efficacy may be limited by toxicity-associated dose constraints (Grasela *et al.* 1990; Gallis *et al.*). The most frequent adverse effects associated with amphotericin B occur at the time of infusion, namely fever, chills and rigors (Maddux *et al.* 1980). These reactions can be circumvented by the concomitant administration of hydrocortisone and chlorpheniramine. However, the most serious adverse reaction associated with amphotericin B is nephrotoxicity. Renal tubular damage usually occurs in individuals who receive in excess of 0.5 mg/kg/day. However, when administered with other nephrotoxic drugs such as cyclosporin, lower doses of amphotericin may cause nephrotoxicity. Renal toxicity usually returns to normal within months of cessation of treatment. However, in some individuals the renal impairment is irreversible (Hay 1991).

In an attempt to circumvent the drug toxicity associated with amphotericin B, lipid formulations of the drug were developed in the 1980s. Several lipid formulations of amphotericin B are licensed for clinical use. These formulations include liposomal amphotericin 'AmBisome', amphotericin B in lipid complex (ABLC) 'Abelcet', and amphotericin B in colloidal dispersion (ABCD) 'Amphocil'. Although these preparations differ in their structure and pharmacokinetics, they have been shown to have comparable efficacy to conventional amphotericin B, with the advantage of reduced toxicity, particularly nephrotoxicity, in randomised clinical trials (Mehta *et al.* 1997; Walsh *et al.* 1998, 1999; Oppenheim *et al.* 1995). These preparations also share another important characteristic, namely that they are all significantly more expensive than conventional amphotericin. For example, the acquisition costs of AmBisome and ABLC, compared with conventional amphotericin B are £114 and £54, versus £3.70 per 50 mg vial respectively; at 2001 UK prices. Consequently, the lipid formulations of amphotericin are often only prescribed in patients who are intolerant to conventional amphotericin, or in patients with refractory fungal infections.

Comparative costing: therapeutic considerations

A critical review of the comparative costs of the three lipid formulations of amphotericin B in the treatment of proven fungal infection in immunocompromised patients has been reported (Tollemar and Ringden 1995). Taking into account acquisition costs, duration of therapy and cumulative dose, the average treatment cost for a course of AmBisome was $12,992 compared with $12,614 for ABCD and $11,437 for ABLC (using data from nine, one and three trials respectively). However, fungal infection is difficult to diagnose, and only a small proportion of patients who receive an empirical antifungal have confirmed fungal infections. Thus, acquisition cost of the drug per patient may be a less appropriate measure than acquisition cost per patient with suspected fungal infection (Coukell and Brogden 1998).

Two cost-effectiveness analyses have compared the cost of liposomal amphotericin and conventional amphotericin in the empirical treatment of neutropenic fever in immunocompromised patients (Persson et al. 1992; Boogaerts 1996). In a Swedish study a retrospective analysis compared the cost-effectiveness of AmBisome and conventional amphotericin in a total of 58 patients with confirmed fungal infection who received either bone marrow, liver or kidney transplants (Persson et al. 1992). Patients who received AmBisome were characterised by increased life expectancy and reduced toxicity. The authors suggested that AmBisome was cost-effective for cost per life-year gained, particularly for those patients who received bone marrow or liver transplants with a marginal cost-effectiveness ratio of 150,000 Swedish Krona per life-year gained. Detailed cost-effectiveness was analysed in a Dutch study (Boogaerts 1996) which reported that for adult patients initial empirical therapy for neutropenic fever with AmBisome was more costly per complete cure than initial treatment with conventional amphotericin B. This was primarily a function of acquisition cost, although the difference in the overall cost between the two drugs was not great because of a reduction in expensive salvage therapy in those patients who received AmBisome. When the same model was applied to paediatric patients, AmBisome at a dose of 1 mg/kg (increased as required to 3 mg/kg) was found to be the most cost-effective antifungal agent.

The efficacy and toxicity of AmBisome and conventional amphotericin B in the empirical treatment of neutropenic fever was recently compared in a randomised multi-centre double-blind trial (Walsh et al. 1999). The two antifungal agents were of equal efficacy, but fewer breakthrough fungal infections were noted with AmBisome (3.2% versus 7.8%). Similarly the rate of nephrotoxicity (defined by a serum creatinine of twice the upper limit of normal) was also lower in patients who received AmBisome (19% vs 34%). The clinical significance of nephrotoxicity induced by conventional amphotericin was more clearly defined in a further study (Wingard et al. 1999). In this study multivariate analysis identified a creatinine greater than 2.5 mg/dl in recipients of allogeneic or autologous bone marrow transplants as risk factors for haemodialysis, whereas duration of therapy and the concomitant use of nephrotoxic drugs were factors that defined mortality rate. A pharmacoeconomic evaluation of AmBisome and conventional amphotericin B in empirically treated febrile neutropenic patients, in whom the composite treatment costs were analysed and subjected to sensitivity analysis, has recently been published (Cagnoni *et al.* 2000). In this study, detailed hospital billing data were collected on 414 patients enrolled in a randomised double-blind, multicentre trial. The pharmacoeconomic analysis focused upon hospital length of stay and the charges incurred as a result of the empirical treatment of neutropenic fever, and complications associated with therapy. Importantly, hospital costs were significantly higher in those patients who received AmBisome compared with conventional amphotericin B ($48,962 versus $43,183). Furthermore, total hospital costs were highest in patients who developed renal impairment, particularly in those for whom renal dialysis was required ($62,004 and $105,222 respectively). By using decision and sensitivity analyses to vary the cost of the AmBisome, and the risk of nephrotoxicity, the break-even points for AmBisome ranged from $72 to $87 per 50 mg for all patients, and $83 to $112 per 50 mg for recipients of allogeneic bone marrow. The authors concluded that the acquisition cost of AmBisome and the risk of nephrotoxicity were both major factors in determining the cost-effectiveness of AmBisome as first-line empirical therapy for neutropenic fever.

Numerous trials have compared the efficacy of the lipid formulations of amphotericin B with conventional amphotericin (Walsh *et al.* 1999; White *et al.* 1998). However, there has been no published comparison between the lipid formulations of amphotericin for efficacy and toxicity until recently (Wingard *et al.* 2000). In this randomised double-blind study, the toxicity of ABLC (5 mg/kg/day) was compared with AmBisome (3 mg/kg/day or 5 mg/kg/day). AmBisome was found to have similar efficacy to ABLC. However, AmBisome had significantly better infusion-related toxicity than ABLC with less fever (24%, 20% versus 58%) and chills/rigors (19%, 24% versus 80%). More importantly, patients who received AmBisome experienced significantly less nephrotoxicity (14%, 15% versus 42%) and fewer discontinuations of therapy (13%, 12% versus 32%) than patients treated with ABLC.

Can the reduced toxicity of AmBisome be justified in terms of extra cost? A pharmacoeconomic study in which AmBisome and ABLC were evaluated in the empirical treatment of neutropenic fever has gone some way to answer this question (Greenberg *et al.* 2000). This study involved a retrospective analysis of detailed, itemised hospital bills for patients enrolled in a randomised, double-blind multicentre study. The analysis focused on hospital length of stay, charges and costs from the start of empirical antifungal therapy to hospital discharge. Costs associated with empirical therapy, as well as costs associated with providing second-line therapy due to treatment failure or premature discontinuation of the antifungal therapy were included in hospital bills and were therefore included in the pharmacoeconomic analysis. Furthermore, results were also subjected to sensitivity analysis so that hospital costs could be estimated at different drug acquisition prices, and a decision analysis model was used to predict hospital costs according to the rate of nephrotoxicity in the different patient cohorts. Hospital costs were significantly higher for patients who developed nephrotoxicity, which was partly attributed to ancillary costs associated with dialysis. The estimated hospital costs for these patients were found to be in excess of $100,000. Composite treatment costs, based upon the decision analysis model adopted in the study, were lowest for patients treated with AmBisome at 3 mg/kg/day at $47,000 compared with $52,000 for patients who received ABLC, which was primarily as a result of significantly higher rates of nephrotoxicity associated with ABLC.

Antifungal prophylaxis

The role of the lipid formulations of amphotericin as antifungal prophylaxis has also been explored. A cost-minimisation study compared AmBisome and fluconazole with conventional amphotericin B as prophylaxis against oropharnygeal fungal infection in leukaemia and myeloma patients who received bone marrow transplants (Steart *et al.* 1995). Costs included were related to drug acquisition cost, and costs related to hospitalisation. Sensitivity analysis revealed that AmBisome remained the most expensive prophylactic antifungal agent, even when the efficacy of AmBisome was varied between 0 and 100% and when drug acquisition cost of AmBisome was assumed to be zero. In another study, AmBisome administered at 2 mg/kg three times per week was compared with a placebo for fungal prophylaxis in neutropenic patients Kelsey *et al.* 1999). Although the safety profile of AmBisome was comparable to placebo, and Ambisome was found to significantly reduce the incidence of fungal colonisation, the authors reported no significant reduction in the incidence of suspected or proven fungal infection. In another study in which ABCD was compared with fluconazole for the prevention of fungal infection in neutropenic patients, the trial was terminated prematurely because of the severe infusion-related toxicity associated with ABCD (Timmers *et al.* 2000). Indeed infusion-related toxicity occurs more frequently with ABCD than with other lipid formulations of amphotericin or with conventional amphotericin B (Patel 2000), which has precluded its use by many.

Conclusions

Given the spiralling cost of healthcare, and the resultant pressures on limited financial healthcare resources, it is imperative that formal measures of cost and outcomes of drug therapy are obtained and fully understood before purchasing decisions are made. Thus the central argument for the use of pharmacoeconomics analysis is to facilitate rational purchasing decisions based upon the therapeutic performance of a drug. Despite being a relatively new medical science, pharmacoeconomic analysis has allowed a more detailed appreciation of the financial costing associated with empirical and prophylactic antifungal therapy. The nephrotoxicity associated with use of conventional amphotericin B in febrile neutropenic patients may result in significant morbidity and mortality. However, the incidence of renal impairment in these patients can be reduced by the judicious use of lipid formulations of amphotericin, but as illustrated above these agents are costly. Several pharmacoeconomic studies have highlighted the fact that the decision to prescribe the lipid formulations of amphotericin should not be made purely on the basis of acquisition cost. It is now clear that factors such as drug efficacy, the cost of treating nephrotoxicity and the length of stay incurred as a result of this complication are also central to the understanding of the cost implications of empirical antifungal therapy. In addition, patient well-being and quality of life issues should be taken into consideration. It is also essential for the physician to remember that by avoiding the morbidity associated with renal impairment the timely delivery of medical therapy is made possible. This clearly has important implications for patients with haematological malignancy because protocol violation due to time delay or chemotherapy dose attenuation increases the likelihood of treatment failure. Unfortunately pharmacoeconomic data about these complex issues are lacking.

Economic pressures in healthcare have led several countries to formally adopt pharmacoeconomic evaluation of drugs before they can be listed by their national formularies (Commonwealth Department of Human Services and Health 1995; Canadian Coordinating Office for Health technology Assessment 1997). Although such practices are to be commended and encouraged, the pharmacoeconomic data that are integral to such evaluations may be open to error, including choice of comparator, efficacy estimations, or calculation error (Hill *et al.* 2000).

To choose appropriate antifungal therapy in febrile neutropenic patients, conventional amphotericin B and the lipid-based preparations of amphotericin will have to be subjected to further stringent pharmacoeconomic evaluation. Furthermore, physicians, healthcare managers, politicians and society in general will have to appreciate and to some extent understand the pharmacoeconomic principles and pitfalls that dictate drug purchasing and healthcare provision. The cheapest or the most expensive choice may not necessarily be the most appropriate medicine.

References

Bodey G, Bueltman B, Duguid W (1992). Fungal infections in cancer patients: an international autopsy survey. *European Journal of Microbial Infectious Diseases* **11**, 99–109.

Boogaerts MA, Tomans G, Maes E *et al.* (1996). Pharmacoeconomic evaluation of Ambisome in febrile neutropenia. *Blood* **88**, 501.

Cagnoni PJ, Walsh TJ, Prendergast MM *et al.* (2000). Pharmacoeconomic analysis of liposomal amphotericin B versus conventional amphotericin B in the empirical treatment of persistently febrile neutropenic patients. *Journal of Clinical Oncology* **18**, 2476–2483.

Calman KC (1987). *Definitions and dimensions of quality of life: The quality of life of cancer patients*. New York: Raven Press.

Canadian Coordinating Office for Health Technology Assessment (1997). Guidelines for the economic evaluation of pharmaceuticals, 2nd edn. Ottawa, Ontario: Canadian Coordinating Office for Health and Technology Assessment (CCOHTA).

Commonwealth Department of Human Services and Health (1995). Guidelines for the pharmaceutical industry on preparation of submissions to the pharmaceutical benefits advisory comittee. Canberra: Australian Government Publishing Service.

Coukell AJ and Brogden RN (1998). Liposomal amphotericin B. Therapeutic use in the management of fungal infections and visceral leishmaniasis. *Drugs* **55**, 585–612.

Gallis HA, Drew RH, Pickard W (1990). Amphoteracin B: 30 years of clinical experience. *Reviews in Infectious Diseases* **12**, 308–329.

Grasela THJ, Goodwin SD, Walawander MK, Cramer RL, Fuhs DW, Moriaty VP (1990). Prospective surveillance of intravenous amphoteracin B use patterns. *Pharamacotherapy* **10**, 341–348.

Greenberg RN, Cagnoni PJ, Predergast MM, Tong KB (2000). Pharmacoeconomics of liposomal amphotericn B (L-AmB) versus amphotericin B lipid complex (ABLC) in the empirical treatment of persistently neutropenic patients. In: *Proceedings of the 40th Interscience Conference on Antimicrobial Agents and Chemotherapy, Toronto, Ontario, Canada, September 17–20, 2000*, p. 506.

Groll AH, Shah PM, Mentzel C, Schneider M, Just-Nuebling G, Huebner K (1996). Trends in the postmortem epidemiology of invasive fungal infections at a university hospital. *Journal of Infection* **33**, 23–32.

Hay RJ (1991). Overview of the treatment of disseminated fungal infections. *Journal of Antimicrobial Chemotherapy* **28** (Suppl. B), 17–25.

Hill SR, Mitchell AS, Henry DA (2000). Problems with the interpretation of pharmacoeconomic analyses: a review of submission to the Australian Pharmaceutical Benefits Scheme. *Journal of the American Medical Association* **283**, 2116–2121.

Kelsey SM, Goldman JM, McCann S *et al.* (1999). Liposomal amphotericin (AmBisome) in the prophylaxis of fungal infections in neutropenic patients: a randomised, double-blind, placebo- controlled study. *Bone Marrow Transplant* **23,** 163–168.

Maddux MS, Barriere SL (1980). A review of complications of amphotericin B therapy: recommendations for prevention and management. *Drug Intelligence and Clinical Pharmacology* **14**, 177–188.

Mehta J, Kelsey S, Chu P *et al.* (1997). Amphotericin B lipid complex (ABLC) for the treatment of confirmed or presumed fungal infections in immunocompromised patients with hematologic malignancies. *Bone Marrow Transplant* **20**, 39–43.

Meyer JD (1990). Fungal infections in bone marrow transplant patients. *Seminars in Oncology* **17**, 10–13.

Oppenheim BA, Herbrecht R, Kusne S (1995). The safety and efficacy and mode of action of amphotericin B colloidal dispersion in the treatment of invasive mycoses. *Clinical Infectious Diseases* **21**, 1145–1153.

Patel R (2000). Amphotericin B colloidal dispersion. *Expert Opinions in Pharmacotherapy* **1**, 475–488.

Persson U, Tennvall GR, Andersson S, Tyden G, Wettermark B (1992). Cost-effectiveness analysis of treatment with liposomal amphotericin B versus conventional amphotericin B in organ or bone marrow transplant recipients with systemic mycoses. *Pharmacoeconomics* **2**, 500–508.

Stewart A, Powles R, Hewetson M, Antrum J, Richardson C, Mehta J (1995). Costs of antifungal prophylaxis after bone marrow transplantation. A model comparing oral fluconazole, liposomal amphotericin and oral polyenes as prophylaxis against oropharyngeal infections. *Pharmacoeconomics* **8**, 350–361.

Timmers GJ, Zweegman S, Simoons-Smit AM, van Loenen AC, Touw D, Huijgens PC (2000). Amphotericin B colloidal dispersion (Amphocil) vs fluconazole for the prevention of fungal infections in neutropenic patients. data of a prematurely stopped clinical trial. *Bone Marrow Transplant* **25**, 879–884.

Tollemar J & Ringden O (2000). Lipid formulations of amphotericin B. *Drug Safety,* 207–218.

Torrance GW & Feeney D (1989). Utilities and quality-adjusted life years. *International Journal of Technology Assessment in Health Care* **5**, 559–575.

Walsh TJ, Hiemenz JW, Seibel NL *et al.* (1998). Amphotericin B lipid complex for invasive fungal infections: analysis of safety and efficacy in 556 cases. *Clinical Infectious Diseases* **26**, 1383–1396.

Walsh TJ, Finberg RW, Arnot C *et al.* (1999). Liposomal amphotericin B for empirical therapy in patients with persistent fever and neutropenia. *New England Journal of Medicine* **340**, 764–771.

White MH, Bowden RA, Sandler ES *et al.* (1998). Randomized, double-blind clinical trial of amphotericin B colloidal dispersion vs. amphotericin B in the empirical treatment of fever and neutropenia. *Clinical Infectious Diseases* **27**, 296–302.

Wingard JR, Kubilis P, Lee L *et al.* (1999). Clinical significance of nephrotoxicity in patients treated with amphotericin B for suspected or proven aspergillosis. *Clinical Infectious Diseases* **29**, 1402–1407.

Wingard JR, White MH, Anaissie E, Raffalli J, Goodman J, Arrieta A, Group at LAACS (2000). A randomised, double-blind comparative trial evaluating the safety of liposomal amphotericin B versus amphotericin B lipid complex in the empirical treatment of febrile neutropenia. *Clinical Infectious Diseases* **31**, 1155–1163.

Chapter 12

Service deficiencies and clinical errors in the investigation and management of systemic fungal infections

NVS Kumar and SAJ Rule

Introduction

To highlight the common deficiencies that are encountered in the clinical services required for the management of systemic fungal infections, it is perhaps useful to define what constitutes an ideal service.

The first requirement is an early identification with stratification of those patients most at risk of contracting these infections. These will include patients receiving high-dose chemotherapy with subsequent prolonged neutropenia, immunosuppressed individuals, particularly those post-bone-marrow transplant patients on steroids and those with central lines *in situ*. Within this environment a high index of suspicion for the development of fungal infections would have to be maintained, perhaps with some targeted surveillance. This will be guided by regular audits. These audits should highlight changes in patient groups, patterns of infection, the pathogens involved and their drug sensitivities. Ultimately this leads to changes in protocols.

Once high-risk individuals have been identified they should be placed in an appropriate environment where robust protocols are in place to minimise exposure to fungus, provide adequate prophylaxis and have investigation and treatment algorithms in place. These protocols need to be understood and strictly followed by all members of staff. A multidisciplinary approach to the management of such infections is important. This should include a range of clinicians, diagnostic services and nursing staff. Involvement in clinical trials with anti-fungal agents further increases awareness of these infections and helps highlight new treatment modalities. Finally, to run such a service, it is self-evident that adequate staffing and funding should be available.

Common service deficiencies

An appropriate isolation facility is required for patients at high risk of contracting fungal infections. High-efficiency particulate air (HEPA) filtration has been shown to significantly reduce the incidence of fungal infections in such patients (Sherertz *et al.* 1987). However, these units are expensive, limiting their availability to smaller units, and some clinicians do not perceive the need for such an environment.

However, up to 25% of fatal events in acute myeloid leukaemia are fungal related (Riley *et al.* 1999) and as most hospitals in the country deal with acute myeloid leukaemia, these issues are pertinent.

Fungal infections are transmitted by direct contact. Adherence to strict hygiene is difficult, and is commonly flouted. Having a well-educated staff on the ward is pivotal, they can provide proper role modelling and supervision while emphasising the need for such precautions. Protocols are often in place, but they are often not easily accessible or understood. A high turnover of junior medical staff, many of whom cover haemato-oncology units without working directly for them fail to appreciate the importance of such precautions. The direct contact these junior doctors have with high-risk patients should be limited and they should not be allowed to perform certain procedures such as handling central lines.

The use of a multidisciplinary approach to the diagnosis and management of invasive fungal infections as is being applied in cancer medicine is an ideal model. The involvement of colleagues in radiology, microbiology and chest medicine at an early stage can speed up diagnosis considerably and subsequently improve outcome. Such an approach leads to a greater understanding of the need for timely investigations and improves the communication of results.

Perhaps the major service deficiency is the rapid availability of diagnostic facilities. This is particularly applicable to radiology, where it has been clearly shown that rapid access to computer tomography (CT) scanning can lead to earlier diagnosis, and subsequent earlier treatment that does affect outcome (Caillot *et al.* 1997). The need for CT scanning at short notice is not always appreciated, particularly in hard-pressed radiology departments which may not be aware of the diagnostic parameters and importance of the test for this.

Diagnostic advances have shortened the time taken to achieve positive mycological results, but these are not universally available. Delays in the communication of positive results can be a problem, often because of a lack of direct involvement from microbiologists on the ward. Specific culture media are under-utilised, and potentially useful tests such as enzyme-linked immunosorbent assay (ELISA) for galactomannan (Maertens *et al.* 2001), polymerase chain reaction (PCR) and antibody-based techniques are not widely available. Once fully validated, such tests will need to be rapidly incorporated into diagnostic algorithms and made readily available.

As well as radiology, essential support services include chest medicine, intensive care and occasionally nephrology. Rapid and out-of-hour access to these services is vital.

Audit and education are often forgotten. Although protocols are often in place, particularly for the routine use of expensive anti-fungal drugs, they are not regularly audited. Audit re-enforces adherence to protocols and can be used to change regimens for prophylaxis and treatment, based on local outcomes. It can also identify changes in pathogens and their sensitivities.

Appropriate staffing is clearly important, not only in the high-dependency areas but also in the services peripheral to the clinical service. This is vitally important when expanding such services. It is no good building a brand new bone-marrow transplant unit, with an increase in patient numbers, without a parallel increase in radiology and microbiology services. Integrated planning is vital. Financial support also applies to the appropriate access to expensive anti-fungal therapies. Liposomal amphotericin and similar drugs are expensive and their use is an inevitable consequence of managing high-risk patients. Clearly this needs budgeting for.

Common clinical errors

Clinical errors often arise because of service deficiencies. If protocols are robust and closely adhered to, with subsequent investigation and management done through a multidisciplinary approach, clinical errors will be minimised. In general, clinical errors fall into three categories: awareness of diagnosis, making the diagnosis and appropriate treatment.

Awareness of diagnosis

Patients with prolonged neutropenia die of infection, which often goes undiagnosed. The risk of contracting a fungal infection is proportional to the length of the neutropenia (Gerson *et al.* 1984) and post mortem studies have shown the incidence of systemic fungal colonisation to be very high (Lass-Florl *et al.* 1999) in patients who have received bone marrow transplants or who have been treated for acute leukaemia. The incidence of fungal infection varies from unit to unit, depending on the population being served, the environment within which they are being treated, and local factors such as building work (Walsh *et al.* 1989). However, clinicians that claim never to have seen systemic fungal infection have simply not been looking for it. A high index of suspicion needs to be maintained, and unusual sites of disease such as the sinuses and the central nervous system need to be remembered (Saugier-Veber *et al.* 1993; DeShazo *et al.* 1997).

Making a diagnosis

Early diagnosis affects outcome (Iwama *et al.* 1993). To conclusively prove a fungal infection, it is necessary to demonstrate the presence of fungal elements in representative tissue. There is often a reluctance to try to do this. There is the reluctance of the primary physicians to refer the patient for biopsy. These patients are often unwell, neutropenic and thrombocytopenic, providing relative contraindications for invasive procedures such as bronchoscopy and needle biopsy. Diagnosticians are also reluctant for similar reasons. The stigma of the underlying malignancy being treated may also contribute. Although these are genuine concerns, an accurate diagnosis is vital and a fungal isolate will help direct ongoing therapy. Having taken the appropriate samples, it is vital that the local laboratory offers the appropriate tests, or offers liaison with regional centres for specialised tests to be processed rapidly.

Treatment

The cornerstone of the management of invasive fungal infections remains amphotericin. This is a toxic drug that invariably needs to be administered by central venous access, and many patients find it difficult to tolerate. This may delay its initiation, particularly if an antibiotic-resistant fever develops around the time of neutrophil recovery after therapy. However, up to 50% of systemic fungal infections present at this time, and the initiation of amphotericin is vital in the at-risk patient with an antibiotic-resistant fever. It is important to be familiar with the use of amphotericin, and the indications to switch to liposomal preparations, which have a much more favourable side-effect profile. Reluctance to use the more expensive preparations needs to be balanced against their tolerability (Cagnoni et al. 2000). The duration and dose titration of antifungal therapy needs to be based on clinical response rather than on a prescriptive treatment course, and therefore requires individualisation.

There is also a general lack of awareness and reluctance to pursue some of the more aggressive anti-fungal strategies, such as the concurrent use of growth factors and operative intervention. Another important factor is the continuity of anti-fungal therapy when patients are transferred between units, generally with different levels of care. There are numerous cases where patients have been treated or not treated for fungal infections in the intensive situation, and have many months later developed sequelae of partly treated infections (Turner et al. 1999). Prophylaxis during subsequent courses of chemotherapy should be carefully considered to prevent recurrence.

Conclusion

The ideal management of patients at high risk for developing invasive fungal infections requires an integrated multi-disciplinary approach. This is not possible in many centres as a consequence of size and competing priorities. However, with cancer-related and bone-marrow transplantation guidelines, high-risk patients will have to be treated in a uniform manner which may well address several of these factors. Robust diagnostic tests and guidelines are evolving and once these prove reliable they need to be rapidly integrated into the clinical setting to help improve the outcome of patients with these difficult infections.

References

Cagnoni PJ, Walsh TJ, Prendergast MM et al. (2000). Pharmacoeconomic analysis of liposomal amphotericin B versus conventional amphotericin B in the empirical treatment of persistently febrile neutropenic patients. *Journal of Clinical Oncology* **18**, 2476–2483.

Caillot D, Casasnovas O, Bernard A et al. (1997). Improved management of invasive pulmonary aspergillosis in neutropenic patients using early thoracic computed tomography scan and surgery. *Journal of Clinical Oncology* **15**, 139–147.

De Shazo RD, Chapin K, Swain RE (1997). Fungal sinusitis. *New England Journal of Medicine* **337**, 254–259.

Gerson SL, Talbot GH, Hurwitz S, Strom BL, Lusk EJ, Cassileth PA (1984). Prolonged granulocytopenia: the major risk factor for invasive pulmonary aspergillosis in patients with acute leukaemia. *Annals of Internal Medicine* **100**, 345–351.

Iwama A, Yoshida M, Miwa A, Obayashi T, Sakamoto S, Mivra Y (1993). Improved survival from fungemia in patients with haematological malignancies: analysis of risk factors for death and usefulness of early antifungal therapy. *European Journal of Haematology* **51**, 156–160.

Lass-Florl C, Salzer GM, Schmid T, Rabl W, Ulmer H, Dierichi MP (1999). Pulmonary aspergillus colonization in humans and its impact on management of critically ill patients. *British Journal of Haematology* **104**, 745–747.

Maertens J, Verhaegen J, Lagrou K, Van Eldere J, Boogaerts M (2001). Screening for circulating galactomannan as a non-invasive diagnostic tool for invasive aspergillosis in prolonged neutropenic patients and stem cell transplantation recipients: a prospective validation. *Blood* **97**, 1604–1610.

Riley LC, Hann IA, Wheatley K, Stevens RS (1999). Treatment related deaths during induction and first remission of acute myeloid leukaemia in children treated on the Tenth Medical Research Council acute myeloid leukaemia trial (MRC AML 10). *British Journal of Haematology* **106**, 436–444.

Saugier-Veber P, Devergie A, Sulahian A *et al.* (1993). Epidemiology and diagnosis of invasive pulmonary aspergillosis in bone marrow transplant patients: results of a 5 year retrospective study. *Bone Marrow Transplantation* **12**, 121–124.

Sherertz RJ, Belani A, Kramer BS *et al.* (1987). Impact of air filtration on nosocomial *Aspergillus* infections. Unique risk of bone marrow transplant recipients. *American Journal of Medicine* **83**(4), 709–718.

Turner DL, Johnson SA, Rule SA (1999). Successful treatment of candidal osteomyelitis with fluconazole following failure with liposomal amphotericin B. *Journal of Infection* **38**, 51–53.

Walsh TJ & Dixon DM (1989). Nosocomial aspergillosis: environmental microbiology, hospital epidemiology, diagnosis and treatment. *European Journal of Epidemiology* **5**, 131–142.

PART 6

Experimental and future therapeutics in SFI

Chapter 13

The immunological approach to fungal infection

James P Burnie

Introduction

Invasive mycoses have become a persistent and important source of morbidity and mortality among hospital in-patients (Verduyn-Lunel *et al.* 1999). This reflects the comparatively greater efficacy of bacterial chemotherapy, the increased number of at-risk patients and the performance of more complex surgery (Petri *et al.* 1997).

The mainstay of therapy has been amphotericin B, but issues concerning toxicity led to the development of multiple liposomal variants. This introduced, for the first time, the issue of cost as Ambisome costs approximately £5,816 per patient and Abelcet £2,875 per patient for a typical treatment of disseminated candidiasis. The advent of fluconazole produced a non-toxic agent, but some species were intrinsically resistant. *Candida albicans* became resistant and some clinicians tended to perceive the drug as prophylactic rather than therapeutic (Vanden-Bossche *et al.* 1998).

These forces have led to a renewed interest in developing new antifungals. There has also been a trend towards developing immunotherapy for fungal infection (Kullberg 1997). This included recombinant interferon-γ, interleukin-1, granulocyte colony-stimulating factor and other haematopoietic growth factors. These neglected the potential role of antibody and antibody fragments as therapy. Advances in molecular biology have made it possible to generate human monoclonals and to use them to treat human disease (Breedveld 2000). This has intensified the need to define those microbial antigens that:

1. are immunodominant in an infection;
2. where the possession of antibody correlates with recovery from infection, i.e. neutralising;
3. there is sufficient conservation between strains that one antibody can be used to treat the most common pathogenic isolates.

In disseminated candidiasis the most prevalent species is *Candida albicans*, but there are significant numbers of infections due to *Candida tropicalis*, *Candida parapsilosis*, *Candida glabrata* and *Candida krusei*. The last four fungi, being intrinsically resistant to fluconazole, pose a particularly pressing problem. Targets for antibody therapy have included the following.

Mannoproteins

These are major immunogenic components of the cell wall of *C. albicans* and include several different 'adhesins' which mediate the recognition of and adherence to host cell receptors ('ligands'). This is a complex process involving several yeast adhesins and host ligands, which if blocked by antibodies would benefit the host (Sturtevant and Calderone 1997). Secretory IgA antibodies to heat inducible mannoproteins (Polonelli *et al.* 1994), Fab fragments to a germ tube mannoprotein (Casanova *et al.* 1990) and IgM (Han and Cutler 1997) or IgG3 (Han *et al.* 2000) monoclonal antibodies to β-1,2, mannotriose (the epitope recognised by the β-6.1 monoclonal antibody) have each been found to be protective in animal models of candidiasis. The β-6.1 antibody enhanced ingestion and killing of yeast cells by neutrophils in the presence of complement (Caesar-TonThai *et al.* 1997) and complement activation appeared to be critical to the protective process. This means that, if such an antibody was to be used clinically, it would need to be made in a eukaryotic cell culture, such as Chinese hamster ovary cells. The antibody could be strain specific as *C. albicans* can be subdivided into Type A and Type B strains. In our laboratory, a human recombinant antibody against Type A mannan was active in a chronic murine model of infection due to a Type A strain but inactive with a fluconazole resistant isolate. Recently a 58 kDa mannoprotein has been described, epitope mapped and suggested as a possible target for immunotherapy (Viudes *et al.* 2001).

Proteinases

Secreted aspartic proteinases (SAPs) have been implicated as a key virulence factor for *C. albicans*. This is based on the observations that protease-deficient mutants are less virulent or avirulent, that both SAP and antibody to it are detected in infected hosts and that SAP can degrade a broad range of substrates including IgG heavy chains, keratin, acidified collagen and extracellular matrix proteins (Douglas 1988). *C. albicans* has at least seven SAPs (Monod *et al.* 1994), *C. tropicalis* (SAPT1) and *Candida parapsilosis* (SAPP1 and SAPP2) (Togni *et al.* 1991; De Viragh *et al.* 1993). This heterogenicity of enzymes in some species and lack in others such as *C. krusei* and the inactivity of human recombinant antibodies against SAP2 in a lethal mouse model of candidal infection (Ghadjari *et al.* 1997) make these enzymes a poor target for immunotherapy.

Stress proteins

The description of immunoblotting led to a dissection of the antibody response in disseminated candidiasis. Strockbine *et al.* (1984) identified an antigen of 48 kDa which was recognised by seven out of ten sera from patients with systemic candidiasis, one patient with a local infection due to *C. albicans* and none of the controls. Strockbine *et al.* (1984) grew *C. albicans* at 37° C for 24 h in a liquid synthetic medium which produced 90% mycelium and 10% yeast cells. In contrast, the immunoblot analyses in our laboratory were on *C. albicans* grown in the yeast phase, again grown up overnight at 37° C but in Sabouraud's glucose broth or agar (Matthews *et al.* 1984, 1987). This work looked at multiple sera with the evolution of antibody over time, and correlated survival with the presence of antibody to individual antigens. Matthews *et al.* (1984) examined 201 sera from 45 patients with culture-confirmed systemic candidiasis. Forty patients had detectable antibody and 26 different antigen bands were recognised ranging from 23 to 104 kDa. The antigens recognised by each patient showed considerable variation but were categorized into one of six groups (A–F). For example, it was found that all 13 patients who were infected with the same strain of *C. albicans* during an outbreak of systemic candidiasis on an intensive care unit gave the same pattern of antibody response. This suggested epitopes shared between different antigenic bands. This might be due to denaturation of a parent molecule on a gel, groups of similar molecules with shared epitopes or the production of truncated forms. The only antigenic band common to all groups was at 47 kDa. Subsequently, Matthews and Burnie (1995a) summarised the results of examining sequential sera from 92 patients with invasive candidiasis. In 80% there was a detectable antibody response, with 92% recognising the 47 kDa, 40% a band at 92 kDa, 27% a band at 50 kDa, and 26% a band at 64 kDa. A band at 48 kDa was detected in 20% of cases. A band at 45 kDa was also shown to be immunodominant by Au-Young *et al.* (1985), which confirmed the existence of at least one key antigen of apparent molecular mass 45–48 kDa.

Stress proteins and enolase

It was widely assumed that the 48 kDa antigen (Strockbine *et al.* 1984), the 47 kDa antigen (Matthews *et al.* 1984) and the 45 kDa antigen (Au-Young *et al.* 1985) were the same immunodominant cytoplasmic antigen. In fact, this was untrue. The 48 kDa antigen was identified as *C. albicans* enolase by screening a cDNA library prepared in λ-gt11 with affinity-purified rabbit hyperimmune candidal antiserum against the 48 kDa band obtained from immunoblots (Franklyn *et al.* 1990). A 74% amino acid identity was found, over 157 amino acid residues, between the deduced *C. albicans* amino acid sequence and the corresponding *S. cerevisiae* enolase sequence.

The 47 kDa antigen was identified as part of the *C. albicans* heat shock protein hsp 90 complex by screening a genomic library expressed in lambda gt11 (Matthews and Burnie 1989) with a polyclonal serum raised against soluble candidal antigens containing high titre antibodies against the 47 kDa band. Preliminary identification of the positive clones was by antigen selection. The fusion protein generated by the lysogeny of *E. coli* Y1089 reacted with sera from patients with antibody to the 47 kDa antigen including five patients with AIDS and one patient recovering from systemic candidiasis who seroconverted to the 47 kDa antigen and this fusion protein.

The debate of the relative merits of enolase versus hsp90 has continued. Enolase has been purified (Ballantyne and Warmington 2000), re-cloned (Sundstrom and

Aliaga 1992), suggested as a target for cilofungin (Angiolella *et al.* 1996), demonstrated as constitutively expressed (Postlethwait and Sundstrom 1995), shown to be immunodominant in patients (Mitsutake *et al.* 1994, Van-Dereviter *et al.* 1994, Barea *et al.* 1999) and normal human subjects (Sandini *et al.* 1999). It has been defined as a member of a group of highly conserved major fungal allergens (Breitenbach *et al.* 1997).

The full sequence of candidal hsp90 has been published; the levels of hsp90 mRNA increased with the transition from yeast to hyphal form (Swoboda *et al.* 1995). Southern blotting revealed only one hsp90 locus in the diploid *C. albicans* genome. Repeated attempts to disrupt both alleles and generate a homozygous *C. albicans* δ-hsp90/δ-hsp90 mutant were unsuccessful. These observations suggested a single hsp90 locus was essential for viability in *C. albicans*. This is in contrast to all other species where two copies of the gene are normal (Gupta 1995). Over-expression of *S. cerevisiae* hsp90 produced a laboratory strain of *S. cerevisiae* with increased virulence as measured by mortality and colony counts in mice (Hodgetts *et al.* 1996). *In vivo* degradation of hsp90 to a product of 47 kDa has been demonstrated (Panaretou *et al.* 1999). A study of the antibody response in autoimmune polyglandular syndrome type 1 associated with chronic mucocutaneous candidiasis confirmed the immunodominance of enolase, hsp90, pyruvate kinase and alcohol dehydrogenase (Peterson *et al.* 1996).

Circulating candidal antigens

A 47 kDa antigen has been shown in the serum of a patient with end-stage renal failure and *C. albicans* osteomyelitis (Neale *et al.* 1987). Ferreira *et al.* (1990) reported a 47 kDa antigen in the urine of five out of six patients with deep candidal infection. Matthews *et al.* (1987) demonstrated a 47–52 kDa circulating antigen, which was more prominent when the sera were heated in the sera of patients with disseminated candidiasis. These studies showed high levels of circulating fungal antigen, which was detectable by routine biochemical methods and renally secreted.

Antigens and epitopes

Geysen *et al.* (1987) devised the technique of epitope mapping to identify continuous linear epitopes within protein antigens. Matthews *et al.* (1991a) examined sera positive for the 47 kDa antigen from patients with systemic candidiasis, HIV-antibody-positive patients with oral candidiasis, a case of chronic mincocutaneous candidiasis and negative controls. All patients with antibody to the 47 kDa antigen, whether systemically or superficially infected, recognised the epitope LKVIRK which was not seen in the eight control patients. Al-Dughaym *et al.* (1994) confirmed this finding in nine further patients with disseminated candidiasis and showed that this epitope was also immunodoment in seven of the cases and four out of six patients with invasive aspergillosis. The two exceptions were both fatal cases. A replacement set analysis of this epitope demonstrated that the irreplaceable amino acids were VIR.

Antibodies to LKVIRK

Murine monoclonal antibody

A murine monoclonal antibody was raised in BALB/c mice against the synthesised peptide epitope LKVIRKNIVKKMIE conjugated through cysteine to KLH (Matthews *et al.* 1991b). A murine model of systemic candidiasis was developed where a minimum dose was given which gave 100% mortality at 24 h. This dose was given to groups of mice pretreated with the following:

1. normal human serum;
2. the immunoglobulin fraction from normal serum;
3. sera from two patients with antibodies to the 47 kDa antigen who recognized the LKVIRK epitope, collected before starting antifungal therapy;
4. the immunoglobulin fraction from one of these patients, obtained by 50% ammonium sulphate precipitation;
5. the monoclonal antibody against LKVIRK;
6. an irrelevant monoclonal antibody (L2);
7. rabbit candidal hyperimmune serum.

Normal human serum and the L2 monoclonal antibody had no effect on mortality but sera from the two patients produced a 50% or greater reduction in mortality and this was shown to be mediated by the immunoglobulin fraction. Use of the monoclonal antibody to LKVIRK alone reduced mortality from 100% to 66% whereas the rabbit antiserum had little effect on mortality. When the experiment was repeated with a less lethal dose of *C. albicans* (10^7 colony-forming units (cfu)) mortality at 24 h dropped from 60% to 20%.

Genetically recombinant antibodies to Hsp90 (grAb®)

Human recombinant antibodies can be produced by co-expressing the heavy (VH) and light (VL) chain variable domains encoded by human antibody genes in the form of a single chain Fv (scFv), which is fused with a minor coat protein (g3p) at the tip of the filamentous phage (Marks *et al.* 1991). To obtain scFv against *C. albicans* hsp90, the immunoglobulin genes of a patient recently recovered from systemic candidiasis who had seroconverted to this antigen were cloned (Matthews *et al.* 1995b). Human recombinant antibodies to LKVIRK were produced by using the peptide NKILKVIRKNIVKK absorbed onto a solid phase. The lethal intravenous challenge with fluconazole susceptible (strain 4) or fluconazole resistant *C. albicans* (strain 019) followed 2 h later by a single dose of recombinant antibody, was associated with a statistically significant drop in mortality of ≥40% (two experiments in BALB/C mice given strain 4, one experiment in CD-1 mice given strain 019) or 23% (BALB/C mice, strain 019). In mice sublethally infected with strain 4, treatment with the scFv was associated with improved renal clearance of infection.

An antibody fragment representing the dominant antibody sequence produced (FABTEC® technology) in disseminated candidiasis was expressed as a genetically recombinant antibody (grAb®) in *E. coli* and named Mycograb®. A grAb® consists of the antigen-binding variable domains with or without the first constant domains, but not the Fc fragment.

Mycograb® spectrum of activity

The targeted epitope is conserved across *Candida* species (Santhanam and Burnie 2000) and Mycograb® shows intrinsic activity against a wide range of yeast species (Matthews and Burnie 2000). In mice a chronic infection model, where mice were challenged intravenously, activity as confirmed by reductions in organ colony counts was shown against fluconazole-sensitive and fluconazole-resistant *C. albicans, C. krusei, C. parapsilosis* and *C. glabrata* (Matthews *et al.* 2000).

Synergy with amphotericin B

Mycograb® also shows synergistic activity with amphotericin B. This is manifested by: (i) a reduction in the MIC of amphotericin B in the presence of Mycograb®; (ii) a greater reduction in yeast cell counts when yeasts are incubated overnight in the presence of Mycograb® and amphotericin B than with amphotericin B alone; and (iii) reduced organ colony counts in mice, when, after i.v. challenge with a *Candida* species, a single dose of Mycograb® (2 mg/kg) is given with a single dose of amphotericin B (0.6 mg/kg) (Matthews *et al.* 2001).

This synergistic activity was apparent against a wide range of yeast species, including fluconazole-sensitive and -resistant strains of *C. albicans, C. krusei, C. tropicalis, C. parapsilosis* and *C. glabrata*. For example, the minimum inhibitory concentration of amphotericin B for *C. albicans* was reduced 4-fold when co-incubated with Mycograb® at 10 mg/1. Co-incubation with as little as 1 mg/1 of Mycograb® was associated with a multiple log decrease in yeast counts. In a mouse model of systemic candidiasis, a sublethal intravenous dose of the yeast species was followed, 2 h later, by conventional amphotericin B (0.6 mg/kg) plus Mycograb® (2.0 mg/kg or 0.2 mg/kg) or placebo. Subsequent organ colony counts, performed at 48 h, showed enhanced clearing of the kidney, liver and spleen in a dose-dependent manner.

Immunohistochemistry

An immunohistochemical investigation into the cross-reactivity of Mycograb® with human tissues showed that the only significant staining was intracellular, involving the cytoplasm or nucleus, consistent with the expected distribution of endogenous human hsp90. None of the staining showed a membrane-bound pattern and there was no evidence of cell-surface expression of antigens cross-reacting with Mycograb®. In contrast, kidney sections from a mouse infected with *Candida* stained specifically with Mycograb® and deposits were seen around the yeast cells.

Pharmacokinetics and toxicology in mice

In mice given a single high dose as an intravenous bolus, Mycograb® showed a biphasic rate of clearance from the blood with an α-phase (2–30 min), β-phase (30–180 min) and combined serum $t_{1/2}$ of about 2 h. Tissue distribution studies showed localization to the kidney, liver and spleen followed by clearance from all these organs and the blood within 24 h. The parent molecule could not be detected in the urine, but low levels of a degraded form appeared to be secreted in the urine with peaks at <1 and 4–6 h.

Mycograb®, when mice were given up to 10-fold the anticipated therapeutic dose daily for 7 days, showed no significant toxicity.

Preliminary clinical studies

A first study involving escalating doses of Mycograb® (0.1 mg/kg, 1 mg/kg, 1 mg/kg twice daily) has been completed. This preliminary study was to assess safety and confirm that the dosing regime was correct. Encouragingly, it was noted that in several patients administration was associated with cultures becoming negative for *C. albicans*, for at least a limited time period. A phase II trial has now started, which will be a multi-centre, double-blind trial comparing Mycograb® plus liposomal amphotericin B with placebo plus liposomal amphotericin B.

Conclusion

The 21st century sees the dawn of a new epoch in treating systemic fungal infection. The trend will be towards combination therapy, and antibody-derived products with their likely safety will be the logical choice as part of any combination. Mycograb® is the first of these products to enter clinical trials and marks an exciting development as the spectrum of activity also included moulds such as *Aspergillus fumigatus* (Burnie and Matthews 1991).

Acknowledgements

I thank Professor R C Matthews and the team of *NeuTec* Pharma plc for making the above work possible.

References

Al-Dughaym AM, Matthews RC, Burnie JP (1994). Epitope mapping human heat shock protein 90 with sera from infected patients. *FEMS Immunology and Medical Microbiology* **8**, 43–48.

Angiolella L, Facchin M, Stringaro A, Maras B, Simonetti N, Cassone A (1996). Identification of a glucan associated enolase as a main cell wall protein of *Candida albicans* and an indirect target of lipopeptide antimycotics. *Journal of Infectious Diseases* **173**, 684–690.

Au-Young JK, Troy FA, Goldstein E (1985). Serologic analysis of antigen specific reactivity in patients with systemic candidiasis. *Diagnostic Microbiology Infectious Diseases* **3**, 419–432.

Ballantyne DS & Warmington JR (2000). Purification of native enolase from medically important *Candida* species. *Biotechnology and Applied Biochemistry* **31**, 213–218.

Barea PL, Calvo E, Rodriguez JA *et al.* (1999). Characterisation of *Candida albicans* antigenic determinants by two-dimensional electrophoresis and enhanced chemiluminescence. *FEMS Immunology, Medicine and Microbiology* **23**, 343–354.

Breitenbach M, Simon B, Probst G *et al.* (1997). Enolases are highly conserved fungal allergens. *International Archives of Allergy Immunology* **113**, 114–117.

Breedveld FC (2000). Therapeutic monoclonal antibodies. *Lancet* **355**, 735–740.

Burnie JP & Matthews RC (1991). Heat shock protein 88 and *Aspergillus* infection. *Journal of Clinical Microbiology* **29**, 2099–3010.

Casanova M, Martinez JP, Chaffin WL (1990). FAb fragments from a monoclonal antibody against a germ tube mannoprotein block the yeast-to-mycelium transition in *Candida albicans*. *Infection and Immunity* **58**, 3810–3812.

Caesar-TonThai TC & Cutler JE (1997). A monoclonal antibody to *Candida albicans* enhances mouse neutrophil candidacidal activity. *Infection and Immunity* **65**, 5354–5357.

De Viragh PA, Sangland D, Topgni G, Falchetto OR, Monod M (1993). Cloning and sequencing of two *Candida parapsilosis* genes encoding acid proteinases. *Journal of General Microbiology* **139**, 335–342.

Douglas LJ (1988). *Candida* proteinases and candidosis. *Critical Review of Biotechnology* **8**, 121–129.

Ferreira RP, Yu B, Nicki Y (1990). Detection of candida antigenuria in disseminated candidiasis by immunoblotting. *Journal of Clinical Microbiology* **28**, 1075–1078.

Franklyn KM, Warmington JP, Otta K (1990). An immunodominant antigen of *Candida albicans* shows homology to the enzyme enolase. *Immunology and Cell Biology* **68**, 173–178.

Geysen HM, Rodda SJ, Mason TJ, Tribbick G, Schoots PG (1987). Strategies for epitope analysis using peptide synthesis. *Journal of Immunological Methods* **102**, 259–274.

Ghadjari A, Matthews RC, Burnie JP (1997). Epitope mapping *Candida albicans* proteinase (SAP 2). *FEMS Immunology and Medical Microbiology* **19**, 115–123.

Gupta RS (1995). Phylogenetic analysis of the 90 kD heat shock family of protein sequences and an examination of the relationship among animals, plants, and fungi species. *Molecular Biology Evolution* **12**, 1063–1073.

Han Y & Cutler JE (1997). Assessment of a mouse model of neutropenia and the effect of an anti-candidiasis monoclonal antibody in these animals. *Journal of Infectious Diseases* **175**, 1169–1175.

Han Y, Riesselman MH, Cutler JE (2000). Protection against candidiasis by an immunoglobulin G3 (IgG3) monoclonal antibody specific for the same mannotriose as an IgM protective antibody. *Infection and Immunity* **68**, 1649–1654.

Hodgetts S, Matthews R, Morrissey G, Mitsutake K, Piper P, Burnie J (1996). Over-expression of *Saccharomyces cerevisiae* hsp90 enhances the virulence of this yeast in mice. *FEMS Immunology and Medical Microbiology* **16**, 229–234.

Kullberg BJ (1997). Trends in immunotherapy of fungal infections. *European Journal of Clinical Microbiology and Infectious Diseases* **16**, 51–55.

Marks JD, Hoogenboom HR, Bonnert TP, McCafferty J, Griffiths AC, Winter G (1991). By-passing immunization. Human antibodies from V-gene libraries displayed on phage. *Journal of Molecular Biology* **222**, 581–597.

Matthews RC, Burnie JP & Tabaqchali S (1984). Immunblot analysis of the serological response in systemic candidosis. *Lancet* **ii**, 1415–1418.

Matthews RC, Burnie JP & Tabaqchali S (1987). Isolation of immunodominant antigens from sera of patients with systemic candidiasis and characterization of serological response to *Candida albicans. Journal of Clinical Microbiology* **25**, 230–237.

Matthews RC & Burnie JP (1989). Cloning of a DNA sequence encoding a major fragment of the 47 kilodalton stress protein homologue of *Candida albicans. FEMS Microbiology Letters* **60**, 25–30.

Matthews RC, Burnie JP, Lee W (1991a). The application of epitope mapping in the development of a new serological test for systemic candidosis. *Journal of Immunological Methods* **143**, 73–79.

Matthews RC, Burnie JP, Howat D, Rowland T, Walton F (1991b). Autoantibody to heat-shock protein 90 can mediate protection against systemic candidosis. *Immunology* **74**, 20–24.

Matthews RC & Burnie JP (1995a). *Heat shock proteins in fungal infection*. RG Landes Company, Austin, Texas.

Matthews RC, Hodgetts S, Burnie JP (1995b). Preliminary assessment of a human recombinant antibody fragment to hsp90 in murine invasive candidiasis. *Journal of Infectious Diseases* **171**, 1668–1671.

Matthews RC & Burnie JP (2000). Antifungal antibodies: a new approach to the treatment of systemic candidiasis. *Current Opinion in Investigational Drugs* **2**, 472 476.

Matthews RC, Burnie JP, Rigg G, Hodgetts SJ, Nelson JC (2000). Human recombinant antibody to hsp90 in the treatment of disseminated candidiasis. *American Society of Microbiology* Abstract 063.

Matthews RC, Gregory C, Hodgetts S, Carter T, Chapman C, Rigg G (2001). Mycograb and amphotericin B: the dream team in disseminated candidiasis. *American Society of Microbiology*. Abstract F74.

Mitsutake K, Kohno S, Miyazaki T, Miyazaki H, Maesaki S, Koga H (1994). Detection of *Candida* enolase antibody in patients with candidiasis. *Journal of Clinical Laboratory Analysis* **8**, 207–210.

Monod M, Togni G, Hube B, Sangland D (1994). Multiplicity of genes encoding secreted aspartic proteinases in *Candida* species. *Molecular Microbiology* **13**, 2357–2368.

Neale TJ, Muir JC, Drak B (1987). The immunochemical characterisation of circulating immune complex constituents in *Candida albicans* osteomyelitis by isoelectric focusing, immunoblot and immunoprint. *Australia New Zealand Journal of Medicine* **17**, 201–209.

Panaretou B, Sinclair K, Prodromon C, Johal J, Pearl L, Piper PW (1999). The Hsp90 of *Candida albicans* can confer Hsp90 functions in *Saccharmyces cerevisiae*: a potential model for the processes that generate immunogenic fragments of this molecular chaperone in *C. albicans* infections. *Microbiology* **145**, 3455–3463.

Peterson P, Perkeentupa J, Krohn KJ (1996). Detection of candidal antigens in autoimmune polyglandular syndrome type I. *Clinical Diagnosis Laboratory Immunology* **3**, 290–294.

Petri MG, Konig J, Moecke HP *et al.* (1997). Epidemiology of invasive mycosis in ICU patients: a prospective multicenter study in 435 non-neutropenic patients. *Intensive Care Medicine* **23**, 317–325.

Polonelli L, Gerloni H, Conti S *et al.* (1994). Heat shock mannoproteins as targets of secretory IgA in *Candida albicans. Journal of Infectious Diseases* **169**, 1401–1405.

Postlethwait P & Sundstrom P (1995). Genetic organization and mRNA expression of enolase genes of *Candida albicans. Journal of Bacteriology* **177**, 1772–1729.

Sandini S, Melchionna R, Arancia S, Gomez ML, La Valle R (1999). Generation of a highly immunogenic recombinant enolase of the human opportunistic pathogen *Candida albicans. Biotechnology and Applied Biochemistry* **29**, 223–227.

Santhanam J & Burnie JP (2000). A PCR-based approach to sequence the *Candida tropicalis* HSP90 gene. *FEMS Immunology and Medical Microbiology* **29**, 35–38.

Strockbine NA, Largen MT, Zweinkel SM (1984). Identification and molecular weight characterization of antigens from *Candida albicans* that are recognized by human sera. *Infection and Immunity* **43**, 715–721.

Sturtevant J & Calderone R (1997). *Candida albicans* adhesins: biochemical aspects and virulence. *Révista Iberoamericana de Micología* **14**, 90–97.

Sundstrom P & Aliaga GR (1992). Molecular cloning of cDNA and analysis of protein secondary structure of *Candida albicans* enolase, an abundant, immunominant glycolytic enzyme. *Journal of Bacteriology* **174**, 6788–6799.

Swoboda RK, Bertrami G, Budge S, Gooday GW, Gow NA, Brown AJ (1995). Structure and regulation of the HSP90 gene from the pathogenic fungus *Candida albicans*. *Infection and Immunity* **63**, 4506–4514.

Togni G, Sangland D, Falchetto OR, Monod M (1991). Isolation and nucleotide sequence of the extracellular acid protease gene (*ACP*) from the yeast *Candida tropicalis*. *FEBS Letters* **286**, 181–185.

Vanden-Bossche H, Dromer F, Improvisi I, Lozano-Chiu M, Rex JH, Sangland D (1998). Antifungal drug resistance in pathogenic fungi. *Medical Mycology* **36** (Suppl. 1), 119–128.

Van-Deventer AJ, Vaa Vliet HJ, Hop WC, Goesseens WM (1994). Diagnostic value of anti-Candida enolase antibodies. *Journal of Clinical Microbiology* **32**, 17–23.

Verduyn-Lunel FM, Meis JP, Voss A (1999). Nosocomial fungal infections: candidemia. *Diagnostic Microbiology and Infectious Diseases* **34**, 213–220.

Viudes A, Perea S, Lopez-Ribot JL (2001). Identification of continuous B cell epitopes on the protein moiety of the 58-kilodalton cell wall mannoprotein of *Candida albicans* belonging to a family of immunodominant fungal antigens. *Infection and Immunity* **69**, 2909–2919.

Index

Throughout this index the abbreviation, SFI, is used to denote systemic fungal infection.

ABC (ATP-binding cassette) transporters, role in azole resistance 87–88
ABCD (Amphocil), pharmacoeconomics 131–135
Abelcet (ABLC)
  cost 147
  pharmacoeconomics 131–135
  see also amphotericin B
Absidia corymbifera 91
acquired resistance *see* emergent resistance
acute myeloid leukaemia (AML)
  Candida prophylaxis 30
  gut mucosal barrier injury 28
  see also leukaemia patients
adhesins, immunotherapy 148
adverse effects
  amphotericin B 131, 132–133, 134–135
  caspofungin 58
  itraconazole 55
  posaconazole 108
  trovafloxacin 103
  voriconazole 56, 106
AIDS *see* HIV patients
air crescent sign 80
air filtration 21
  role in prevention of aspergillosis 10, 11
  see also high efficacy particulate (HEPA) filtration
air samples, isolation of *Aspergillus* species 11, 13
air sampling methods 20
airborne infection 15–16, 18, 21
AmBisome (liposomal amphotericin B) 53, 56
  cost 147
  pharmacoeconomics 131–135
  strengths and weaknesses 101, 102
  see also amphotericin B

Amphocil (ABCD), pharmacoeconomics 131–135
  see also amphotericin B
amphotericin B 53, 58, 131, 142
  combination therapy
    with azoles 92, 118–119
    with flucytosine 117–118
    with Mycograb® 152
    with terbinafine 119
  economic evaluation xv
  nephrotoxicity 132–133, 134–135
  pharmacoeconomics 131–135
  prophylactic use 41–42, 43
    in organ transplantation 70
    see also prophylaxis
  resistance to xii, 88–89
  strengths and weaknesses 101, 102
  use in selective decontamination of digestive tract (SDD) regimens 40
amphotericin B in colloidal dispersion (ABCD, Amphocil), pharmacoeconomics 131–135
amphotericin B in lipid complex (ABLC, Abelcet)
  cost 147
  pharmacoeconomics 131–135
anidulafungin (LY303366) xiv, 109, 110
animal studies of candidaemia 37–38
anthracycline therapy x
  Candida prophylaxis 30
  gut mucosal barrier injury 28
antibiotic use xi, 5
  Candida overgrowth 40
antibody detection, role in diagnosis 79
antibody response to candidiasis 148–149
antibody therapy 147–53
antifungal therapy
  clinical errors 142
  clinical need 102
  pharmacoeconomics 129–135
  prerequisites for licensure 101–102
  prophylactic use 41–43
    disadvantages 43–44
    see also prophylaxis
  resistance 43, 44, 51, 68–69, 85–92

antifungal therapy contd
  trials 51, 52, 102–104
antigen detection, role in diagnosis
    xii, 80
  see also galactomannan test
antigens in candidiasis 148–150
anti-retroviral treatment 69, 90
APACHE score, relationship to risk of
    SFI 71, 72
aspergillosis ix, 3
  amphotericin B and flucytosine
      combination therapy 117
  blood cultures, sensitivity of 79
  caspofungin therapy 57–58, 110–111
  diagnosis 5
  environmental hazards ix–x, 9, 10
  laboratory diagnosis xii
    molecular diagnosis 80
  mortality 5
  posaconazole therapy 108
  prevention 10–15
    see also prophylaxis
  reference sources 9
  respiratory 19
  risk assessment 17–22
  risk management 21–22
  sources of infection 15–17
  surgical treatment 121–122
  trials of antifungal agents 103
  voriconazole therapy 106
  see also invasive aspergillosis
Aspergillus fumigatus, resistance to
    itraconazole 90
Aspergillus spores 9
  see also spore counts
Aspergillus species
  dose-response relationship 19–20
  Helsinki University Central Hospital,
      surveillance model 23
  resistance to amphotericin B 88
ATP-binding cassette (ABC)
    transporters, role in azole
    resistance 87–88
audit 140
azoles
  combination therapy 118–119
    with amphotericin B 92

  with terbinafine 119
  prophylactic use 41–43
    see also prophylaxis
  resistance 91–92
    epidemiology of 89–90
    mechanisms of 87–88
    see also fluconazole; itraconazole;
  ketoconazole; posaconazole;
    ravuconazole; triazoles;
    voriconazole

B-6.1 antibody 148
bacteraemia, link with invasive
    candidiasis 28
benzodiazepines, interaction with
    voriconazole 106–107
biopsy xii, 141
black pepper 10
blastomycosis 68
blood cultures, sensitivity of xii, 79
blood stream infections (BSI) 3–4
  see also candidaemia
bone marrow transplantation ix, 3
  antifungal prophylaxis 42
  candidaemia, incidence of 35–36
  fluconazole prophylaxis 66
  invasive aspergillosis 5–6
bowel colonisation *see* gut colonisation
bowel function *see* gut function
bronchoalveolar lavage (BAL),
    sensitivity of xii, 79
building work, risk of nosocomial
    infection 9, 10, 11–12, 13
burns patients
  antifungal prophylaxis 42
  incidence of candidaemia 36

Candida albicans
  azole resistance 89–90
  fluconazole resistance 43
  mechanisms of azole resistance
      87–88
Candida albicans enolase and stress
    proteins 149–150
Candida dubliniensis 43
Candida glabrata 4, 5, 43, 44, 66
  azole resistance 89, 90

colonisation in HIV patients 69
Candida guilliermondii, resistance to
amphotericin B 88
Candida krusei, azole resistance 90
Candida lusitaniae, resistance to
amphotericin B 88
Candida parapsilosis 4, 5, 44
secreted aspartic proteinases (SAPs)
148
Candida species
colonisation of gut 27–28, 40
surveillance 30
immunotherapy 147–53
oral colonisation in HIV patients 68
resistance to flucytosine 89
susceptibility tests 4
Candida tropicalis
azole resistance 90
colonisation 28
secreted aspartic proteinases (SAPs)
148
candidaemia 3–4
amphotericin B and flucytosine
combination therapy 118
incidence 35–36
molecular diagnosis 80
mortality 39
neonatal 5
pathogenesis 37–39
prophylaxis in intensive care units
39–43
see also prophylaxis
risk factors 71–72
sensitivity of blood culture 79
trials of antifungal agents 103
see also invasive candidiasis
candidiasis
caspofungin therapy 111
circulating antigens 150
in critically ill patients 70–1
epithelial damage, role in infection x
see also gut mucosal barrier
injury (MBI)
incidence 64
non-*albicans* ix
posaconazole therapy 107–108

prevention of x
see also prophylaxis
ravuconazole therapy 108–109
risk in transplant patients 37
T-cell responses 119
trials of antifungal agents 103
vaginal 40
in HIV-positive women 69
voriconazole therapy 106
see also invasive candidiasis
candins xiv, 109–111, 112
see also caspofungin
caspofungin xiv, 57–58, 92, 109–111
in combination therapy 119
strengths and weaknesses 112
cell wall disruption, methods 81
Centers for Disease Control and
Prevention, guidelines for
prevention of nosocomial
pneumonia (1997) 21
central lines, *Candida* colonisation
36, 38
in neonates 5
cephalosporins, risk of neonatal
candidal colonisation 5
cereal consumption 10
chemotherapy, gut mucosal barrier
injury (MBI) 28
clinical errors 141–142
clinical resistance 86
mechanisms of 87
see also resistance to antifungal
therapy
clotrimazole, prophylactic use 42
coccidioidomycosis 68
Cochrane Collaboration meta-analysis
67
combination therapy 92, 117–119
communication, role in risk
management 22
computerised tomography (CT), role
in diagnosis 79, 80, 140
construction work, risk of nosocomial
infection 9, 10, 11–12, 13
copper-8-quinolinate, use in surface
disinfection 11

corrected candida index (CCI) 38
cost-effectiveness analysis of
    amphotericin B preparations
    132–135
costs of drug therapy 129
    analysis of 130
^{51}Cr-labelled ethylenediaminetetraacetic
    acid (^{51}Cr-EDTA), in gastro-
    intestinal permeability assessment
    29
critically ill patients
    SFI prophylaxis 70–1
    see also intensive care units
cross-resistance 91–92
cryptococcal meningitis 37
    amphotericin B and flucytosine
        combination therapy 117
    prophylaxis in HIV patients 69
    trials of antifungal agents 103
Cryptococcus neoformans
    resistance to azoles 90, 92
    resistance to candins 109
    resistance to flucytosine 89
cyclosporin
    interaction with caspofungin 111
    interaction with itraconazole 55
    interaction with posaconazole 108
    interaction with voriconazole 106
cytarabine therapy x
    Candida prophylaxis 30
    gut mucosal barrier injury 28
cytochrome P450 isoenzyme induction
    by triazoles 106, 107, 108, 109
cytokines 119
cytomegalovirus (CMV) 37
cytotoxic therapy, gut mucosal barrier
    injury (MBI) 28

delavirdine, interaction with
    voriconazole 107
diagnosis of SFI xii, 67, 79
    clinical errors 141–142
    difficulties 51–52
    ELISA tests 80
    molecular diagnosis 80–82
    service deficiencies 140

diet, role in prevention of aspergillosis
    10, 17
dose-response relationship for
    Aspergillus spp 19–20
drug interactions 55
    with caspofungin 111
    with posaconazole 108
    with ravuconazole 109
    with voriconazole 106–107

echinocandins
    in combination therapy 119
    structure 110
economic evaluation of treatments xv
efficiency of drugs 129
ELISA *see* enzyme-linked
    immunosorbent assay tests for
    aspergillosis
emergent resistance 87, 91
    role of prescribing practices 85
    see also resistance to antifungal
        therapy
empirical therapy 79
enolase, candidal 149–150
enteral feeding, influence on *Candida*
    colonisation 40
environmental control *see* high efficacy
    particulate (HEPA) filtration;
    laminar air flow
environmental hazards ix–x, 9, 10–12
environmental surveillance 23
    see also air sampling; sources of
        infection
enzyme-linked immunosorbent assay
    (ELISA) tests for aspergillosis 5,
    80
    availability 140
    comparison with PCR methods 81–82
epidemiology of SFI 3
    aspergillosis 5–6
    candidiasis 3–5
    in surgical patients 35–37
epithelial damage
    role in candidiasis x
    see also gut mucosal barrier injury
        (MBI)

erythromycin, interaction with
    voriconazole 107
exposure assessment 18–19

FK-463 (micafungin) xiv, 109, 110
flow cytometry 39
fluconazole xiii, 54
    combination therapy
        with amphotericin B 119
        with flucytosine 89
    prophylactic use 28, 65, 66, 67
        in liver transplantation 70
        in surgical ITUs 71
    resistance xiii, 43–44, 69, 89–90
    strengths and weaknesses 101, 102
    see also azoles; triazoles
5-fluorocytosine (flucytosine)
    combination therapy
        with amphotericin B 117–118
        with azoles 118
        with fluconazole 89
    resistance xii, xiii, 89
food as source of infection 17
FR901379, structure 110
fusariosis, posaconazole therapy 108
Fusarium species, resistance to
    antifungal agents 88–89, 91

galactomannan tests xii, 80
    availability ELISA 140
    comparison of ELISA and PCR
        methods 81–82
gastro-intestinal permeability
    measurement 29
GIMEMA Infection Program trial 65
glucan synthesis inhibitors xiv, 57
    see also candins; caspofungin
glutamine, role in *Candida*
    prophylaxis 40
grAB® antibodies 152
granulocyte-colony stimulating factor
    (GCSF) 120
granulocyte macrophage-colony
    stimulating factor (GM-CSF) 120
granulocyte transfusions 121
growth factors, therapeutic use xv, 120

gut
    colonisation by *Candida* 27–28,
        31–38
    selective decontamination 40–41
gut function, role in *Candida*
    colonisation x, 40
gut mucosal barrier injury (MBI)
    assessment of 29, 30
    following total body irradiation and
        chemotherapy 28
    role in invasive candidiasis 27

haematological malignancies,
    prophylaxis 51–52
    antifungal agents 53–58
    see also leukaemia patients
haematology units
    efficacy of HEPA filtration and
        LAF systems 13–14
    incidence of candidaemia 35
haematopoietic stem cell (HSC)
    transplantation ix, x, 3
    antifungal prophylaxis 30, 51
    risk of invasive candidiasis 27, 28
halo sign 80
hand carriage of *Candida* species 5, 40
hazard identification 18
heart-lung transplantation, SFI
    prophylaxis 70
    see also organ transplantation
heat shock protein (hsp) 90, candidal
    149–150
    recombinant antibodies to 151–152
Helsinki University Central Hospital,
    surveillance model 23
high efficacy particulate (HEPA)
    filtration 10, 12, 21, 68, 139
    efficacy 13–15
highly active antiretroviral therapy
    (HAART) 69, 90
histological diagnosis xii, 141
histoplasmosis 68, 70
HIV patients
    antifungal prophylaxis 68–70
    candidiasis 69
    emergence of resistant organisms 43

HIV patients contd
  fluconazole resistant infections 89–90
hygiene 140
  see also hand carriage of *Candida*
    species

imaging techniques in diagnosis
    79–80, 140
imidazoles *see* clotrimazole,
    prophylactic use; ketoconazole
imipenem, link with yeast colonisation
    of gut 28
immunocompromised patients,
    prophylaxis xi–xii
  see also neutropenic patients
immunological investigations, role in
    risk assessment 39
immunomodulation 119–121, 147
immunotherapy 147–53
in vitro resistance 86
incidence of SFI xv, 3
  in neutropenia 64
incremental analysis of drugs 129
innate resistance 92
intensive care units (ICUs)
  antifungal prophylaxis 44–46, 70–1
    Candida prophylaxis 39–43
    effect of fluconazole use on SFI
      agents 44
  incidence of candidaemia 35–36, 37
interactions *see* drug interactions
interferon-? 119
interleukins 119
  effect of growth factors 120
intrinsic (innate) resistance 85, 86, 87
  see also resistance to antifungal
    therapy
invasive aspergillosis (IA)
  in bone marrow transplant patients
    5–6
  diagnosis 5
  environmental hazards 10–12
  preventative strategies 12
    efficacy of HEPA and LAF 13–15
  sources of infection 15–17
    identification of 12–13
  see also aspergillosis

invasive candidiasis 27
  link with bacteraemia 28
  prophylaxis 29–30
  see also candidaemia; candidiasis
invasive disease, treatment xiii–xv
isolation facilities 139–140
itraconazole xi, xiii, 54–55, 58
  combination therapy
    with amphotericin B 118, 119
    with flucytosine 118
  drug development 104
  prophylactic use 67
    GIMEMA Infection Program trial
      65
    in HIV patients 70
    in liver transplantation 70
  resistance 90
  strengths and weaknesses 102
  use in HIV-related candidosis 90
  see also azoles; triazoles

ketoconazole
  combination therapy with
      amphotericin B 118
  prophylactic use 43
  resistance 89
  see also azoles

laboratory diagnosis xii
  of aspergillosis 5, 80–82
  availability 140
lactobacilli 68
Lactobacillus acidophilus 40
lactulose, in gastro-intestinal
    permeability assessment 29
laminar air flow (LAF) 12
  efficacy 13, 14
leukaemia patients
  Candida prophylaxis 30
  gut mucosal barrier injury 28
  risk of invasive candidiasis 27, 28
  value of prophylaxis 65, 66
  see also haematological malignancies
licensing of antifungal agents,
    prerequisites 101–102
liposomal amphotericin B
  (AmBisome) 53, 56

cost 147
pharmacoeconomics 131–135
strengths and weaknesses 101, 102
see also amphotericin B
liver transplantation
 antifungal prophylaxis xi, 41–42, 70
 risk of SFI 37
 trials of antifungal agents 104
 see also organ transplantation
LKVIRK monoclonal antibody 151
lovastatin, interaction with
 voriconazole 106–107
lung transplantation
 SFI prophylaxis 70
 see also organ transplantation
LY303366 (anidulafungin) xiv, 109, 110

macrophage-colony stimulating factor
 (M-CSF) 120
magnetic resonance imaging (MRI),
 role in diagnosis 79–80
maintenance practices 22
 see also construction work, risk of
 nosocomial infection
major facilitator superfamily (MFS)
 transporters, role in azole
 resistance 87–88
management of SFI
 clinical errors 141–142
 of high risk patients xv–xvi
 ideal 139
 service deficiencies 139–141
 see also antifungal therapy;
 diagnosis of SFI; prophylaxis
mannitol, in gastro-intestinal
 permeability assessment 29
mannoproteins of *Candida albicans*,
 antibody therapy 148
mannose-binding lectins (MBLs) 39
marginal costs of drugs 129
micafungin (FK-463) xiv, 109, 110
microbial risk assessment 18
molecular diagnosis of SFI 80–82
monoclonal antibodies to LKVIRK 151
Mucor circinelloides 91
mucosal barrier injury *see* gut mucosal
 barrier injury (MBI)

multidisciplinary approach to SFI
 management xv, 139, 140
Mycograb® 152–153
mycophenolic acid (mofetil) 111

nasal swabs, isolation of *Aspergillus*
 species 11
National Epidemiology of Mycosis
 Survey (NEMIS) 4
National Nosocomial Infection
 Surveillance Program (USA) ix, 3
neonatal candidaemia 5
neonatal units, efficacy of HEPA
 filtration 14–15
nephrotoxicity of amphotericin B 131,
 132–133, 134–135
neutropenia 63
 incidence of SFI 64, 141
 risk analysis xi
 trials of antifungal agents 104
neutropenic enterocolitis 28
nevirapine, interaction with
 voriconazole 107
non-*albicans* candidaemia 28
nosocomial fungal infections 9–10
 agents ix–x
 prevention of aspergillosis 10–15
 see also prophylaxis
nut consumption 10
nystatin 53
 prophylactic use 41–43, 65

oesophageal candidiasis
 caspofungin therapy 111
 ravuconazole therapy 108
 voriconazole therapy 106
 see also candidiasis
omeprazole, interaction with
 voriconazole 107
oncology units, incidence of
 candidaemia 35
opportunity costs of drugs 129
oral mucositis 29
organ transplantation
 antifungal prophylaxis 41–42, 70
 environmental controls in transplant
 units 12

organ transplantation contd
  incidence of candidaemia 35, 36, 37
oropharyngeal candidiasis
  caspofungin therapy 111
  incidence 64
  posaconazole therapy 107–108
  ravuconazole therapy 109
  see also candidiasis
3-ortho-methylglucose (3-OMG), in
    gastro-intestinal permeability
    assessment 29
orthotopic liver transplantation (OLT)
  see liver transplantation
outcome of infection, influencing
    factors 86

pancreatic transplantation, antifungal
    prophylaxis 42
  see also organ transplantation
pancreatitis, risk of candidaemia after
    surgery 36
parenteral nutrition, risk of candida
    colonisation 4, 5
pathogen shift 66
pathogenesis of *Candida* infection
    37–39
PCR tests *see* polymerase chain
    reaction diagnosis of SFI
Penicillium marneffei infection 68
peritonitis, candidal 71
pharmacoeconomics 129–130
  of amphotericin B 131–135
pharmacokinetics 52
phenytoin
  interaction with posaconazole 108
  interaction with voriconazole 106, 107
piperacillin, link with yeast
    colonisation of gut 28
plants, removal from patients' rooms 10
pneumocandin B, structure 110
Pneumocystis carinii, sensitivity to
    candins 110
Pneumocystis carinii pneumonia
    (PCP) prophylaxis 68
  risk in transplant patients 37
polyenes 53
  see also amphotericin B; nystatin

polyethylene glycol, in gastro-intestinal
    permeability assessment 29
polymerase chain reaction (PCR)
    diagnosis of SFI xii, 80
  availability 140
  choice of method 80–82
  posaconazole xiv, 56–57, 105, 107–108
  strengths and weaknesses 112
  see also azoles; triazoles
prednisolone, interaction with
    voriconazole 106
prescribing practices, role in emergent
    resistance 85, 87, 89, 91
primary resistance *see* intrinsic
    (innate) resistance
probiosis 68
prognosis *see* outcome of infection
proof of infection 82
prophylaxis x–xii, 139
  AmBisome (liposomal amphotericin
    B) 53
  against candidiasis 29–30
    in intensive care units 39–43
  fluconazole 54
  in haematological malignancies
    51–52
  in HIV patients 68–70
  indications for 44–46
  itraconazole 55
  in neutropenic patients 63, 64–68
  in organ transplantation 41–42, 70
  pathogen shift 66, 67
  pharmacoeconomics 134
  posaconazole 57
  secondary xiv
  trials of antifungal agents 104
  voriconazole 56
proteinases, immunotherapy 148
pulmonary aspergillosis, surgical
    treatment 121–122

quality adjusted life years (QALYs) 130

radiological investigation, role in
    diagnosis xii
randomised controlled trials (RCTs) of
    antifungal agents 51, 52

rapamycin, interaction with
voriconazole 106
ravuconazole xiv, 105, 108–109
strengths and weaknesses 112
see also azoles; triazoles
recombinant antibodies to LKVIRK 151
renal toxicity of amphotericin B 131,
132–133, 134–135
renal transplantation, risk of SFI 37
see also organ transplantation
resistance to antifungal agents
xii–xiii, 51, 85, 91–92
to amphotericin B 88–89
to azoles 89–90
fluconazole 43, 44, 68–69
to flucytosine 89
Fusarium species 91
mechanisms of resistance 87–88
Scedosporium species 91
susceptibility testing 86
in zygomycosis 91
respiratory aspergillosis 19
L-rhamnose, in gastro-intestinal
permeability assessment 29
Rhizopus arrhizus 91
Rhizopus microsporus 91
rifabutin
interaction with posaconazole 108
interaction with voriconazole 107
risk analysis & assessment ix, xi, 10,
17–22
for candidaemia following surgery 39
risk characterisation 20–21
risk factors for SFI 36
for *Candida* infection 4, 71–72
in neonates 5
in liver transplant patients 37
risk identification 139
risk management 21–22
ritonavir, interaction with voriconazole
107

Saccharomyces cerevisiae colonisation
in HIV patients 69
Scedosporium apiospermum 91
Scedosporium prolificans, resistance
to antifungal agents 91

Scedosporium species, resistance to
amphotericin B 88
screening for SFI, role of PCR tests 80
secondary prophylaxis xiv
see also prophylaxis
secreted aspartic proteinases (SAPs) 148
selective decontamination of digestive
tract (SDD) 40–41
SENTRY study (*Candida* blood stream
infections) 4
service deficiencies 139–141
side effects *see* adverse effects
simvastatin
concomitant use with ravuconazole
109
see also statins
sirolimus, interaction with
voriconazole 106
sources of infection 15–17
identification of 12–13
spices 10
spore counts 19, 20, 21
spore release during construction work
9, 10
statins
concomitant use of simvastatin with
ravuconazole 109
interaction with voriconazole 106–107
stem cell transplantation ix, x, 3
antifungal prophylaxis 30, 51
risk of invasive candidiasis 27, 28
Streptococcus thermophilus, effect on
Candida adherence 40
stress proteins in candidiasis 148–149
sugar probes, in gastro-intestinal
permeability assessment 29
surface disinfection 11
surgical patients
antifungal prophylaxis 42–43
epidemiology of SFI 35–37
gut colonisation by *Candida* 37–38
risk assessment for candidaemia 39
risk factors for candidaemia 36
surgical treatment of SFI xv, 121–122
susceptibility testing 85, 86
in aspergillosis 88
in zygomycosis 91

T-cell responses in candidiasis 119
tacrolimus
  interaction with caspofungin 111
  interaction with voriconazole 106
tap water as source of infection 16–17
terbinafine 119
total body irradiation (TBI)
  Candida prophylaxis 30
  gut mucosal barrier injury 28
total parenteral nutrition, as risk factor
    for candidaemia 71
translocation, role in *Candida* invasion
    37, 38
transplantation *see* bone marrow
    transplantation; organ
    transplantation; stem cell
    transplantation
trauma patients, risk factors for
    Candida infection 71–72
treatment *see* antifungal therapy
trials of antifungal agents 102–104
triazoles xiii–xiv, 53–57, 105–109
  strengths and weaknesses 112
  see also azoles; fluconazole;
      itraconazole; posaconazole;
      ravuconazole; voriconazole
Trichosporon species, resistance to
    amphotericin B 88
trovafloxacin 103
tumour necrosis factor-? (TNF- ?) 119
  effect of growth factors 120

UK candidaemia study 36

vacuum cleaners as source of infection
    15–16, 18
ventilation systems, role in prevention
    of aspergillosis 10
  see also high efficacy particulate
      (HEPA) filtration; laminar air
      flow (LAF)
vincristine, interaction with
    itraconazole 55
voriconazole xi, xiii–xiv, 53, 56, 58
  drug interactions 106–107
  efficacy 105–106
  pharmacokinetics 107
  strengths and weaknesses 112
  see also azoles; triazoles

warfarin, interaction with voriconazole
    106
water as source of infection 16–17

D-xylose absorption 28, 29

yeast infections, nosocomial 10
  see also candidaemia; candidiasis;
      invasive candidiasis
yoghurt, influence on *Candida*
    colonisation 40

Zygomycetes, resistance to
    amphotericin B 88
zygomycoses 91
  surgical treatment 121–122